BIBLIOTHÈQUE NORDIQUE

DANS L'OMBRE

Arnaldur INDRIDASON

DANS L'OMBRE

(Trilogie des ombres, T. 1)

Traduit de l'islandais
par Éric Boury

Éditions Métailié
20, rue des Grands Augustins, 75006 Paris
www.editions-metailie.com
2017

Retrouvez-nous sur les réseaux sociaux :

Titre original : *Þýska húsið*
© Arnaldur Indridason, 2015
Published by agreement with Forlagið, www.forlagid.is
Traduction française © Éditions Métailié, Paris, 2017
ISBN : 979-10-226-0541-0

1

Le *Sudin* contourna soigneusement les frégates et les torpilleurs avant d'accoster au port de Reykjavik. Quelques instants plus tard, les passagers descendirent du ferry. Titubants, certains étaient très soulagés de retrouver la terre ferme. Pendant qu'ils traversaient le golfe de Faxafloi, le vent avait subitement forci et avait tourné au sud-ouest, il s'était mis à pleuvoir et, après une navigation plutôt calme, le bateau avait beaucoup tangué. La plupart des passagers étaient restés à l'abri dans les cabines exiguës à l'air saturé d'humidité du fait de leurs vêtements mouillés. Quelques-uns, parmi lesquels Eyvindur, avaient souffert du mal de mer sur la dernière partie du trajet.

Monté à bord à Isafjördur en traînant ses deux valises éculées, il avait dormi presque tout le voyage, éreinté après sa tournée. Les bagages contenaient du cirage Meltonian et du vernis Poliflor, ainsi que des échantillons de faïence qu'il avait essayé de vendre dans les villages, les fermes et hameaux des fjords de l'Ouest : assiettes, tasses et couverts fabriqués en Hollande, que le grossiste avait importés en Islande juste avant que la guerre n'éclate.

Eyvindur avait plutôt bien écoulé le cirage et le vernis, s'efforçant également de vanter les qualités de la faïence, mais en cette époque incertaine ce type d'achats n'était pas une priorité. De plus, cette fois-ci, il n'avait pas eu le cœur à l'ouvrage. Ne se sentant pas très bien, il avait négligé de s'arrêter à plusieurs endroits qui faisaient pourtant partie de sa tournée habituelle. D'une certaine manière, il avait perdu toute force de conviction, ce pouvoir presque divin dont le grossiste affirmait qu'il était nécessaire à tous les bons vendeurs. Eyvindur avait engrangé très peu de commandes sur son carnet, et il avait mauvaise conscience. Il se disait qu'il aurait pu se démener davantage, les commandes passées par ses clients ne feraient guère diminuer le stock.

Deux semaines plus tôt, il avait quitté Reykjavik bouleversé, ce qui expliquait partiellement que sa tournée n'ait pas tenu ses promesses. Il avait eu la maladresse d'évoquer un sujet délicat avec Vera et la dispute qui avait suivi l'avait hanté tout le voyage. Vera s'était mise en colère et l'avait traité de tous les noms. Pour sa part, il avait regretté ses paroles dès que le *Sudin* avait quitté le port de Reykjavik. Il avait eu deux semaines pour réfléchir et trouver un moyen de présenter ses excuses, même s'il n'était pas certain d'être dans son tort. Vera était apparemment sincère quand elle lui avait répondu qu'elle n'arrivait pas à croire qu'il puisse l'accuser ainsi. Elle avait fondu en larmes, était allée s'enfermer dans une pièce et avait refusé de lui parler. Craignant de manquer le ferry, Eyvindur avait pris ses valises remplies de cirage, de vernis et de faïence hollandaise, navré d'exercer la profession de représentant qui exigeait ces longues absences pendant lesquelles il ignorait ce que faisait sa compagne.

Encore plongé dans cette histoire au moment où il avait débarqué, il s'était précipité vers le centre pour rentrer chez lui en se pressant autant que le lui permettait sa corpulence. Grassouillet et l'air usé en dépit de son jeune âge, vêtu d'un imperméable, portant une valise à chaque main, il avait les jambes légèrement arquées. La pluie qui tombait plus dru encore gouttait des bords de son chapeau, elle ruisselait dans ses yeux et sur ses pieds. Il s'abrita sous le porche de la pharmacie Reykjavikurapotek et jeta un œil en direction de la place d'Austurvöllur où un petit groupe de soldats marchait au pas devant le Parlement. Les troupes américaines remplaçaient peu à peu les soldats britanniques et on pouvait à peine faire un pas dans Reykjavik sans tomber sur des camions, des barrières de protection faites de sacs de sable, des bouches de canons et des jeeps militaires. La guerre avait rendu cette petite ville paisible complètement méconnaissable.

Il était arrivé que Vera vienne l'accueillir à l'accostage. Ils rentraient alors ensemble à la maison et elle lui parlait de ses journées. Il lui racontait sa tournée en détail : les gens qu'il avait rencontrés, les commandes qu'il avait prises. Il lui avait confié qu'il ignorait combien de temps il conserverait cet emploi : il n'avait pas l'impression d'être un très bon vendeur. Il ne savait jamais quoi dire pour vanter les mérites du produit afin de déclencher chez le client l'envie de l'acquérir. En outre, il n'était pas très doué pour la conversation, contrairement à Felix, qui rayonnait d'assurance.

C'était la même chose pour Runki qu'il croisait souvent à bord du *Sudin*, ses valises pleines de toutes sortes de couvre-chefs de chez Luton, et dont il enviait le bagou. Hâbleur et sûr de lui, Runki avait le don de capter l'attention, il était vendeur par la grâce de Dieu. La confiance en soi était la clef du succès. Tandis qu'Eyvindur avait du mal à vendre sa vaisselle hollandaise, partout en ville les gens arboraient fièrement les nouveaux chapeaux de Runki, heureux d'avoir saisi une si belle aubaine.

N'ayant plus la patience d'attendre que la pluie cesse, Eyvindur prit ses valises et s'arma de courage pour traverser la place d'Austurvöllur, bravant les bourrasques et la pluie froide de fin d'été qui se déversait sur la ville. Son oncle lui louait dans le quartier ouest le petit appartement qu'il partageait avec Vera. Les loyers étaient très élevés tant il y avait pénurie de logements. Les gens quittaient les campagnes pour venir s'installer dans les villes, et principalement à Reykjavik, espérant trouver un emploi dans l'armée, avoir en poche de l'argent véritable, quelques pièces sonnantes et trébuchantes, et vivre une vie meilleure. L'oncle d'Eyvindur possédait quelques appartements et s'enrichissait considérablement grâce à ce que tout le monde appelait la situation*, mais il

* En islandais, *ástandið* désigne la période où l'Islande était occupée par les troupes britanniques puis américaines (entre 1940 et 1945). Le mot renvoie également aux liaisons entre les soldats et les femmes islandaises : dire qu'une femme était "dans la situation" signifiait qu'elle entretenait une relation avec un soldat étranger. On parlait également "d'enfants de la situation" pour désigner les enfants nés de pères militaires et de mères islandaises. (*Toutes les notes sont du traducteur.*)

se montrait honnête avec son neveu et le loyer n'était pas exorbitant. Eyvindur trouvait cependant qu'il payait assez cher et il lui arrivait de devoir demander un délai quand sa confiance en soi était au plus bas et que son travail ne lui rapportait pas assez.

Il ouvrit la porte de la maison en béton à deux étages, puis celle de l'appartement qu'il occupait au rez-de-chaussée, retourna chercher ses valises sur le perron et les rentra en appelant sa compagne, surpris qu'elle ne vienne pas l'accueillir.

– Vera ? Vera chérie ?

Personne ne répondit. Il referma la porte, alluma la lumière et s'accorda quelques instants pour souffler en regrettant de s'être pressé pour rien sur la dernière portion du trajet. Vera n'était pas à la maison. Elle s'était absentée. Il devrait donc attendre encore un peu avant de lui parler et de la prier de lui pardonner ses paroles malheureuses. Il avait préparé mentalement ce qu'il allait lui dire, les mots qu'il devait prononcer pour que tout soit effacé et redevienne comme avant.

Trempé jusqu'aux os après avoir affronté cette pluie battante, il ôta son chapeau, puis son imperméable qu'il alla poser sur le fauteuil du salon, et rangea sa veste dans la penderie de l'entrée avant d'ouvrir une de ses valises. Il en sortit une livre de vrai café qu'il s'était procuré dans les fjords de l'Ouest pour faire plaisir à sa Vera. Il se dirigea vers la cuisine, mais s'arrêta net. Quelque chose avait changé à l'intérieur du placard.

Il retourna dans l'entrée et le rouvrit. Il y avait là cette veste qu'il venait de poser sur un cintre, celle, plus longue, qui lui appartenait également, et d'autres vêtements d'hiver. Ce n'était pas le contenu de la penderie qui l'avait surpris, mais ce qui en était absent. Les vêtements de Vera avaient disparu, de même que les chaussures qu'elle rangeait en bas, tout comme ses deux manteaux. Il resta un moment à fixer l'intérieur avant d'aller dans la chambre qui abritait un autre placard, nettement plus grand, contenant des tiroirs à chaussettes et à sous-vêtements ainsi qu'une penderie où ils rangeaient les chemises, les corsages et les robes. Ouvrant les portes et les tiroirs, Eyvindur constata que tous les vêtements de Vera avaient disparu. Les siens étaient à leur place, mais il n'y avait plus aucune tenue féminine.

Il n'en croyait pas ses yeux. Il alla comme un automate jusqu'à la table de nuit de sa compagne, ouvrit le tiroir, qu'il trouva également vide. Elle l'avait quitté ? Elle avait déménagé ?!

Assis sur le lit, songeur, il repensa à ce qu'avait dit Runki au sujet de Vera, croyant qu'il ne l'entendait pas. Ils s'étaient croisés au Heitt og kalt, un restaurant très apprécié des militaires, et avaient échangé quelques mots juste avant qu'il ne prenne le bateau. Runki était venu là pour manger un *fish and chips* avec un copain et, pensant qu'Eyvindur était trop loin pour l'entendre, il avait dit ces choses la concernant.

Des balivernes incompréhensibles qu'Eyvindur aurait dû faire ravaler sur-le-champ à cet abruti de Runki.

Des mensonges qui avaient déclenché la colère de Vera et l'avaient profondément blessée quand il avait eu la stupidité de lui en parler, juste avant son départ.

Les yeux baissés sur le tiroir vide, Eyvindur frappa le lit de ses poings fermés. Au fond, il avait toujours craint ce genre de choses. Il n'était plus aussi certain que les propos de Runki n'étaient qu'un mensonge. Vera était sans doute, comme on disait, dans la situation, elle fréquentait un soldat.

En outre, que fallait-il penser de ce que lui avait dit son ex-camarade d'école, cette ordure de Felix, quand ils s'étaient croisés à Isafjördur ? Y avait-il un fond de vérité dans ce qu'il avait affirmé concernant l'école et ces prétendues recherches, ou avait-il simplement essayé de l'humilier parce qu'il était complètement aviné et aussi méchant qu'autrefois, à l'époque où Eyvindur croyait qu'ils étaient amis ?

2

Flovent ne distinguait aucune trace de lutte dans l'appartement. Pourtant, la violence était visible partout. Le corps d'un homme tué d'une balle dans la tête gisait au sol. Cela ressemblait à une exécution en règle. Apparemment, la victime n'avait pas pu se défendre. Aucune chaise n'avait été renversée, ni aucune table. Les tableaux ornant les murs étaient d'aplomb, les fenêtres intactes et correctement fermées, on ne décelait aucune trace d'effraction. La porte de l'appartement n'avait pas été forcée non plus et la serrure fonctionnait. La victime avait ouvert à son agresseur ou l'avait laissé entrer derrière lui, ignorant qu'il s'agirait là de sa dernière action. Cet homme venait manifestement d'arriver chez lui au moment de l'agression, il n'avait pas eu le temps d'ôter son imperméable et tenait toujours la clef à la main. À première vue, rien n'avait été volé. Le visiteur était venu là dans un seul but : commettre un crime qu'il avait accompli de telle manière que les premiers policiers présents sur les lieux étaient encore sous le choc. L'un d'eux avait vomi dans le salon. L'autre se tenait devant la maison et refusait de revenir à l'intérieur.

La première tâche de Flovent à son arrivée fut d'éloigner tous ceux qui n'étaient pas directement liés à l'enquête. Les agents qui avaient laissé leurs traces de pied partout dans l'appartement, le témoin qui avait prévenu la police, les voisins curieux qui affirmaient n'être pas certains d'avoir entendu une détonation après avoir appris qu'on avait tiré un coup de feu. Il ne resta plus que Flovent et le médecin de district venu rédiger le certificat de décès.

– La mort a été instantanée, déclara le docteur, un petit homme sec dont les dents proéminentes mordillaient l'embout d'une pipe qu'il gardait constamment aux lèvres. Le coup a été tiré de si près qu'il ne pouvait que causer des ravages, ajouta-t-il en rejetant la fumée. La balle est ressortie par l'œil en provoquant cette affreuse blessure. Il observa la flaque de sang coagulé qui s'était formée sous le cadavre et avait coulé sur le parquet. Un des policiers avait failli tomber en marchant dedans par mégarde. La trace de sa semelle était restée imprimée dans la flaque. Des taches de sang maculaient également les murs et les meubles. Des morceaux de cervelle avaient éclaboussé les rideaux. Afin d'étouffer la détonation, l'assassin s'était servi de l'épais coussin du canapé, qu'il avait ensuite remis en place. La partie visible du visage de la victime était presque entièrement arrachée.

Flovent s'efforça de se rappeler la procédure à suivre concernant l'examen d'une scène de crime. Les meurtres étaient exceptionnels à Reykjavik, il avait très peu d'expérience en la matière et tenait à s'appliquer. Il travaillait depuis quelques années à la Criminelle de Reykjavik et avait également passé trois mois un hiver aux services de Scotland Yard à Édimbourg où il avait acquis quelques connaissances et un semblant d'expérience. La victime était âgée d'une trentaine d'années, ses cheveux commençaient à se clairsemer, elle portait un costume élimé, un imperméable et des chaussures bon marché. On l'avait probablement forcée à s'agenouiller et elle était tombée en avant après avoir reçu cette balle dans la tête. Au bon endroit. Mais pour une raison indéterminée, cela n'avait pas suffi à son agresseur. Le corps était allongé en position latérale et le tueur avait plongé son doigt dans la plaie pour lui badigeonner le front avec son propre sang. Quel sens fallait-il donner à ce geste ? Le meurtrier avait-il voulu signer son acte en y ajoutant un commentaire qui lui semblait nécessaire, mais dont la signification échappait à Flovent ? Avait-il voulu s'excuser ? S'expliquer ? Éprouvait-il des regrets ? Des remords ? Peut-être tout cela en même temps ? À moins qu'au contraire, ce n'ait été pure provocation afin de démontrer clairement que celui qui commettait une telle horreur n'éprouvait ni regrets ni remords ? Flovent secoua la tête. Cette tache de sang étalée sur le front du malheureux était difficilement déchiffrable.

Il n'eut en revanche aucun problème à retrouver la balle qui s'était fichée dans le parquet. Il traça une marque sur le bois avant de l'arracher à l'aide de son canif pour l'examiner dans le creux de sa paume. Il connaissait bien ce type de balles puisqu'il s'intéressait depuis longtemps à la balistique et aux analyses d'empreintes digitales. Il tenait à photographier les suspects et les scènes de crime dans le cas d'infractions particulièrement graves. Ces procédures étaient une nouveauté en Islande. En cas de besoin, il faisait appel à un photographe professionnel qui avait un studio en ville et venait prendre des clichés pour l'administration. Peu à peu, les informations se centralisaient en un seul et même lieu qui concentrait les connaissances en matière de criminologie, même si ces dernières étaient encore pauvres, pour ne pas dire embryonnaires.

– L'assassin était debout derrière la victime et tenait son arme à bout de bras, observa le médecin du district, retirant un instant sa pipe de sa bouche, puis la reprenant aussitôt entre ses dents. Cela devrait te donner une idée de sa taille.

– En effet, convint Flovent. Je me posais justement la question, mais rien ne prouve que ce soit un homme, c'est peut-être une femme.

– Je ne sais pas. Je me demande si une femme serait capable de faire ça. Disons que ça m'étonnerait.

– Je ne veux exclure aucune hypothèse.

– Il s'agit d'une véritable exécution, c'est évident, reprit le médecin en rejetant un nuage de fumée. Je n'ai jamais rien vu de semblable. On a forcé ce pauvre homme à s'agenouiller avant de l'abattre comme un chien. Seule une ordure dotée d'un cran phénoménal peut faire une chose pareille.

– Puis, lui enduire le front avec son propre sang.

– Eh bien, je ne sais pas… je ne comprends pas ce que ça signifie.

– À quand remonte la mort ?

– Elle est assez récente, répondit le médecin, les yeux baissés sur la flaque coagulée. Je dirais environ douze heures, mais l'autopsie nous le confirmera.

– Donc, c'était hier soir ? demanda Flovent.

Le photographe arriva avec son trépied et l'appareil Speed Graphic qu'il avait acheté avant-guerre. Il salua le policier et le médecin, puis balaya le salon du regard, impassible, avant de se mettre méthodiquement au travail. Il posa son trépied, ouvrit la caisse de protection, mit son appareil en place et installa l'étui contenant deux pellicules à l'arrière de l'appareil. Il avait apporté plusieurs de ces étuis et quelques ampoules de flash.

– Combien vous faut-il de clichés ? s'enquit-il.

– Un bon nombre, répondit Flovent.

– C'est un soldat qui a fait ça ? interrogea le photographe, interrompant momentanément les prises pour changer de pellicule et d'ampoule.

– Qu'est-ce qui vous fait dire ça ?

– Il y a dans tout ça quelque chose d'assez militaire, observa le photographe d'un air las.

L'homme était âgé d'une soixantaine d'années et Flovent ne l'avait jamais vu sourire.

– C'est possible, répondit le policier, pensif, toujours en quête d'indices.

Peut-être l'assassin avait-il laissé derrière lui des traces de pas, un vêtement, des cendres de cigarette. Le maître des lieux s'était récemment préparé un en-cas dans la cuisine : une tartine desséchée surmontée d'une tranche de fromage était restée sur la table à côté d'une tasse de thé dont il restait un fond. Flovent avait fouillé les vêtements et l'appartement de la victime à la recherche de son portefeuille, mais ne l'avait pas trouvé.

– À mon avis, il n'y a qu'un militaire pour faire une chose pareille avec autant de sang-froid, reprit le photographe.

Un flash illumina la pièce et l'homme de l'art installa son appareil encombrant à un autre endroit du salon avant d'y placer une nouvelle pellicule.

– C'est bien possible, répondit Flovent. Je ne saurais dire. Vous vous y connaissez peut-être mieux que moi dans ce domaine.

– Je dirais même un gradé, ajouta le photographe, pensif. Oui, pourquoi pas un gradé ? Quelqu'un qui a du pouvoir. Ça ressemble à une exécution en règle, vous ne trouvez pas ? On sent tout le mépris de l'assassin, non ?

– Vous n'êtes pas vraiment d'accord sur la question, glissa le médecin de district tout en bourrant sa pipe. Flovent pense plutôt que l'auteur du crime est une femme.

– Non, c'est totalement exclu, assura le photographe en scrutant longuement l'homme qui gisait dans son sang avant de prendre un nouveau cliché.

– On l'a peut-être tué pour de l'argent, reprit Flovent, je n'ai pas trouvé son portefeuille.

Ayant fait un tour d'horizon, il en avait déduit que la victime vivait seule. C'était le domicile typique du célibataire : petit et modeste, quasi dénué de décoration, mais propre et ordonné. L'unique ornement était ce coussin posé sur le canapé, dont l'assassin s'était servi pour étouffer la détonation. L'appartement était spartiate, la plupart des meubles vieux et patinés, qu'il s'agisse du canapé et du fauteuil ou des deux chaises de la cuisine. Des rideaux occultaient toutes les fenêtres, la lumière était allumée dans la cuisine et le salon. Une valise contenant des boîtes de crème à récurer Lido et quelques tubes de dentifrice Kolynox était posée, grande ouverte, sur le canapé. Le sang avait éclaboussé les coussins et les produits.

Le flash de l'appareil éclaira le salon une dernière fois et le photographe rangea son matériel. Le médecin de district s'apprêtait à sortir et avait rallumé sa pipe. Flovent baissa les yeux sur le corps. Il ne comprenait pas la violence aveugle qui avait dicté ce meurtre, il ne comprenait pas toute cette haine, cette colère et cette impitoyable cruauté.

– Vous avez pris une photo des traces de sang sur son front ? demanda-t-il au photographe.

– Oui, c'est quoi ce gribouillis ?

– Je l'ignore, répondit Flovent. Tout le temps qu'il avait passé dans cet appartement, il avait fait de son mieux pour éviter de regarder le visage ravagé de la victime. Je ne vois pas ce que c'est. Je n'ai aucune idée de ce que ça représente et je me demande pourquoi l'assassin a fait ça.

– Vous connaissez l'identité de la victime ? s'enquit le photographe avant de quitter les lieux.

– Oui, sa logeuse me l'a communiquée, et j'ai aussi trouvé quelques factures qui lui étaient adressées.

– Et alors, qui est-ce ?

– Son nom ne me dit rien, répondit Flovent. Il s'appelait Felix. Felix Lunden.

3

La personne qui avait trouvé le corps était une veuve d'une cinquantaine d'années du nom d'Olafia. Elle était venue demander à son locataire le loyer qu'il lui devait et avait alors découvert ce qu'elle décrivait comme une infamie. Son locataire avait réglé son dû chaque mois avec une régularité impeccable jusqu'à ce jour où elle s'était vue forcée de venir lui réclamer l'argent. Elle ne l'avait pas vu depuis un certain temps, d'ailleurs il s'absentait souvent pendant une semaine ou deux, voire plus longtemps. Descendue au sous-sol pour frapper à sa porte qu'elle avait trouvée entrouverte, elle avait appelé à l'intérieur mais, n'obtenant aucune réponse, était entrée pour voir s'il se trouvait chez lui, vérifier que tout allait bien et lui demander d'expliquer son retard dans le paiement du loyer.

– C'est surtout par sympathie pour lui que je suis descendue le saluer, expliqua-t-elle à Flovent pour qu'il ne doute pas de sa bienveillance et n'imagine pas qu'elle était venue fouiner. Or voilà qu'à peine entrée, je le vois qui gît là, dans le salon. C'était affreux, tout simplement affreux, et je… j'ai suffoqué, je peux vous dire que j'ai hurlé, puis je suis ressortie en claquant la porte. C'est un véritable cauchemar. Un vrai cauchemar !

– Donc, son appartement était ouvert à votre arrivée ?

– Oui, et ça m'a semblé très étrange. Il fermait toujours à clef et m'avait même dit qu'il souhaitait changer la serrure parce qu'elle était vieille et beaucoup trop facile à forcer. Il n'avait sans doute pas tort. Enfin, pour ma part, comme les autres gens de cette ville, je ne prends même pas la peine de fermer ma porte à clef. Ce sont peut-être les restes d'une mentalité campagnarde un peu dépassée par les temps qui courent.

– D'autres que vous possèdent-ils la clef de cet appartement ?

– Que voulez-vous dire ?

– Où est-ce que vous conservez la vôtre ? précisa Flovent.

– Ma clef? Vous insinuez que c'est moi qui ai fait ça? Vous m'accusez ?! s'exclama Olafia en insistant lourdement sur le *vous*, le visage brusquement fermé, comme si le policier l'avait insultée.

– Pas du tout, assura Flovent. Je veux simplement savoir qui a eu accès à cet appartement au cours des dernières vingt-quatre heures ou de manière générale. Est-ce que quelqu'un aurait pu prendre la clef chez vous pour entrer ici avant de la remettre à sa place et d'aller ensuite attendre la victime pour l'attaquer à son retour ? À moins qu'il n'ait, comme vous le dites, forcé la serrure. Disons que tout cela serait arrivé hier soir.

Olafia le dévisageait, suspicieuse.

– Personne n'est venu prendre la clef chez moi, rétorqua-t-elle, pour la bonne raison que mon locataire l'avait sur lui. Felix m'avait emprunté la mienne pour en faire un double car il avait perdu la sienne. J'ai d'ailleurs l'impression que c'est pour ça qu'il a évoqué l'idée de changer la serrure.

– Avez-vous vu Felix hier soir ?

– Non, je n'avais pas remarqué qu'il était chez lui.

– Et vous n'avez entendu aucun bruit ?

– Non plus. Je suis allée me coucher, disons, vers dix heures, comme d'habitude. C'est du reste à cette heure que ceux qui vivent dans cette maison se mettent généralement au lit. J'aime que les choses soient en ordre.

– C'était votre locataire depuis longtemps ?

– Non, ça doit faire six mois qu'il a pris l'appartement. Avant lui, il était occupé par un couple que j'ai mis à la porte, un alcoolique invétéré et sa femme. Des gens à problèmes. Je n'ai pas la patience pour ça.

– Vous m'avez dit qu'il est souvent absent pendant une, voire deux semaines entières. Pour quelle raison ?

– Eh bien, il était représentant ! Il se rendait donc régulièrement en province.

– Et il vous a toujours payé en temps voulu ?

– Oh, ça oui ! Mais là, il était en retard d'une semaine et je voulais qu'il règle son dû.

Les autres voisins de Felix, un homme et une femme âgés d'une trentaine d'années, le connaissaient peu. Ils n'avaient remarqué aucune allée et venue suspecte, ni entendu aucune dispute pendant la nuit. Ils dormaient comme des souches à minuit, disaient-ils. Ils avaient emménagé dans cette maison longtemps avant lui et affirmaient que c'était un jeune homme énergique et doué pour la conversation, deux qualités nécessaires à l'exercice de sa profession. Ils ne lui connaissaient pas d'ennemis et n'avaient aucune idée de ce qui s'était passé, pas plus qu'ils ne comprenaient cette incroyable explosion de violence et de sauvagerie.

– Je me demande si je vais réussir à dormir ici ce soir, s'inquiéta l'épouse en regardant Flovent. Dès qu'elle avait appris que leur voisin avait été assassiné, elle avait téléphoné à son mari, employé comme contremaître dans l'armée. Immédiatement rentré, ce dernier était à ses côtés. Ils étaient locataires chez Olafia depuis deux ans.

– Je ne pense pas que vous soyez en danger, rassura Flovent.

– Comment peut-on faire une chose pareille ? Qui donc a pu tirer une balle dans la tête de ce pauvre homme ?

Flovent n'avait pas la réponse à ces questions.

– Fréquentait-il des soldats des troupes d'occupation ? Vous est-il arrivé de le voir en compagnie de militaires ? Il avait des visites ?

– Non, je ne crois pas, répondit la femme. Je ne l'ai jamais vu avec des soldats.

Le mari confirma ses dires. Flovent leur posa quelques questions supplémentaires avant d'aller frapper à la porte des troisièmes locataires, un homme et une femme d'âge mûr qui vivaient sous le toit d'Olafia depuis le décès de son époux. Sans qu'il leur ait rien demandé, ces derniers lui confièrent qu'il avait péri en mer pendant une tempête au large du cap de Reykjanesta.

Ni l'un ni l'autre n'avaient entendu la détonation, tous deux dormaient d'un sommeil de plomb au moment où, selon Flovent, le coup de feu avait retenti. Ils n'avaient pas grand-chose à dire sur Felix Lunden si ce n'est qu'il était souvent absent et ne posait pas de problème. Jamais il n'organisait de soirées bruyantes, il ne semblait pas avoir beaucoup d'amis et, à leur connaissance, ne fréquentait aucune femme. Ou, si c'était le cas, cette dernière ne venait pas chez lui puisqu'ils ne l'avaient jamais vue. Ils ne savaient rien de sa famille.

– Pensez-vous qu'il était en contact avec les militaires ? demanda Flovent.

– Que vouiez-vous dire ? Qu'il aurait travaillé pour l'armée ?

– Oui, ou simplement qu'il avait des amis soldats.

– Non, répondit la femme, ça ne... en tout cas, nous ne l'avons pas remarqué.

Flovent passa un long moment avec le couple avant de redescendre chez Felix Lunden. On avait enlevé le corps pour le transférer à la morgue de l'Hôpital national. Le médecin de district et le photographe étaient repartis, mais un policier en uniforme montait la garde. Flovent était le seul membre de la Criminelle de Reykjavik. Ses autres collègues avaient été affectés à des tâches plus urgentes dès le début de la guerre. Il craignait de devoir en rappeler certains pour qu'ils puissent l'aider dans son enquête, laquelle promettait d'être longue et complexe.

Il examina la tache de sang dans le salon et la balle qu'il avait extraite du parquet. Il la fit rouler dans sa paume, la prit entre ses doigts et la plaça sous la lumière. Chaque arme laissait sur les douilles une empreinte unique qui était une forme de signature, exactement de la même manière que chaque individu possédait des empreintes digitales uniques. S'il trouvait l'arme, il pourrait la comparer aux traces laissées sur la douille et obtenir confirmation que c'était bien celle du crime.

Il reconnaissait ce type de balle. Elle provenait de l'arme la plus utilisée par les soldats américains pendant la guerre, le Colt 45. Ce n'était pas sans raison qu'il avait demandé aux voisins de Felix Lunden s'ils l'avaient vu en compagnie de soldats américains. L'un d'eux l'avait probablement tué et le message qu'il avait manifestement voulu transmettre était que Felix ne méritait pas mieux que cette pure et simple exécution.

4

Arrivé à l'extrémité de la piste, l'avion fit demi-tour et s'apprêta à décoller. Thorson se lança à ses trousses en appuyant à fond sur l'accélérateur : la seule solution était de lui barrer la route. Il voulait absolument éviter de consacrer à ce chanteur plus de temps qu'il ne l'avait déjà fait.

On avait finalement mis la main sur l'individu qu'on recherchait depuis le début de la matinée grâce à l'appel passé par une femme d'âge mûr qui, lorsqu'elle l'avait découvert endormi sur le pas de sa porte, l'avait d'abord pris pour un clochard avant de comprendre qu'elle se trompait : jamais elle n'avait vu un vagabond aussi élégamment vêtu. En l'examinant de plus près, elle avait supposé qu'il s'agissait d'un étranger, sans doute employé par l'armée, même s'il ne portait pas l'uniforme. Quand la police lui expliqua qu'il s'agissait d'un chanteur américain égaré en ville et qu'en outre il était très porté sur la boisson, elle avait éclaté de rire en disant que si elle avait su, elle l'aurait invité chez elle.

Thorson avait passé toute la journée à chercher cet insupportable chanteur pour le mettre dans un avion qui le ramènerait chez lui. Originaire de New York, il était arrivé en Islande une semaine plus tôt avec un groupe de chansonniers et de comiques américains venus distraire les troupes et avait passé le plus clair de son temps complètement ivre, à s'attirer des ennuis.

C'est ainsi qu'il était entré dans la vie de Thorson. Après un de ses spectacles, le chanteur complètement abruti par l'alcool avait insulté des soldats qui lui avaient flanqué une raclée. On avait appelé la police militaire à la rescousse et Thorson avait pris sa déposition après qu'on l'avait emmené à l'infirmerie militaire pour panser ses plaies, puis conduit à l'hôtel Islande où il était descendu avec ses collègues.

L'homme n'avait aucune idée de l'identité de ses agresseurs, ces derniers ne s'étaient pas dénoncés et il n'y avait aucun témoin. Tout ce dont il se souvenait, c'est qu'ils étaient trois. Ils avaient cru l'entendre les traiter de culs-terreux ou de péquenots pendant une de ses chansons. L'agression avait eu lieu à l'arrière du grand baraquement qui abritait le spectacle, assorti d'un bal de soldats avec tout ce que cela impliquait. Un œil au beurre noir et sa lèvre fendue, le chanteur était plutôt amoché et se plaignait de douleurs dans les côtes, où ses agresseurs lui avaient asséné plusieurs coups de pied.

Deux jours plus tard, il avait rendez-vous à l'aéroport pour quitter l'Islande avec ses collègues, mais ne s'était pas présenté. On avait alors confié à Thorson la mission de le retrouver pour le mettre coûte que coûte dans un avion. Le chanteur n'était pas à son hôtel et n'avait pas préparé ses bagages. Sa chambre était sens dessus dessous et le parquet jonché de vêtements, de bouteilles d'alcool et de partitions. Il avait joué au poker avec les cuisiniers de l'hôtel jusqu'au petit matin. L'un d'eux avait confié à Thorson que le chanteur avait dit qu'il devait régler ses comptes avec des types en ville, puis il avait disparu en direction du port.

– Il était doué au poker ?

– Il nous a plumés jusqu'à l'os, avait répondu le cuisinier.

Thorson avait alors appelé l'aéroport. On lui avait promis qu'on attendrait le retardataire et que l'avion ne décollerait pas avant qu'on l'ait retrouvé. Il avait ensuite contacté des collègues de la police militaire pour qu'ils lui prêtent main forte. Ils s'étaient tous mis à parcourir la ville, fouillant les bars, les tavernes, les pensions et jusqu'aux jardins privés. Il avait également prévenu la police islandaise au cas où elle aurait eu vent de ses pérégrinations. Le chanteur ayant passé très peu de temps à Reykjavik, il ne connaissait quasiment pas la ville et n'y avait aucune habitude. Il était donc impossible de dire à quel endroit il pouvait être. On avait reçu un appel informant qu'un homme correspondant à son signalement mendiait du brennivín au foyer pour marins de l'Armée du Salut. Les clients qui faisaient la queue devant la cantine de Mme Marta Björnsson, rue Hafnarstraeti, avaient déclaré avoir aperçu un Américain à la démarche chancelante se diriger vers le quartier ouest. Une femme d'âge mûr en costume traditionnel avait signalé qu'un étranger l'avait importunée et poursuivie à proximité du White Star, un bar de nuit qui se trouvait rue Laugavegur. L'homme lui avait proposé de l'argent en échange de ses faveurs. Thorson savait que la police recevait régulièrement ce genre de signalements depuis qu'on avait répandu parmi les troupes le mensonge selon lequel les femmes portant le costume national étaient en réalité des prostituées.

On n'avait retrouvé le chanteur qu'à la mi-journée, lorsqu'une mère de famille demeurant rue Öldugata avait contacté la police. On l'avait alors confié à Thorson qui l'avait emmené à toute vitesse à son hôtel pour qu'il fasse ses bagages, puis à l'aéroport de Reykjavik. En arrivant là-bas, on les avait informés que le pilote était à bout de patience. L'appareil était déjà sur la piste et s'apprêtait à décoller. Thorson n'avait fait ni une ni deux, il s'était précipité sur la piste au volant de la jeep pour lui barrer la route. Le chanteur commençant alors à reprendre ses esprits, il avait compris que l'appareil décollait et qu'il risquait de rester tel un naufragé sur cette île loin de tout. Il se leva dans la jeep en agitant les bras et en hurlant de sa belle voix de ténor à l'avion qu'il devait s'arrêter.

Le pilote les observa et envisagea un instant de les ignorer, puis, levant les bras au ciel, préféra attendre que la jeep atteigne l'appareil. Les hélices tournaient avec vacarme. La porte de l'avion s'ouvrit sur la piste, le chanteur quitta la jeep d'un bond, attrapa sa valise et s'apprêta à embarquer quand, se souvenant tout à coup de son sauveur, il fit volte-face, se mit au garde-à-vous et lui adressa le salut militaire. Sur quoi, il disparut dans l'appareil au grand soulagement de Thorson qui s'éloigna et regarda l'avion rouler jusqu'au bout de la piste avant de s'élever lourdement dans les airs puis de disparaître vers le couchant.

Tandis qu'ils roulaient vers l'aéroport, Thorson avait cherché à savoir ce que le chanteur avait bien pu faire rue Öldugata et la raison pour laquelle il était allé dormir là-bas. Incapable de se rappeler à quoi il avait occupé ses journées, ce dernier ne gardait qu'un souvenir très flou de leur première rencontre. Il lui expliqua que des femmes avaient engagé la conversation avec lui à l'hôtel Islande et qu'une d'elles lui avait laissé son adresse. Peut-être avait-il essayé de la trouver en allant dans cette rue.

– En tout cas, vous ne vous serez pas ennuyé en Islande, s'était amusé Thorson en l'observant. D'origine italienne, le cheveu brun et la peau mate, cet homme était habitué à la chaleur du soleil et son sourire dévoilait de belles dents blanches.

– Pourquoi tu me regardes comme ça ? s'était enquis le chanteur, remarquant que Thorson le fixait avec insistance.

– Pardon, mais je n'ai pas beaucoup dormi ces derniers temps. Tu vois, cette île est un endroit très particulier.

– C'est surtout un satané trou, avait conclu le chanteur d'un air triste.

5

À son retour au quartier général, Thorson trouva un message indiquant qu'il devait passer voir son supérieur le plus gradé. De nationalité américaine, le colonel Franklin Webster était à la tête de la police militaire. Thorson ne l'avait jamais rencontré en personne. Le colonel assistait en ce moment à une réunion importante à Höfdi où Thorson devait aller le retrouver. Il se remit au volant de sa jeep pour rejoindre aussi vite que possible la magnifique maison située en bord de mer, à proximité du cap de Laugarnes. Cette bâtisse avait attiré son attention dès ses premiers jours à Reykjavik. C'était à son avis l'une des plus belles de la ville. Elle appartenait autrefois à un grand poète islandais et on lui avait dit qu'elle était hantée. Très peu de temps après leur arrivée, les Britanniques l'avaient achetée pour y installer leur consulat.

Thorson se gara devant Höfdi, signala son arrivée et demanda à voir le colonel. On l'invita à patienter dans la salle d'attente. Une certaine agitation régnait dans le bâtiment : de hauts fonctionnaires discutaient à mi-voix, les gradés britanniques et leurs collègues américains allaient et venaient d'une pièce à l'autre, et il vit même un ministre islandais qu'il connaissait de vue entrer à toute vitesse dans la bâtisse, puis monter à l'étage, suivi par deux autres hommes. C'était manifestement le branle-bas de combat. Un grand portrait de Winston Churchill, le Premier ministre britannique, ornait un des murs de la salle d'attente. Thorson s'était levé pour l'examiner de plus près quand une voix profonde l'avait interpellé.

– On m'a dit qu'un de nos chanteurs vous a donné du fil à retordre, déclara le colonel en apparaissant, sans bruit, derrière lui.

Thorson fit volte-face et le salua. D'au moins trente ans son aîné, le colonel semblait plutôt sympathique, même si

Thorson avait entendu dire par ses collègues de la police militaire qu'il n'était pas à prendre avec des pincettes.

– L'affaire est réglée, mon colonel !

– Parfait. Je crois savoir que vous parlez couramment l'islandais et qu'en réalité vous avez vos origines en Islande même si vous avez passé toute votre vie au Canada. C'est vrai ?

– Oui, monsieur. Je suis un de ceux que les gens d'ici appellent les Islandais de l'Ouest. Mes parents ont quitté le pays et se sont installés au Canada où je suis né.

– Très bien. Depuis quand êtes-vous en Islande ?

– J'y ai été envoyé comme interprète avec quelques autres volontaires canadiens lorsque l'île a été occupée par les Britanniques. Ils m'ont immédiatement affecté à leur police militaire, puis transféré dans celle des Américains cet été, quand vous avez pris le relais pour assurer la défense du pays. Il y a souvent des problèmes entre l'armée et la population locale, et il est alors bien utile de maîtriser la langue.

– Exact. C'est précisément pour cette raison que je fais appel à vous. Il me faut un homme qui parle islandais, capable de comprendre les autochtones et de garantir les intérêts de l'armée. Pensez-vous être cet homme-là ?

– Je parle islandais, répondit Thorson. Mais je n'ai pas encore réussi à comprendre les gens d'ici.

Le colonel esquissa un sourire.

– J'imagine que vous avez peu d'expérience concernant les enquêtes sur des meurtres.

– Oui, je n'en ai aucune, confirma Thorson.

– Vous apprendrez vite. Je suis pressé. Nous avons reçu une requête de la police de Reykjavik, précisa le colonel. Je vous charge de l'assister dans la mesure de vos possibilités. Le gars à qui on a confié l'enquête s'appelle Florent ou quelque chose comme ça. C'est avec lui que vous travaillerez. Il attend de vos nouvelles.

– Si vous me permettez, monsieur, de quoi s'agit-il ?

– D'un Islandais assassiné à son domicile, répondit le colonel. Ils ont trouvé une balle sur le lieu du crime et croient qu'elle provient d'un revolver de l'armée américaine.

Ils pensent que le meurtre a été commis par un de nos soldats. À mon avis, ils se trompent sur toute la ligne même si je ne peux évidemment pas… enfin, je souhaite que vous me transmettiez régulièrement vos rapports sur le cours de l'enquête. Au cas où vous auriez besoin d'une aide supplémentaire de notre côté, adressez-vous directement à moi. Si ce qu'ils affirment est vrai et si la piste les conduit jusqu'à l'armée, cela risque de poser problème, d'autant que tout le monde n'est pas franchement satisfait de notre présence ici. Gardez bien à l'esprit que nous ne voulons pas que ce regrettable événement nous crée des problèmes. Nous en avons assez comme ça.

Le colonel disparut de la salle d'attente aussi vite qu'il y était apparu. Thorson leva à nouveau les yeux vers le portrait de Churchill. Ce dernier le toisait en retour de son air sévère comme pour lui rappeler combien l'heure était grave. Thorson tourna les talons, quitta Höfdi et croisa sur les marches du bâtiment le ministre et les deux hommes arrivés en même temps que lui et qui discutaient maintenant à voix basse, persuadés que personne ne comprenait ce qu'ils disaient. Thorson tendit l'oreille quand l'un d'eux prononça le nom de Churchill.

– … ils ne sont pas encore sûrs, mais évidemment il ne faudrait pas que ça s'ébruite, précisa le ministre, qui était le plus âgé des trois.

– Ce serait très étonnant qu'il vienne ici, répondit l'un de ceux qui l'accompagnaient.

– Ils ont pourtant dit que ce n'était pas exclu. Pour l'instant, ils n'en savent pas plus. En tout cas, ils espèrent que tout se passera bien.

Les trois hommes regardèrent Thorson qui se contenta de leur adresser un sourire béat, comme s'il ne comprenait pas un mot d'islandais. Il descendit les marches pour rejoindre sa jeep et prit la direction du centre-ville en se demandant s'il avait bien entendu. Ces hommes avaient-ils réellement évoqué une éventuelle visite de Winston Churchill en Islande ?

6

Quand Flovent arriva à la morgue, le médecin chargé de la plupart des autopsies à l'hôpital avait fini d'examiner le corps de Felix Lunden. Deux autres corps recouverts de draps blancs reposaient sur des chariots dans le laboratoire. Baldur, le légiste originaire des fjords de l'Ouest, marchait d'un pas lourd et boitillait légèrement à cause d'une ancienne tuberculose osseuse qui s'était attaquée à sa jambe. Il repoussa la tablette d'acier encombrée d'ustensiles maculés de sang, scalpels, couteaux, pinces et petites scies utilisés pour explorer les arcanes du corps humain, puis se dirigea vers l'évier en acier et se lava les mains.

– Ce n'est vraiment pas beau à voir, déclara-t-il en s'essuyant à une serviette. La moitié du visage a été arrachée.

– Effectivement, convint Flovent, ce n'est vraiment pas joli.

– Je n'ai pas besoin de te dire ce qui a causé la mort, une balle dans la tête et voilà, poursuivit Baldur avant de lui offrir du café qu'il conservait dans une gourde recouverte d'une chaussette en laine. Il lui servit une tasse encore tiède qu'il lui tendit en lui demandant s'il devait y ajouter quelques gouttes de brennivín pour en rehausser le goût. Flovent déclina sa proposition. Baldur corsa son café en y versant une larme de la bouteille qu'il conservait dans le placard sous l'évier. Le soir tombait. Il lui restait encore mille et une choses à terminer. Il avait confié à Flovent qu'il serait sans doute là jusqu'à minuit. Cette pièce était glaciale. Flovent n'imaginait pas qu'il puisse exister en ville un endroit plus invivable.

– L'autopsie a révélé des choses intéressantes ? demanda-t-il.

– Il n'y a rien de particulier à dire concernant le corps lui-même, répondit Baldur. Cet homme n'était pas en très bonne forme, je suppose qu'il fumait énormément. Ses doigts jaunis et ses poumons portent des traces de tabac. Ce n'est pas un travailleur manuel. Ses mains sont lisses et douces.

– Il était représentant.

– En effet. Le meurtre est sans doute l'œuvre d'un professionnel. Une seule balle a suffi.

– Tu veux dire que les assassins pourraient être des militaires ?

– Peut-être, mais je préfère me garder de ce genre de déduction.

– Celui qui a fait ça lui a enduit le front de sang, n'est-ce pas ?

– Tout à fait.

– En se servant de son index ?

– Oui, ou peut-être d'un autre doigt.

– Il l'a plongé dans la blessure ?

– Sans doute, à moins qu'il ne l'ait trempé dans le sang qui couvrait le sol, je suppose qu'il y en avait partout là où vous avez découvert le corps.

– Pourquoi l'assassin a-t-il fait ça ? Pourquoi a-t-il ressenti le besoin de barbouiller ainsi le front de sa victime ?

– Il s'appelle bien Felix Lunden, n'est-ce pas ?

Flovent hocha la tête.

– Je me demande s'il n'était pas parent avec un médecin qui travaillait ici autrefois. Ils ne sont pas nombreux à porter ce nom en Islande. Le médecin en question a longtemps exercé rue Hafnarstraeti.

– Qui c'est ?

– Rudolf, il s'appelle Rudolf Lunden. Il est mi-allemand, mi-danois. Il a fermé son cabinet à la suite d'un accident, je crois qu'il n'est plus en activité. Je ne sais pas grand-chose de lui, mais j'ai entendu dire que c'était un sale type, qu'il avait mauvais caractère et qu'il était très spécial. Si je me souviens bien, il fréquentait les nazis islandais avant la guerre, à l'époque où il y en avait un certain nombre.

– Tu crois qu'il s'agit de son fils ?

– Je me suis posé la question. À cause de son nom de famille. Mais aussi de cette tache de sang sur son front. J'ai l'impression qu'elle n'a pas été faite de manière gratuite, expliqua Baldur.

– Ah bon, tu as réussi à découvrir ce que ça veut dire ?

– Eh bien, il me semble, répondit le légiste en avalant une gorgée de café. J'ai l'impression que son assassin a essayé de dessiner sur son front une chose bien précise, ou plutôt un symbole.

– Quel symb… ?

La porte de la salle d'autopsie s'ouvrit et un soldat s'avança vers eux, vêtu d'un uniforme que Flovent reconnut comme celui de la police militaire. Le jeune homme les regarda tour à tour.

– On m'a dit que je pourrais trouver ici un certain Flovent, inspecteur, annonça-t-il, hésitant.

– C'est moi.

– Bonjour, monsieur, répondit poliment le jeune homme dans un islandais impeccable et en lui serrant la main. Je m'appelle Thorson et j'ai reçu l'ordre de me mettre à disposition de la police islandaise dans le cadre d'une enquête pour meurtre. Je tenais donc à vous voir au plus vite. J'espère ne pas vous déranger.

– Pas du tout. On discutait des conclusions de l'autopsie, répondit Flovent qui avait lui-même demandé à l'armée de collaborer à cette enquête. Vous parlez très bien notre langue, mais peut-être êtes-vous islandais ? On peut peut-être se passer du vouvoiement.

– Je suis islandais d'Amérique, répondit Thorson en serrant la main de Baldur. Je suis né dans le Manitoba, mais mes parents viennent du fjord d'Eyjafjördur, dans le nord du pays. C'est l'homme qui a reçu une balle dans la tête ? demanda-t-il en évitant de regarder le corps.

– En effet, répondit Flovent. Felix Lunden, représentant de commerce. Il vendait entre autres des vêtements, des crèmes et des onguents.

– Des crèmes ? s'étonna Baldur en se resservant un peu de café. On peut vivre de ça ?

– Bien sûr. Il n'avait ni femme ni enfants. Il vivait seul. Je suppose que tu n'as pas l'habitude de voir des corps dans cet état, observa Flovent en regardant Thorson qui semblait mal à l'aise dans la pièce.

– Non, répondit le jeune homme. Je… je ne sers dans l'armée que depuis un an ici, en Islande. Je n'ai jamais été au front et les affaires que j'ai traitées dans la police jusqu'à aujourd'hui ne sont pas… pas de ce type.

Flovent voyait que Thorson faisait de son mieux pour sauver la face et il y parvenait plutôt bien. Il percevait chez lui une maturité étonnante pour son jeune âge. Il avait un peu de plus de vingt ans, les cheveux blonds, la peau claire, et un air angélique suggérant qu'il accordait facilement sa confiance. Un peu trop facilement peut-être. Flovent devina dans ses yeux bleus que certains l'avaient parfois trahi.

– Vous croyez que c'est un soldat américain qui a fait ça ? s'enquit Thorson.

– On vous a sans doute dit que la balle retrouvée sur le lieu du crime provient d'une arme utilisée par les Américains.

– On peut imaginer qu'un Islandais a pu se procurer cette arme, non ?

– Nous n'excluons pas du tout cette possibilité, répondit Flovent.

– Si on apprend qu'un soldat s'en est pris à un Islandais de cette manière, mes supérieurs craignent que cela n'entraîne… comment dire, une suspicion accrue à l'égard des troupes d'occupation. Ils redoutent que la presse ne réserve à cette affaire un traitement très partial.

– Et ton rôle est de veiller à ce que cela n'arrive pas ? rétorqua Baldur. Tu n'es pas un peu jeune pour faire de la politique ?

– La politique ne m'intéresse pas, assura Thorson. C'est quoi, sur son front ? ajouta-t-il, ayant manifestement rassemblé assez de courage pour regarder le visage arraché. Des lettres ?

– J'en parlais justement à Flovent lorsque tu es arrivé, répondit Baldur. Ce ne sont pas des lettres, non, il s'agit d'autre chose et le fait que le corps ait été marqué de cette manière est plutôt intéressant.

– Qu'est-ce que c'est ? s'impatienta Flovent.

– À ce que je vois, c'est le symbole nazi, annonça Baldur.

– Le symbole ? Comment ça ? Tu veux dire la croix gammée ?

– Oui, une croix gammée, confirma le légiste en avançant d'un pas lourd vers le corps et en éclairant le visage de sa lampe. Je vois clairement qu'on a dessiné une croix gammée sur le front de la victime en se servant de son sang.

Flovent et Thorson s'approchèrent pour mieux voir. Le médecin avait raison. Même si le trait était grossier et maladroit, en l'examinant à la lumière crue du laboratoire, on distinguait clairement la croix gammée dessinée sur le cadavre.

7

Ils entendirent du bruit dans le couloir. Flovent supposa que c'était Olafia qui arrivait. Il avait demandé qu'on aille la chercher chez elle pour qu'elle puisse procéder à la reconnaissance du corps de son locataire. Il quitta le laboratoire et alla l'accueillir. Elle était très mécontente de devoir venir dans cet horrible endroit, dit-elle, ajoutant qu'elle était épuisée. Elle expliqua au policier qu'elle venait de vivre une journée extrêmement difficile. Un meurtre particulièrement affreux avait été commis sous son toit. Non seulement la réputation de sa maison était détruite, mais aussi la sienne. Elle se montrait pourtant prudente dans le choix de ses locataires, ne voulait que des gens convenables et qui n'avaient pas plus de deux enfants.

– J'ai trouvé le pauvre homme gisant sur le sol, vous ne pensez pas que ça suffit comme ça ? lança-t-elle à Flovent alors qu'il l'invitait à entrer dans le laboratoire.

– Je dois m'acquitter de cette formalité au plus vite, s'excusa-t-il. Je suis incapable de dire avec quel soin vous avez examiné le corps quand vous l'avez découvert, mais je dois noter dans mon rapport que vous l'avez formellement identifié comme étant celui de votre locataire. Nous devons contacter sa famille et…

– Très bien, finissons-en !

– Felix vous a tout de suite fait bonne impression quand vous avez accepté de lui louer cet appartement ? interrogea Flovent.

– Il présentait très bien, répondit Olafia. J'ai le nez pour ça, voyez-vous. Il était poli, manifestement bien élevé, et connaissait les bonnes manières.

– Vous m'avez dit qu'il réglait toujours son loyer en temps et en heure.

– Toujours. Il y était très attentif.

– Il vous payait en couronnes islandaises ? Ou peut-être en devises étrangères ? En dollars ou en livres ?

– En devises étrangères ? Non. Il n'en avait pas. En tout cas, pas à ma connaissance. Il me payait en couronnes, comme tous les autres.

– Lui est-il arrivé de vous parler de ses parents ? De son père ou de sa mère ? s'enquit Flovent.

– Non. Ils sont encore vivants ?

– Nous l'ignorons. Pas plus que nous ne savons s'il a des frères et sœurs. Pour l'instant, nous savons à peine qui il est. Voilà pourquoi il est très important que vous procédiez à l'identification que nous vous demandons.

– Eh bien, ça me déplaît franchement, rétorqua Olafia, furieuse. Quelle histoire affreuse. Imaginez un peu ! Je ne sais même pas si je pourrai relouer. Je ne suis pas sûre d'en avoir le courage. Et je me demande si quelqu'un voudra habiter dans cet appartement après… après cette infamie. Qu'est-ce que je vais faire ? Il va falloir nettoyer les lieux. Et ça coûte de l'argent !

Elle salua Baldur et Thorson en entrant dans le laboratoire. Le légiste la conduisit jusqu'à la civière.

– J'ai fait ce que j'ai pu pour atténuer le désastre au cas où ses proches souhaiteraient le voir, expliqua-t-il. Mais le visage est gravement endommagé et tu risques d'être choquée. Préviens-moi quand tu seras prête.

– C'est moi qui ai découvert le corps, rétorqua Olafia, et autant que je sache, je ne vous ai pas autorisé à me tutoyer.

– Je vous prie de m'excuser, répondit Baldur. Il adressa un regard complice à Flovent, comme si cela l'amusait d'avoir été ainsi sermonné par Olafia, et leva le drap qui couvrait le corps de Felix. La veuve sursauta en voyant le visage défiguré, l'orbite béant, la pommette qui avait explosé et la mâchoire brisée. On distinguait toutefois clairement les traits de la victime sur la portion que la balle avait peu endommagée. En l'examinant, Olafia sembla immédiatement très surprise. Elle regarda à tour de rôle Baldur et Flovent comme si elle n'y comprenait plus rien.

– Mais… c'est un autre meurtre ?! s'exclama-t-elle, le visage sévère, manifestement à bout de patience. Et commis exactement de la même manière que le premier ?

– Le premier ?

– Oui !

– Je ne vous suis pas, répondit Flovent.

– Je suis bien ici pour procéder à l'identification du corps de mon ancien locataire, Felix Lunden ? Je me trompe ? C'est bien pour cette raison que vous m'avez traînée jusqu'à ce terrible endroit ?

– En effet.

– Alors, où est-ce qu'il est ? s'agaça Olafia en fouillant le laboratoire du regard.

– Je ne vous suis pas, répéta Flovent. Il est sur la civière que vous avez devant vous, non ?

– Qui donc ?

– Enfin, Felix Lunden !

– C'est cet homme-là ?

– Oui.

– Eh bien non, je n'ai jamais vu cet homme ! Ça, je peux vous le certifier, assura Olafia. Et je n'ai aucune idée de son identité ! Absolument aucune !

8

Un policier montait la garde devant l'appartement de Felix Lunden, veillant à ce que personne n'y pénètre sans autorisation. Thorson gara sa jeep dans la rue, Flovent arrêta sa voiture juste derrière lui, descendit ouvrir la portière d'Olafia qu'il accompagna jusqu'en haut de l'escalier avant de la remercier une fois encore pour son aide.

Tous avaient été abasourdis quand elle avait déclaré ne pas reconnaître le corps allongé sur la table d'autopsie et certifié qu'il ne s'agissait pas de Felix Lunden. N'ayant à aucun moment véritablement examiné le cadavre, elle avait juste supposé que c'était celui de son locataire. Allongé sur le côté dans le salon, la victime avait la moitié du visage arrachée et son sang avait éclaboussé les murs et les meubles. Elle en avait donc déduit ce qui lui semblait logique. Mais dès qu'elle avait eu l'occasion d'examiner le corps avec plus d'attention, elle avait immédiatement découvert sa méprise.

Quand Flovent lui avait demandé si elle était vraiment certaine de ce qu'elle avançait tout en essayant d'obtenir de sa part quelques renseignements supplémentaires, elle s'était mise en colère et avait exigé qu'il la reconduise sur-le-champ chez elle. Elle lui avait expliqué dans la voiture qu'elle avait cru dur comme fer que la victime était son locataire. Elle était absolument furieuse de sa propre négligence.

Flovent salua le policier en faction et rappela à Thorson qu'il ne devait toucher à rien sans l'en informer. La nuit se faisait plus sombre. Il alluma toutes les lumières en entrant, puis alla directement dans la chambre. Thorson s'arrêta devant la flaque de sang et regarda les taches qui allaient jusqu'en haut des murs en pensant à la marque sur le front de la victime. Jamais il n'avait été confronté à ce genre de choses, il allait devoir beaucoup apprendre, et très vite.

– Felix Lunden, ça ne fait pas très islandais, non ? demanda-t-il à son équipier quand ce dernier revint de la chambre les bras chargés de livres.

– Pas du tout, en effet, il est sans doute d'origine allemande. J'ai trouvé des livres sur le nazisme. Il y a le *Mein Kampf* d'Hitler, un album de photos du premier congrès du parti nazi à Nuremberg en 1927 et là, il est question d'une certaine Société de Thulé. Il cache bien son jeu. J'ai trouvé tout ça dans une boîte à chaussures au fond du placard à vêtements. Tous ces ouvrages sont en allemand, je suppose que c'est une langue qu'il maîtrise. Quoi qu'il en soit, ce Felix s'intéresse clairement au nazisme.

– Et il va même jusqu'à tracer une croix gammée sur le corps de sa victime, ajouta Thorson.

– Pour peu que ce soit effectivement l'assassin.

– Il y a bien eu un parti nazi ici, non ? s'enquit Thorson.

– Oui, confirma Flovent. Le Parti nationaliste, c'est comme ça qu'ils s'appelaient. Ils ont tenté d'entrer au Parlement et dans les mairies, mais ils n'avaient pas beaucoup de membres. Je crois que ce parti a disparu quand la guerre a éclaté.

– Et ils s'inspiraient des nazis allemands ? demanda Thorson en feuilletant les livres.

– Il me semble que oui. Ils prônaient la pureté raciale, haïssaient les Juifs, détestaient les communistes, prêchaient des théories racistes, tout ce pour quoi les nazis sont connus. Ils voulaient une Islande forte, peu importe ce qu'ils entendaient par là. Une nation indivisible. Enfin, c'était le genre de propagande qu'ils pratiquaient.

– La pureté raciale ?

– Eh bien, un consul allemand très zélé a été envoyé ici, un certain Werner Gerlach, répondit Flovent en sortant un chapeau de la valise posée sur le canapé. Il était censé se familiariser avec la haute culture islandaise et la race aryenne parfaitement pure qui, d'après les nazis, vit dans ce pays.

– Les descendants des Vikings ?

– Exact, les descendants des Vikings. Enfin, ce genre de choses. Les Allemands connaissent bien les textes islandais du Moyen Âge. Mais pour ce qui est de Gerlach, il a été sacrément déçu quand il a découvert qu'il ne vivait ici que de pauvres paysans et que la grandeur viking avait disparu depuis belle lurette, poursuivit Flovent. On l'a arrêté lorsque les troupes britanniques ont occupé le pays et il a été déporté en Angleterre. Quand on l'a trouvé, il brûlait des documents nazis dans sa baignoire au consulat de la rue Tungata.

– Ce livre-là est dédicacé, annonça Thorson en lui tendant l'album de photos du congrès de Nuremberg.

– *À Felix, avec toute ma tendresse paternelle pour le Noël 1930, Rudolf*, lut Flovent à haute voix.

– Rudolf ?

– Donc, Rudolf Lunden est bien son père. C'est un médecin d'origine allemande qui a exercé ici. Baldur le connaît un peu. Il m'a dit qu'il était nazi. Nous devons aller l'interroger et retrouver son fils.

Flovent reposa le chapeau sur le canapé avant d'examiner d'un peu plus près la valise en cuir brun dont les angles râpés, les rayures et les taches suggéraient qu'elle avait beaucoup voyagé. L'intérieur était tapissé d'une doublure autrefois blanche et dans laquelle le vendeur avait placé ses produits, ses crèmes de nettoyage et tous les articles dont il vantait les mérites. Si Felix exerçait le métier de représentant depuis un certain temps, il avait sans doute rencontré un tas de gens avec lesquels il avait discuté. Il retournait souvent aux mêmes endroits où il avait peut-être des clients fidèles. Il était souvent absent, avait dit Olafia. Il voyageait à travers l'Islande, du fait de son activité de représentant de commerce. Sans doute cette valise était-elle la sienne.

Flovent passa sa main sur l'intérieur en se disant qu'elle avait vraiment vu du pays. Felix entrait chez les gens, captait de brefs instants de leur vie, écoutait leurs histoires et essayait de trouver un moyen de leur vendre ses produits, de les amener à lui passer commande. Il allait dans les villages et les bourgades, mais également dans les campagnes reculées. Certains lançaient leur chien à ses trousses, d'autres l'accueillaient avec un café. Alors, il leur donnait quelques nouvelles de la bourgade voisine ou de Reykjavik avant de sortir de sa valise un chapeau pour madame et un autre pour monsieur.

Flovent souriait. Perdu dans ses pensées, il passait et repassait sa main sur une bosse de la doublure, juste audessous de la poignée. Thorson était dans la cuisine, occupé à fouiller les placards et les tiroirs. Cette bosse n'était pas bien épaisse, mais elle ne semblait pas faire partie de la structure du bagage. En y regardant de plus près, Flovent remarqua que la doublure avait été décousue, puis recousue. Il tira le fil qui dépassait, ouvrant ainsi une poche au fond de laquelle il trouva une capsule de la taille d'un cachet d'aspirine.

Il l'attrapa et la posa au creux de sa paume en se demandant ce que c'était. Thorson sortit de la cuisine, l'annuaire téléphonique dans les mains, et lui annonça qu'il n'y trouvait aucun Rudolf Lunden. Voyant Flovent assis, plongé dans ses pensées, il comprit que son équipier n'avait pas entendu un mot de ce qu'il venait de dire.

Thorson approcha et vit l'objet qui reposait dans sa main.

– Où as-tu trouvé cette capsule de cyanure ? demanda-t-il.

9

Flovent resta un certain temps assis dans sa voiture devant la maison, à réfléchir sur la manière dont il convenait d'aborder cette visite et sur ce qu'il devait dire pour obtenir les renseignements qu'il cherchait. Il n'avait appris aucune technique d'interrogatoire particulière, du reste il n'en avait pas besoin dans la plupart des affaires de petite délinquance qu'il traitait. Il se laissait donc chaque fois guider par son instinct, ce qui lui avait toujours réussi.

Thorson était allé confier la capsule de cyanure au laboratoire de l'armée. Pendant ses classes, il avait appris à reconnaître et à repérer ce type de produits afin de les confisquer aux prisonniers allemands. Il pensait justement que cette capsule était de fabrication allemande et qu'avec un peu de chance, elle les mettrait sur la piste d'un réseau d'espionnage. Les agents du Troisième Reich en avaient généralement une sur eux et préféraient l'utiliser plutôt que d'être capturés vivants et de devoir supporter les interrogatoires. Flovent avait eu du mal à saisir ce que Thorson lui expliquait. Jamais il n'avait été confronté à une telle découverte. Et encore moins à des espions nazis.

– Évidemment, ils ont de quoi faire en Islande, avait-il observé quand Thorson eut fini de l'informer sur la nature de sa découverte. C'est ici que se trouve la plus grande base militaire alliée de l'Atlantique nord.

– En effet. Les services secrets de l'armée ont même créé une branche chargée de repérer les activités suspectes autour des camps militaires. Ils surveillent les individus qui entretiennent des liens anciens avec l'Allemagne, les citoyens Islandais d'origine allemande et ceux qui ont étudié plus ou moins longtemps là-bas.

– Ils connaissent sans doute ce Felix Lunden.

– Je vérifierai, avait promis Thorson. Ça ne te dérange pas que j'emporte ça pour le faire examiner par nos hommes ?

– C'est préférable, oui. L'idée n'est pas mauvaise et on verra bien ce que ça donnera. J'ai l'impression que cette affaire vous concerne tout autant que nous.

Flovent avait perçu chez Thorson une vague hésitation.

– Ce n'est pas ton avis ?

– Si, c'est juste que…

– Que quoi ?

– Tu préférerais peut-être travailler avec un autre que moi, s'inquiéta Thorson. Je… pour être honnête, je suis complètement novice dans ce type d'enquête. Je tiens à te prévenir tout de suite. Je n'ai jamais travaillé sur ce genre d'affaire.

– C'est pareil pour moi, avait avoué Flovent. Mais tu n'as peut-être pas très envie de t'engager dans tout ça ? Et là, je te comprends.

– Je ne voudrais surtout pas être une gêne.

Flovent n'avait pas l'habitude d'une telle franchise.

– Tu as tout de suite compris ce que contient cette capsule.

– C'est vrai.

– On verra bien. Peut-être que notre manque d'expérience en la matière sera finalement un atout, avait conclu Flovent.

Le soir descendait sur la ville, il faisait froid et les nuages bas annonçaient la pluie. Flovent leva les yeux vers la maison à travers la grisaille. Trouver l'adresse de cet homme ne lui avait pas demandé beaucoup de temps. Baldur, le légiste, lui avait fourni d'autres renseignements, toutefois bien maigres. Né dans la province du Schleswig-Holstein, Rudolf était arrivé en Islande vers 1910 et avait épousé une Islandaise avec laquelle il avait eu un enfant. Il lui semblait que Rudolf avait perdu sa femme pendant l'épidémie de grippe espagnole.

Flovent et Thorson étaient d'accord : puisque le corps n'était pas celui de Felix Lunden, on était en droit de supposer que ce dernier était l'assassin, qu'il avait pris la fuite et qu'il se cachait. Sans doute allait-il tenter de quitter l'Islande. La police publierait au plus vite un avis à la radio et dans les journaux. Elle lancerait également des recherches de grande envergure.

On ignorait l'identité de la victime. Personne ne semblait se préoccuper de la disparition de cet homme d'une trentaine d'années qui avait fini dans l'appartement de Felix Lunden, une balle dans la tête.

Un détail obsédait Flovent. La victime avait ouvert la porte de Felix grâce à une clef qu'elle avait encore à la main au moment de sa mort. Felix avait informé Olafia qu'il avait perdu la sienne et avait donc emprunté celle de sa logeuse. Or le défunt avait bien dû se procurer cette clef quelque part. D'une manière ou d'une autre, les deux hommes s'étaient croisés récemment et la victime était sans doute entrée dans l'appartement en sous-sol sans y avoir été invitée.

Flovent décida de se mettre au travail et s'avança vers la maison de plain-pied, à la fois banale et inquiétante, enduite de crépi en sable de mer. Un petit jardin en faisait le tour et, juste au-dessus de la porte d'entrée, des lettres en relief indiquaient son nom : Skuggabjörg. La domestique vint lui ouvrir. Il se présenta et demanda à voir le maître des lieux. Elle l'invita à patienter. Il attendit son retour dans le vestibule. Voyant qu'elle tardait à revenir, il avança un peu plus dans le couloir, regarda les tableaux et essaya de lire les titres des livres dans les bibliothèques. Puis il resta immobile, concentré sur le silence profond qui régnait dans la maison. Le soin et la propreté semblaient être la préoccupation principale de ses occupants. On n'apercevait pas le moindre grain de poussière par terre. Toutes les surfaces étaient époussetées, de même que les livres et les tableaux. La bonne en robe noire et tablier blanc revint après un long moment.

– Monsieur m'a dit qu'il n'attendait aucune visite, s'excusa-t-elle. Mais il veut bien vous recevoir dans quelques minutes et vous invite à patienter dans son bureau si vous le souhaitez.

– Je veux bien, merci, répondit Flovent en la suivant jusqu'au bureau où elle le laissa seul. Il y avait là d'autres bibliothèques remplies d'œuvres littéraires en allemand, d'ouvrages scientifiques et de traités de médecine. Il remarqua un exemplaire de l'édition anglaise de *L'Origine des espèces*. Le reste ne lui disait pas grand-chose : il n'était pas germanophone. Une grande table de travail était installée au fond de la pièce, encombrée de documents, de livres et de matériel d'écriture. Deux béquilles étaient appuyées contre une bibliothèque.

– Alors, vous trouvez votre bonheur sur ces étagères ? déclara derrière lui une voix grave qui le fit sursauter. Faisant volte-face, il découvrit un homme d'une soixantaine d'années assis dans une chaise roulante et dont les yeux délavés le toisaient depuis la porte. Flovent ignorait depuis combien de temps le maître des lieux était là, mais il avait l'impression qu'il l'observait depuis un certain moment.

– Vous avez une très belle bibliothèque, dit-il, histoire de meubler la conversation.

– Merci beaucoup, répondit l'homme en chaise roulante en entrant dans la pièce. Maigre, le cheveu blanc, vêtu d'une veste sombre et d'un chandail, les jambes dissimulées sous une couverture de laine, il portait des lunettes rondes à épaisse monture noire, affichait un air sévère, pour ainsi dire menaçant, et faisait penser à un professeur confronté à une classe difficile. Je m'efforce de m'entourer de livres intéressants, continua-t-il, dévoilant son accent germanique. On m'a dit que vous êtes de la police.

– C'est exact. Je suis désolé de vous déranger, s'excusa Flovent, remis de ses émotions. Vous êtes bien Rudolf Lunden ?

– Lui-même.

– Je m'appelle Flovent, inspecteur à la Criminelle. L'affaire qui m'amène est d'une nature assez particulière. Vous avez un fils du nom de Felix, n'est-ce pas ?

– En effet.
– Sauriez-vous où je peux le trouver ?
– Le trouver ? Et pourquoi donc ?
– J'ai pensé…
– Que lui veut la police ? gronda Rudolf.
– J'ai pensé qu'il était peut-être chez vous.
– Apparemment, vous n'avez pas entendu ce que je viens de dire : que lui veut la police ? Pourriez-vous, je vous prie, répondre à ma question ?
– Bien sûr. Je…
– Alors, faites-le, coupa Rudolf en haussant le ton, ce qui rendait son accent germanique plus perceptible encore. Je vous prie de ne pas me faire perdre mon temps.

Flovent était consterné par cet accueil des plus désobligeants. Avant de frapper à cette porte, assis au volant de sa voiture, il avait longuement réfléchi à la manière dont il devait s'y prendre pour limiter les souffrances que causerait immanquablement sa visite dans cette maison. Il comprenait maintenant qu'il s'était inquiété pour rien.

– Je suis venu vous voir pour vous informer que quelque chose d'affreux s'est produit au domicile de votre fils, on a retrouvé chez lui un homme tué d'une balle dans la tête. Nous avons d'abord cru que Felix était la victime, mais ce n'est pas le cas. Nous sommes donc à sa recherche. Nous considérons désormais qu'il est probablement impliqué d'une manière ou d'une autre dans ce crime.

L'homme en chaise roulante regardait Flovent comme s'il n'avait jamais entendu de pareilles inepties.

– Impliqué dans un meurtre… ?
– Oui.
– Quelles preuves avez-vous ? s'enquit Rudolf. Flovent constata qu'il était parvenu à le désarçonner. Mais cela ne dura qu'un instant. Qu'est-ce que c'est que cette histoire ? s'emporta-t-il. Je n'ai pas entendu… de telles balivernes de toute ma vie !
– C'est pourtant comme ça que les choses se présentent, répliqua Flovent. Ce sont les faits…

– Comment cette idée peut-elle vous passer par la tête ?

– Je crains que ces faits ne soient indéniables. Je comprends que vous soyez bouleversé. Ce n'est évidemment pas une bonne nouvelle. Pouvez-vous me dire où se trouve Felix ?

– Un meurtre au domicile de Felix ? soupira Rudolf, abasourdi.

– Hélas, oui. Savez-vous où trouver votre fils ?

– Comment diable… ?

– Savez-vous où il était hier soir ?

– Qui est la victime ? s'enquit Rudolf, éludant les questions de Flovent comme s'il ne les entendait pas. Qui est cet homme qu'on a retrouvé chez lui ?

– Nous l'ignorons, répondit Flovent. Nous n'avons pas encore identifié le corps. Mais cela ne devrait plus tarder et, alors, nous en saurons un peu plus sur les liens entre cet homme et votre fils. Vous savez où il est ?

Les yeux vides, Rudolf regardait droit devant lui, comme s'il venait de recevoir une gifle.

Flovent répéta une fois encore sa question.

– Savez-vous où se trouve votre fils ?

L'homme en chaise roulante ne lui répondait toujours pas.

– Vous croyez qu'il fuit la police ? Qu'il se cache ? s'entêta Flovent.

Rudolf pensait manifestement que cette entrevue avait assez duré.

– Vous vouliez autre chose ? demanda-t-il.

– Comment ça, autre chose ?

– Aviez-vous d'autres choses à me dire ?

– Je crains que nous ne soyons victimes d'un malentendu, observa Flovent. C'est moi qui travaille dans la police et qui pose les questions. N'inversons pas les rôles.

– Eh bien, je n'ai rien à vous dire et je vous prierais de me laisser tranquille, rétorqua Rudolf.

– C'est malheureusement…

– Je vous demande de partir, s'emporta Rudolf. Je n'ai rien de plus à vous dire. Je ne peux rien ajouter à ce que vous venez de m'annoncer.

– Savez-vous où est votre fils ? s'entêta Flovent. Pouvez-vous nous aider à le retrouver ? Nous devons l'interroger. Le plus vite sera le mieux.

– Partez ! s'écria Rudolf, en haussant encore le ton.

– Il est chez vous ? Il se cache dans cette maison ?

– Crétin d'Islandais ! Vous ne comprenez rien ! Rien du tout ! Fichez le camp !

– Non, ce…

– Sortez de chez moi ! hurla Rudolf en s'avançant dans son fauteuil, l'air menaçant. Dehors ! Fichez le camp ! Je n'ai rien de plus à vous dire. Sortez ! Allez, dehors !

Flovent ne semblait pas disposé à partir. Alarmée par les éclats de voix de son patron, la bonne apparut à la porte du bureau et lança un regard interrogateur au policier. Lorsqu'il remarqua sa présence, Rudolf tourna sa chaise vers elle et lui ordonna de raccompagner le visiteur à la porte. Leur entrevue était terminée. Il la rabroua d'un air furieux quand elle voulut l'aider à manœuvrer son fauteuil et quitta la pièce. Flovent et la domestique se retrouvèrent seuls, cernés par un silence pesant.

– J'imagine que ce n'est pas un patron très commode, remarqua le policier.

Cette entrevue avait été un véritable échec. Il ne comprenait pas vraiment ce qui s'était passé et se demandait à qui incombait la faute : à lui, à Rudolf, ou aux deux peut-être ? Il devrait s'y prendre autrement avec cet homme la prochaine fois et il fallait que leur prochaine rencontre ait lieu au plus vite.

– Il est parfois… il n'est pas très en forme depuis quelque temps, expliqua la domestique en guise d'excuse.

Debout à la porte du bureau, les cheveux attachés en queue-de-cheval, la jeune femme solidement charpentée attendait qu'il veuille bien partir. Flovent lui donnait la trentaine et supposait qu'elle était employée dans cette maison avant tout pour sa vigueur, qui devait être considérable. Rudolf avait besoin dans les actes les plus quotidiens d'une assistance que cette femme pouvait lui procurer sans la moindre difficulté étant donné sa constitution robuste.

– Il y a longtemps qu'il est en chaise roulante ? demanda-t-il d'un ton parfaitement calme tandis qu'il se remettait de sa conversation aussi surprenante que désagréable avec le maître de maison.

– Je ne sais pas… je n'aime pas parler de lui en son absence. Rudolf est un brave homme. Il me traite depuis toujours avec respect et je tiens à agir de même à son égard.

– Pouvez-vous m'en dire un peu plus au sujet de son fils Felix ? Vous le connaissez ?

– C'est à lui qu'il faut poser la question, répondit la servante à voix basse avant de lui demander de la suivre jusqu'au vestibule. Je n'ai jamais été en contact avec son fils.

– Auriez-vous une idée des lieux qu'il fréquente quand il n'est pas chez lui ?

– Non, c'est à Rudolf qu'il faut poser la question, répéta-t-elle.

– Évidemment. Je n'y manquerai pas. Felix est-il passé ici récemment ? Ces derniers jours ? Peut-être est-il là en ce moment ?

– Non, répondit sèchement la jeune femme. Il y a un moment que nous ne l'avons pas vu.

– Entretiennent-ils de bonnes relations ?

– C'est à eux qu'il faut poser la question.

– J'ai remarqué que Rudolf a deux béquilles dans son bureau, déclara Flovent en regardant vers la bibliothèque contre laquelle elles étaient appuyées. Est-ce que… est-ce qu'il peut… ?

– Elles lui permettent de faire quelques pas, mais très difficilement.

– Je vous serais très reconnaissant si vous pouviez me dire quelque chose concernant Felix. Cela restera entre nous. Il faut absolument qu'on le retrouve.

– Je regrette, répondit la servante.

– Même si c'est un détail qui vous semble insignifiant.

– Je comprends très bien, mais je ne peux rien pour vous.

– Avez-vous remarqué des visites suspectes ? Ou des appels téléphoniques ?

Elle secoua la tête, le conduisit jusqu'au vestibule et lui ouvrit la porte. Flovent sortit, la remercia et la salua d'une poignée de main. Peut-être pensait-elle ne pas l'avoir assez aidé ou peut-être était-ce afin d'excuser l'odieux comportement de son patron et pour l'expliquer qu'elle garda sa main un temps dans la sienne.

– Excusez-le. Rudolf... enfin, ce n'est pas son comportement habituel... il n'est pas lui-même depuis quelque temps, plaida-t-elle. Depuis la dernière visite de son beau-frère. Ils se sont brouillés.

– Son beau-frère ?

– Le directeur de l'école, chuchota-t-elle, l'air inquiet, comme si elle craignait qu'on l'entende. Le frère de sa défunte femme. Je les ai entendus se disputer et, depuis, ça ne tourne pas rond.

– Quel était le motif de cette dispute ?

– Je l'ignore... ils parlaient d'un groupe de garçons, enfin, je ne sais pas, chuchota la servante avant de disparaître à l'intérieur en refermant doucement la porte.

En retournant à sa voiture, Flovent jeta un regard en direction de la maison. Une femme âgée d'une cinquantaine d'années l'observait, l'air sévère, le visage dur. Elle tira le rideau du salon et disparut.

10

Le contre-espionnage de l'armée américaine s'était vu provisoirement attribuer un local dans une partie de l'ancienne léproserie située sur le cap de Laugarnes. C'était également le quartier général de leurs collègues britanniques, qui avaient pris possession des lieux dès le début de l'occupation. Les quelques malades qu'abritait encore cet hôpital avaient été transférés dans un hospice à Kopavogur. Toutes les semaines, le nombre de soldats américains augmentait. D'ici quelques mois, ces derniers auraient pris le relais de l'armée de terre britannique, et la défense de l'Islande reposerait principalement entre leurs mains. Le haut commandement des troupes américaines se trouvait dans le camp militaire installé près de la rivière Ellidaa. Un autre camp, bâti dans le quartier ouest de Reykjavik et baptisé Camp Knox, abritait le commandement de la flotte. La base aérienne était installée dans des baraquements dans la baie de Nautholsvik, tout près de l'aéroport construit par les troupes britanniques au pied du versant ouest de la colline d'Öskjuhlid. Le contre-espionnage américain prenait graduellement le relais des services secrets de Sa Majesté tout en déménageant dans le camp baptisé Tripolikamp qui longeait la rue Sudurgata. Les services de l'armée américaine s'installaient ainsi les uns après les autres : armée de terre, armée de l'air et forces navales, accompagnées par leurs troupes d'infanterie, leurs troupes aéroportées et leurs marins, ces milliers d'hommes armés qui n'avaient jamais entendu parler de l'Islande et ignoraient jusqu'à son existence. En peu de temps, Reykjavik était devenue une fourmilière où grouillaient pêle-mêle des soldats britanniques en route vers les champs de bataille de l'Europe, de nouvelles troupes d'occupation venues d'Amérique, des Islandais arrivés de province qui profitaient de cette période d'intense activité économique pour venir s'installer dans la capitale en quête d'une vie meilleure, sans parler des habitants de Reykjavik, jeunes et vieux, qui avaient à peine eu le temps de mesurer l'ampleur des changements affectant leur ville en l'espace de quelques mois.

Alors qu'il roulait vers la belle bâtisse de la léproserie à l'extrémité nord du cap de Laugarnes, Thorson ne pouvait s'empêcher de penser à certains préjugés, comme cela lui arrivait bien souvent. La situation géographique de l'établissement n'était évidemment pas le fruit du hasard, les malades avaient été placés à distance respectable de la ville ou, plus précisément, on les avait mis à l'écart des autres habitants. Un autre hôpital, l'asile psychiatrique de Kleppur, se trouvait juste au bord de la mer, plus à l'est, plus éloigné encore de la ville. La léproserie figurait parmi les plus belles maisons en bois du pays. C'était une grande bâtisse à un étage surmontée d'un grenier, percée de fenêtres sur toute la longueur, avec une façade orientée vers le sud et des pignons saillants à chaque extrémité du bâtiment. Thorson admirait les lieux en pensant à tous les changements provoqués par l'occupation militaire au sein de cette petite communauté tranquille. Par une journée calme de printemps, l'année précédente, la guerre s'était invitée à Reykjavik avec son cortège de drames et elle avait tout transformé. Avec quelques volontaires canadiens, Thorson avait été parmi les premiers à descendre à terre, en tant que simple soldat du 12e régiment d'infanterie de la Couronne britannique. Armés jusqu'aux dents, ils avaient marché vers les principaux bâtiments gouvernementaux et vu de leurs yeux la stupeur des habitants qui craignaient manifestement que les événements capitaux dont ils étaient témoins ne changent le monde à jamais.

La capsule de cyanure découverte dans la valise au domicile de Felix Lunden avait été examinée. On confirma à Thorson qu'elle était de fabrication allemande et qu'il s'agissait de ce qu'on appelait communément une capsule-suicide. L'intéressé devait la croquer et le cyanure entraînait le décès en quelques instants s'il s'y prenait correctement.

Parfois, la mort était plus lente, certains agonisaient pendant quinze minutes dans d'atroces souffrances. C'était la première fois qu'on trouvait une capsule de ce type à Reykjavik. Le représentant de l'armée voulut savoir comment elle avait atterri entre les mains de la police islandaise. Ce sergent-chef âgé d'une cinquantaine d'années était d'un abord bourru. Le visage couvert de cicatrices, il portait un gant noir à la main droite. Thorson avait l'impression qu'il lui manquait deux doigts. Prénommé Graham, il travaillait dans les services secrets américains depuis des années. Il était avec son collègue britannique qui s'était renseigné sur les relations entre Rudolf Lunden et l'armée anglaise pendant les premiers jours de l'occupation. Nettement plus jeune que Graham, il portait la cicatrice d'une brûlure qui partait du cou, couvrait la joue et atteignait l'oreille, qui avait presque entièrement disparu. Cet ancien de l'armée de l'air qui avait été victime d'un accident s'appelait Ballantine, comme la marque de whisky écossais. Il crut d'ailleurs bon de souligner qu'il n'était pas membre de cette famille en se présentant. Le sourire qui suivit ressemblait plus à une grimace de douleur. Thorson comprit que Graham trouvait lui-même la plaisanterie complètement éculée.

– Et pour quelle raison un Islandais serait-il en possession de ce genre de capsule ? demanda Graham. Elle était cachée dans une valise, c'est bien ce que vous avez dit ?

– Il est représentant, précisa Thorson. Apparemment, il la conserve à portée de main pendant ses tournées.

– C'est une couverture plutôt banale, fit remarquer Ballantine, également sergent-chef. Et très adaptée à ce pays. Cette profession lui permet de se déplacer à sa guise sans attirer l'attention. En outre, il peut transporter dans ses valises du matériel d'espionnage. Vous m'avez bien dit que vous avez trouvé divers petits objets dans sa valise ?

– C'est exact, répondit Thorson qui leur avait dressé un rapport succinct quand il était venu leur remettre la capsule. Vous dites qu'il se livre à de l'espionnage pour les Allemands ?

– Nous ne pouvons pas vraiment en être sûrs, rectifia Graham, mais cette capsule tend à prouver qu'il est en contact avec les Allemands. Il a d'ailleurs de la famille en Allemagne, si j'ai bien compris.

– Ce n'est pas aussi simple que ça. Vous ne pouvez tout de même pas soupçonner tous les gens d'origine allemande qui vivent ici d'être des espions.

– Je ne vois pas ce qui nous en empêche, rétorqua Graham.

– Rudolf, son père, a été arrêté deux jours après le début de l'occupation, en même temps qu'un certain nombre d'autres personnes en contact avec les Allemands d'après nos fichiers, reprit Ballantine en ouvrant le dossier qu'il avait apporté en vue de leur rencontre. Nous l'avons interrogé et maintenu en détention pendant quelques jours. Il a même été question de l'envoyer en Grande-Bretagne avec trente autres de ses compatriotes, mais nous l'avons finalement relâché. Nous n'avons aucune information concernant son fils Felix. Il n'a pas été arrêté à l'époque.

– Vous savez pour quelle raison Rudolf Lunden n'a pas été envoyé en Grande-Bretagne ?

– La personne qui s'est occupée de son cas a quitté l'Islande, précisa Ballantine, elle n'a donc pas pu me donner de détails, mais après avoir mené une enquête approfondie, nos services ont considéré que ce Lunden était inoffensif. Nous avons fouillé sa maison, sans résultat. Il est cloué sur un fauteuil roulant, ce qui limite ses déplacements. Son domicile est resté sous surveillance un bon moment, nous avons pu constater qu'il y passait le plus clair de son temps et qu'il ne recevait que très rarement des visites.

– Il était au courant de cette surveillance ?

– Je suppose que ça ne lui a pas échappé.

– A-t-il mentionné Felix pendant les interrogatoires ?

– Non, il n'a jamais parlé de son fils et nous ne lui avons posé aucune question à son sujet. On s'intéressait surtout à la nature des relations qu'il entretenait avec Werner Gerlach, le consul d'Allemagne. Apparemment, ils étaient très amis.

Lunden nous a affirmé qu'ils se voyaient régulièrement, mais avant tout parce qu'ils étaient compatriotes, enfin, à en croire ce qu'il nous a dit.

– Vous savez si Felix était membre du parti nazi islandais, le Parti nationaliste ? demanda Thorson. Vous avez des documents qui le prouveraient ?

– Non, on n'a rien sur ce Felix Lunden, assura Graham. C'était en revanche le cas de son père. On a découvert chez lui des comptes rendus de réunions et une liste de membres datant d'il y a trois ans.

– Ce parti n'est plus en activité ? s'enquit Thorson.

– Exact, il a disparu, confirma Graham. Cela ne signifie toutefois pas que ses anciens membres ont cessé d'être nazis. Nous en surveillons un certain nombre, mais la plupart semblent se tenir à carreau.

– Je suppose qu'ici, les Allemands ont de quoi faire, observa Thorson.

– En effet, et les vols d'espionnage qu'ils effectuent depuis la Norvège ne leur suffisent pas, reprit Ballantine. Ils ont aussi besoin d'agents à terre pour surveiller le trafic maritime. Les transports de matériel militaire. La construction de bases stratégiques comme celle du fjord de Hvalfjördur qui est appelée à devenir le plus grand centre de trafic maritime de l'Atlantique nord. Les nazis s'intéressent à tout ce que nous faisons en Islande. Si ce Felix collecte des informations pour leur compte, il dispose sans doute d'un émetteur et d'un appareil photo. Ce genre d'émetteur peut parfaitement se dissimuler dans une simple valise comme celle que vous avez trouvée chez lui. Il faut que son signal soit assez puissant pour atteindre les sous-marins allemands qui croisent autour de l'île et coulent régulièrement les bâtiments de notre flotte et les bateaux des Islandais. Dans ce cas, Felix utilise forcément un code dont il serait souhaitable qu'on découvre la clef. Il peut facilement entrer en contact avec les sous-marins en divers endroits du pays et à des horaires programmés. Les lieux en question se trouvent sans doute sur la frange côtière, au plus près des sous-marins. Nous avons d'ailleurs renforcé la surveillance de ce type d'endroits.

– Felix aurait pu embarquer dans un sous-marin allemand ? demanda Thorson. Ou prévoir de le faire ?

– Eh bien, c'est tout à fait envisageable, répondit Ballantine.

– Pour l'instant nous n'avons arrêté personne qu'on puisse vraiment accuser d'espionnage, poursuivit Graham en se grattant le menton avec les moignons de ses doigts. Felix serait le premier. Vous connaissez l'identité de l'homme qu'on a retrouvé mort chez lui ?

– Non, pas encore, répondit Thorson. Le corps n'a toujours pas été identifié. Aucune disparition n'a été signalée. Apparemment, son absence n'inquiète personne. En tout cas, la police islandaise n'a reçu aucun appel l'informant qu'un homme de son âge aurait disparu.

– Je n'ai pas besoin de vous dire… euh, Thorson, c'est bien votre nom, n'est-ce pas… à quel point il est important que vous nous teniez au courant de la progression de l'enquête, reprit Graham. Je suggère que vous nous fassiez tous les jours un rapport oral de ce que découvrent les Islandais. Le mieux serait sans doute que vous voyiez ça directement avec moi. Les troupes britanniques s'apprêtent à quitter l'Islande et Ballantine les suivra.

– Vous devrez voir ça avec mon supérieur, répondit Thorson en faisant de son mieux pour ne pas le froisser. C'est le colonel Franklin Webster. Je suis sous ses ordres et c'est lui que je dois informer. S'il souhaite procéder à certains changements dans ce domaine, il ne manquera pas de se manifester.

– On ne ferait pas mieux de reprendre cette enquête ? suggéra Graham en consultant Ballantine du regard. On peut le faire ? Les Islandais risquent de tout faire capoter. Ils sont capables de traiter ce type d'affaire ?

– Rien ne permet d'affirmer que la mort de cet homme soit liée à une affaire d'espionnage, objecta Thorson. Le policier chargé de l'enquête me semble à la fois très fiable et très prudent.

– Vous êtes vous-même islandais, non ? Vous parlez leur charabia ?

– Islandais de l'Ouest, corrigea Thorson, c'est comme ça qu'on appelle ici ceux qui ont émigré aux États-Unis et au Canada. Je ne sais pas si je suis avant tout islandais ou canadien. Je suis sans doute autant l'un que l'autre. Et je ne pense pas que les Islandais aient besoin…

– Bon, disons que s'ils n'avancent pas assez vite, nous prendrons les choses en main, interrompit Graham d'un ton brusque. On n'aura pas le choix. La balle retrouvée est américaine et provient d'une arme utilisée par nos hommes. Pour moi, ça suffit. Cette affaire est de notre ressort.

– On aura du mal à souffler l'enquête à la police islandaise, en tout cas à ce stade, objecta calmement Ballantine. Je crois que nous ferions mieux de surveiller tout ça de près, pour commencer. C'est d'ailleurs le rôle qui vous a été confié, je suppose, ajouta-t-il en regardant Thorson. On est sûr que ce Felix Lunden est le propriétaire de la valise où vous avez trouvé la capsule ? On peut le dire formellement ?

– Et à qui d'autre pourrait-elle appartenir ? rétorqua Graham.

– Eh bien, par exemple, à l'homme qu'on a retrouvé mort chez lui, suggéra Ballantine.

Les deux sergents-chefs lancèrent un regard interrogateur à Thorson, comme s'il détenait la réponse à leur question. Or il l'ignorait tout autant que Flovent. En discutant ensemble, ils étaient parvenus à la conclusion qu'il y avait une écrasante probabilité pour que cette valise appartienne à Felix, même si Flovent refusait d'exclure la possibilité selon laquelle la victime l'avait elle-même apportée. D'après Olafia, la logeuse, Felix vendait des tas de petits objets comme ceux trouvés dans ce bagage, mais cela n'excluait pas l'autre hypothèse.

– La police procède actuellement aux relevés d'empreintes digitales sur cette valise, informa Thorson. Cela nous mettra peut-être sur une piste, mais il y a de grandes chances qu'elle appartienne à Felix.

– Cette affaire est de notre ressort, répéta Graham, qui avait retrouvé son air sévère. Nous allons la prendre en main sans tarder. C'est évident. Ce n'est qu'une question de jours.

Quelques instants plus tard, après s'être acquitté de cette entrevue, Thorson salua les deux hommes et retourna à sa jeep. Tandis qu'il longeait les couloirs de l'ancienne léproserie, il apercevait l'intérieur des chambres que l'armée avait désormais transformées en bureaux. Il s'arrêta en face de l'une d'elles et pensa à l'histoire de ce bâtiment qui avait hébergé les malades et les parias. Il pensa à ceux qui avaient vécu là, le corps et le visage couverts de stigmates qu'ils ne pouvaient dissimuler, et aux blessures de leurs âmes. Les blessures des parias. Il éprouvait pour eux une profonde empathie, conscient qu'au fond de lui se manifestaient certains désirs qu'il ne comprenait qu'imparfaitement, mais qu'il savait tout autant réprouvés que cette effrayante lèpre à l'origine de la construction de cette belle bâtisse. Il s'efforçait d'enfouir ces pulsions et refusait de se les avouer, mais elles étaient tout de même présentes. Il avait de plus en plus de mal à les maîtriser et n'osait les confier à personne de peur d'être découvert. Il avait beau s'armer de prudence, il lui arrivait parfois de se laisser aller, comme lorsqu'il avait éveillé la suspicion du chanteur alcoolique.

– Pourquoi tu me regardes comme ça ?

11

Rudolf Lunden avait vigoureusement protesté quand on était venu le chercher pour le conduire à la prison de Hegningarhus, rue Skolavördustigur, afin de l'interroger. Quelque temps après son entretien avec Flovent, on avait envoyé chez lui deux policiers qui avaient commencé par fouiller sa maison à la recherche de Felix sans prêter attention aux insultes et aux menaces de Rudolf qui assurait qu'ils ne garderaient pas longtemps leur emploi après ce coup d'éclat. Les policiers ne s'étaient pas laissé impressionner par ses imprécations. Rudolf était toujours furieux quand Flovent arriva à la prison pour l'interroger, deux heures plus tard, après son entrevue avec Thorson qui lui avait relaté son passage à la léproserie. L'attente n'avait pas contribué à atténuer la colère du médecin.

– Tu te rends compte comme c'est humiliant d'être embarqué comme ça ?! fulmina-t-il, abandonnant le vouvoiement…

Les deux hommes se trouvaient dans la petite salle d'interrogatoire où Rudolf avait été placé dès son arrivée à Hegningarhus. On l'avait laissé attendre là sans lui fournir la moindre explication, sans lui dire un mot ni lui offrir à boire, pas même un verre d'eau ou un café, et il avait passé tout ce temps à bouillir de colère.

– Vous ne m'avez pas laissé le choix.

– Une voiture de police devant chez moi !

– Vous n'avez manifesté aucune volonté de coopérer, expliqua Flovent, conscient que les mesures prises avaient déclenché les foudres de l'Allemand. Vous avez refusé de répondre à mes questions quand je suis venu chez vous. Je n'ai donc eu d'autre choix que de vous emmener ici par la force. Et je n'y prends aucun plaisir, croyez-moi.

– Tu n'es qu'un petit con ! s'écria Rudolf. Rien qu'un sale petit con !

– J'aimerais pouvoir vous répondre sur le même ton. Hélas, je ne vous connais pas assez pour me le permettre, rétorqua Flovent. Tout ce que je peux vous dire, c'est que vous vous êtes compliqué l'existence en m'accueillant avec des hurlements, en refusant de répondre à mes questions et en me mettant à la porte de votre domicile. Vous n'êtes tout de même pas puéril au point d'imaginer que cela empêchera la police de faire son travail. Il est très probable que votre fils ait commis ce meurtre. J'avais imaginé que vous souhaiteriez éclaircir cette affaire. Nous ignorons où il se trouve. Si vous essayez de le protéger, vous risquez d'être accusé de complicité et je dois avouer qu'étant donné votre comportement, aussi bien face à moi ce matin que face aux policiers qui ont dû vous emmener ici par la force, on a toutes les raisons de croire que vous nous cachez quelque chose. J'espère pour vous qu'il n'en est rien, mais je dois m'en assurer.

Rudolf l'écouta en silence, le visage grave, sans l'interrompre constamment comme à son habitude. Flovent pensait avoir réussi à calmer sa colère et à le faire réfléchir. Un long moment s'écoula, chargé d'un silence hostile. Flovent commençait à croire que Rudolf avait l'intention de se taire pour protester contre la manière dont on l'avait traité. Il chercha un autre angle d'approche même si, étant donné la manière dont les choses s'étaient déroulées jusque-là, cela lui coûtait beaucoup de devoir essayer d'amadouer cet homme.

– Je tiens à souligner que vous n'êtes pas en état d'arrestation, reprit Flovent. Nous vous avons conduit ici pour vous interroger. La suite des événements dépend entièrement de vous. C'est à vous de voir si vous voulez moisir ici ou rentrer chez vous.

– Je prends ça comme du chantage, répondit Rudolf. Je ne te conseille pas de me menacer.

– Je ne fais aucune menace, assura Flovent. Mais vous avez le droit d'être informé de votre situation.

Rudolf ne daigna pas répondre.

– Je sais que vous êtes veuf, reprit le policier. Vous avez perdu votre femme à l'automne 1918, d'après les renseignements que j'ai. Son décès est survenu pendant l'épidémie de grippe espagnole, j'imagine. Je me trompe ?

– Ça ne te regarde pas !

– Si je vous dis ça, c'est parce que j'ai perdu ma sœur et ma mère pendant cette épidémie.

Rudolf demeura impassible.

– Ce n'est jamais bon pour un enfant de voir les siens tomber gravement malades puis mourir. Felix en a peut-être fait l'expérience ?

– Il n'a aucun souvenir de sa mère.

– Je comprends.

– J'exige de parler à vos supérieurs, répondit Rudolf, reprenant le vouvoiement. Vous n'êtes pas à la hauteur de votre fonction, vous commettez de graves erreurs et je veux être certain qu'ils en soient informés, qu'ils sachent comment vous m'avez traité et soient au courant de votre comportement indigne face un homme qui peine à... face à un invalide !

– Si j'ai bien compris, vous souhaitez parler au chef de la police de Reykjavik, c'est mon seul supérieur. Vous voulez que j'aille le chercher ? Je suis l'unique membre actif de la Criminelle, mes anciens collègues ont été affectés à d'autres services depuis le début de l'occupation et c'est aussi le cas de mon supérieur. Vous voulez que je vous amène le chef de la police de Reykjavik ? Cela ne pose áucun problème.

Rudolf hésita, se demandant manifestement si Flovent bluffait ou s'il était sérieux. Il ne semblait plus certain que le moment soit opportun de faire venir sur les lieux l'autorité suprême de la police. Peut-être lui serait-il plus facile de manipuler le sous-fifre assis en face de lui dans cette pièce exiguë.

– Elle l'a mis au monde quelques mois avant de contracter la maladie, consentit finalement Rudolf. Il n'y a rien eu à faire. Felix était... Nous n'en parlons pas beaucoup.

– Ma mère et ma sœur reposent dans l'une des deux fosses communes du cimetière de la rue Sudurgata, expliqua Flovent. Je sais qu'elles sont là-bas et je m'y rends régulièrement. Mon père souhaiterait les faire exhumer pour les enterrer dans un carré réservé à notre famille.

– Pourquoi vous me racontez ça… ? Je ne vois pas en quoi ça me concerne, observa Rudolf. Je ne comprends pas vos motivations.

– Et moi, je ne comprends pas votre hostilité, répondit Flovent. Vous avez quelque chose contre la police ? Contre les Islandais ? La guerre ? L'armée d'occupation ? Ou bien vous essayez de protéger votre fils en refusant de coopérer ?

Rudolf secouait la tête. Il était évident que Flovent l'insupportait. La petite brèche que le policier était parvenu à percer dans sa cuirasse se referma aussitôt.

– Ce n'est pas la première fois que je viens ici, assura-t-il en détachant ses mots. Vous ne m'effrayez pas et je n'ai rien à vous dire. Rien du tout.

– Je m'apprêtais justement à vous poser la question, reprit Flovent. Pourquoi les Britanniques vous ont-ils arrêté ?

– Parce que ce sont des crétins !

– N'est-ce pas plutôt parce que vous étiez proche de Werner Gerlach, le consul général d'Allemagne ?

– La manière dont ils l'ont traité est honteuse, tout simplement honteuse.

– Les Britanniques croyaient que vous travailliez pour lui ? C'était ça, le motif de votre arrestation ?

– Votre question ne mérite même pas de réponse. Je ne suis pas un espion. Et je ne l'ai jamais été. Je… je proteste contre ce genre d'insinuation.

– Quelles relations entreteniez-vous avec Gerlach ?

– Je ne vois pas en quoi cela vous concerne, lança Rudolf.

– Vous le voyiez régulièrement, n'est-ce pas ?

– On était bons amis.

– Et de quoi discutiez-vous ?

– Cela ne vous regarde pas !
– Peut-être de votre fils ?
– De Felix ?! Non. Quelle raison nous aurions eu de le faire ? Franchement, à quoi riment ces questions ?!
– Je tente seulement de rassembler des informations sur Felix, répondit Flovent. J'essaie de découvrir quel genre d'homme il est, l'endroit où il se trouve, vos relations avec lui, et de voir si vous essayez de le protéger. J'espère que vous comprenez que le mieux pour lui serait de se livrer à la police. Dans le cas contraire, cela risque de vous attirer un tas d'ennuis supplémentaires. Je veux dire, s'il apparaît que vous savez où il se cache.
– Je ne sais pas où il est, s'entêta Rudolf.
– Connaissez-vous l'identité de l'homme qu'on a retrouvé mort chez lui ?
Rudolf secoua la tête.
– Felix a une arme à feu ?
– À ma connaissance, il n'a jamais possédé d'arme.
– Vous pensez que sa vie est menacée ?
– Qu'est-ce qui vous fait dire ça ? s'étonna Rudolf.
Flovent eut l'impression qu'enfin, le médecin manifestait un peu d'intérêt.
– Nous avons trouvé dans ses effets personnels une chose sur laquelle je souhaiterais vous entendre.
– Ses effets personnels ? Comment ça ? Qu'est-ce que vous avez trouvé ?
– Une pilule, annonça Flovent, ou plus précisément une capsule.
– Une pilule ? C'est quoi ces conneries ? Une pilule ? De quel type ?
– Eh bien, d'un type tout à fait particulier, reprit Flovent. Et on ne l'utilise que dans un but bien précis. Nous pensons qu'elle est de fabrication allemande. Il s'agit d'une de ces fameuses capsules-suicide.
– Une capsule…
– Elle était dissimulée dans la valise dont votre fils se sert pour vendre ses produits. Il avait donc constamment

à portée de main ce produit rempli de cyanure. Je souhaiterais vous poser trois questions à ce sujet.

– Que… quelles questions ?

– Étiez-vous au courant de l'existence de cette capsule de cyanure ? poursuivit Flovent, conscient que Rudolf était désarçonné. Est-ce vous qui la lui avez procurée, et lui avez-vous donné votre accord pour qu'il l'utilise en cas de besoin ?

12

Rudolf le fixa longuement. La surprise affichée sur son visage céda peu à peu la place à une colère sans limites. Le médecin avait poussé Flovent dans ses retranchements et il n'avait que ce qu'il méritait. Puisqu'il était quasi impossible de lui arracher le moindre renseignement sur son fils ou sa propre personne, Flovent n'avait pas eu le choix : il s'était vu forcé de le mettre à l'épreuve en le choquant pour le désarçonner. Et il y était si bien parvenu que Rudolf serrait les accoudoirs de son fauteuil à rendre ses doigts exsangues.

– Vous avez perdu la tête ou quoi ? éructa-t-il en se dressant sur sa chaise. Comment osez-vous me poser de telles questions ?! Est-ce que vous insinuez que je souhaite la mort de Felix ? C'est ça que vous sous-entendez ?

– Vous étiez au courant de l'existence de cette capsule ? poursuivit Flovent sans se laisser impressionner par la colère qu'il avait suscitée.

– Non ! s'écria Rudolf avant de s'affaisser à nouveau sur sa chaise. Je n'en avais aucune idée ! Absolument aucune !

– Est-ce vous qui la lui avez procurée ?

– Je vous jure que non !

– Lui avez-vous conseillé d'y recourir en cas d'arrestation ?

– Je refuse de répondre à cette question !

– Il semble que Felix tenait à garder cette capsule à portée de main. Savez-vous pour quelle raison ?

– Je refuse de répondre !

– Vous l'êtes-vous procurée au consulat d'Allemagne du temps de Gerlach ? Est-elle passée entre vos mains avant d'arriver dans celles de votre fils ?

Rudolf gardait le silence.

– Les Britanniques et les Américains pensent qu'il existe ici un vaste réseau d'espionnage, reprit Flovent. Ils croient que des agents à la solde des Allemands font des rapports sur la création des installations militaires et les activités des troupes alliées en Islande. Votre fils fait-il partie de ce réseau ?

Rudolf le fixait et s'obstinait à se taire.

– Et vous ? En faites-vous partie ?

– J'ai répondu à des tas de questions ridicules quand les Anglais m'ont interrogé, lâcha finalement le médecin. Ils n'avaient aucune preuve contre moi mais faisaient leur travail nettement mieux que ça. Ce n'étaient pas des débutants et ils n'essayaient pas de m'amadouer en me racontant leurs pitoyables petits malheurs. C'étaient des professionnels. Vous ne leur arrivez pas à la cheville.

– Felix se sert-il de son travail comme couverture ? Comment a-t-il obtenu cet emploi ?

– Je n'en sais rien.

– Il y a longtemps qu'il fait ça ?

– Je l'ignore et il n'a besoin d'aucune couverture. Ce n'est pas un espion. Essayez de vous mettre ça dans la tête !

– Fait-il des tournées en province ou se limite-t-il à la capitale ?

– Je n'en sais rien, répondit Rudolf. Et vous me rendez malade avec toutes vos questions !

Flovent s'interrompit et le toisa longuement.

– D'après les documents dont dispose l'administration, vous étiez membre du parti nazi islandais, le Parti nationaliste. C'est vrai ? reprit-il.

– Rien ne m'oblige à vous répondre si je n'en ai pas envie.

– Quel rôle aviez-vous dans cette formation ?

– Soit vous m'arrêtez, soit vous me laissez partir. Je refuse de répondre à toute autre question. Si vous m'arrêtez, je veux avoir un avocat.

– Felix était-il également membre du parti ?

Rudolf ne répondit pas.

– Quelles relations avez-vous avec lui ? Le fait qu'il soit orphelin de mère vous a-t-il rapprochés ? Cela a-t-il rendu l'entente plus difficile ? Êtes-vous proches ?

Rudolf secoua légèrement la tête.

– A-t-il bénéficié d'une éducation normale ? Était-il de caractère jovial ? Avait-il beaucoup d'amis ou passait-il le plus clair de son temps tout seul ? Quel type d'enfant c'était ?

– Je ne vois pas où vous voulez en venir. Bien sûr qu'il a eu une éducation normale ! Une bonne éducation.

– Il a gardé contact avec ses amis d'enfance ?

– Je n'en sais rien.

– Il a fréquenté l'école dirigée par son oncle ? Votre beau-frère ?

Rudolf fronça les sourcils sans lui répondre.

– Vous habitez tout près. Je suppose donc que Felix fréquentait cet établissement. Il était bon élève ? Il obtenait de bons résultats ? Il était obéissant ? Le fait que son oncle ait été le directeur de l'école l'avantageait-il ? Il était dans la meilleure classe ? Ou peut-être dans celle des cancres ?

– La classe des cancres ? Alors là, je ne crois pas. Il… C'est quoi, encore, ces bêtises ? Que signifient toutes ces questions ? Je refuse de répondre à ces sottises !

– Ça ne vous changera pas beaucoup, rétorqua Flovent. Vous vous entendez bien avec votre beau-frère ? Vos relations sont bonnes ?

– Je ne vois pas en quoi ça vous regarde, éluda Rudolf. Je ne comprends pas le sens de vos questions. Elles sont aussi ridicules que déplacées.

– Il ne vous a pas rendu visite récemment ?

– Comment ça ?

– Il est bien venu vous voir chez vous, n'est-ce pas ?

– Vous surveillez ma maison ?

Flovent ne lui répondit pas afin de laisser planer le doute. Il valait mieux que Rudolf croie que son domicile était placé sous surveillance plutôt qu'il ne soupçonne sa bonne d'avoir trahi sa confiance. Flovent s'était longuement creusé la tête après que la servante lui avait parlé de ce groupe de garçons. Felix étant fils unique, il ne pouvait s'agir des fils de Rudolf. Qui étaient ces garçons qu'elle avait mentionnés ?

Et pourquoi les deux beaux-frères s'étaient-ils disputés à leur sujet ? Il avait essayé en vain de joindre le directeur d'école. Quand il avait téléphoné chez lui, on lui avait répondu qu'il était en voyage pour ses vacances estivales. Il serait de retour en ville d'ici quelques jours.

– Je peux vous demander de quoi vous avez discuté ? reprit Flovent.

– Je ne crois pas, s'agaça Rudolf. D'où tenez-vous ces renseignements ? Pourquoi faites-vous surveiller mon domicile ? Je pensais que tout ça était terminé !

– Que s'est-il passé pendant votre entrevue ?

– Notre entrevue... ? Absolument rien, répondit Rudolf. Je ne vous suis pas. Nous sommes... je m'entends très bien avec mon beau-frère. Je ne comprends pas en quoi le fait de le voir serait suspect. Et je... je ne comprends vraiment pas où vous voulez en venir.

Flovent le savait à peine lui-même. Il avait feuilleté la liste des membres du Parti nationaliste dont il conservait une copie au bureau de la Criminelle. Le beau-frère, Ebeneser Egilsson, y était inscrit comme simple militant.

– Vous avez discuté des affaires du parti ? Il existe encore ? Vous en avez parlé ?

– Pas du tout, répondit Rudolf. Je ne comprends pas ces insinuations. Que signifient toutes ces questions ?

– Avez-vous parlé de Felix ?

– Non... Pourquoi toutes ces questions concernant cette visite ? Qu'est-ce que ça cache ? Qu'est-ce que vous cherchez ? Ce serait plus simple si vous arrêtiez de tourner autour du pot, vous ne croyez pas ?

– Dans ce cas, vous avez peut-être abordé d'autres sujets en rapport avec vos familles ? reprit Flovent.

– Les histoires de famille d'Ebeneser ne me regardent pas.

– Cette entrevue était en rapport avec la fonction exercée par votre beau-frère dans cette école ?

Rudolf garda le silence un long moment en se massant la poitrine d'un air absent. Il était manifestement excédé par les questions que Flovent lui posait, aussi bien sur lui-même que sur son fils et la visite du directeur d'école.

– Arrêtez-moi ou relâchez-moi, déclara-t-il. Il semblait toutefois un peu moins sûr de lui, le ton de sa voix était maintenant empreint d'un certain fatalisme. Faites comme il vous plaira, je m'en fiche. Je ne répondrai à aucune autre question.

– Il me semble que j'ai assez abusé de votre temps, j'espère qu'Ebeneser sera un peu plus coopératif, répondit Flovent en se mettant debout. Je ne tarderai plus à le rencontrer, cela permettra d'y voir un peu plus clair, ajouta-t-il. Il avait l'impression qu'en dépit de sa colère et de ses rebuffades, Rudolf était navré du tour qu'avait pris leur conversation. Souhaitez-vous que je vous fasse reconduire ?

– Non merci, je préfère prendre un taxi.

– Votre fils connaît-il ou fréquente-t-il des soldats américains ? risqua Flovent.

La question déconcerta Rudolf.

– Comment ça ?

– C'est très simple : Felix est-il ami avec des soldats ?

– Non, pas à ma connaissance.

– Et vous ?

– Quoi ? Ami avec des soldats américains ? Alors là, ce serait la meilleure !

– Vous avez une idée de la manière dont Felix a pu se procurer un Colt de l'armée américaine ?

– Je crois que vous le soupçonnez à tort. Vous le comprendrez rapidement, répondit Rudolf, voilà pourquoi vos… vos questions idiotes n'ont aucun intérêt.

– On verra bien. Je voudrais tout de même vous signaler un détail surprenant concernant le corps découvert dans l'appartement de votre fils, reprit Flovent tout en s'apprêtant à l'aider à quitter la pièce.

Il avait été plutôt difficile de le faire entrer avec son fauteuil dans la salle. Rudolf refusa aussitôt son assistance et lui ordonna d'appeler un gardien pour le conduire hors du bâtiment.

– C'est l'autopsie qui nous l'a révélé, reprit Flovent. Elle aurait pu très facilement nous échapper.

– Et de quoi s'agit-il ?

– D'une croix gammée.

– Une croix gammée ?

– L'assassin a pris le temps de tracer avec le sang de la victime ce symbole sur son front. Je n'ai aucune idée de ce que cela signifie. Je ne comprends ni pourquoi il a fait ça, ni le message qu'il veut faire passer. On peut cependant faire quelques hypothèses. La première c'est qu'il a un sacré sang-froid, voire qu'il est empli de haine et de colère. Ce meurtre ressemble à s'y tromper à une exécution. On sent une volonté de fer. Aucune hésitation. Aucun remords. Aucune pitié.

Rudolf regardait Flovent, déconcerté.

– Ça correspond au caractère de votre fils ? Est-ce qu'il est susceptible de faire ce genre de choses ? C'est ce genre d'homme ?

– Mon fils… ne ferait jamais ça… Felix ne ferait jamais une chose pareille, assura Rudolf. Pour la première fois dans cette longue et difficile discussion, Flovent crut lire de l'inquiétude, voire de la peur, dans le comportement du médecin. Jamais, répéta Rudolf. Jamais il ne ferait une chose pareille.

13

Les vendeurs allaient et venaient. Le grossiste trouvait qu'il n'y avait rien d'anormal à cela et que c'était même très compréhensible. Il avait pour sa part été représentant et connaissait bien les contraintes liées à la profession. C'était un métier épuisant qui ne rapportait parfois pas grand-chose et, pour ceux qui étaient fiancés ou pères de famille, les longues absences qu'il entraînait étaient très pénibles.

On trouvait toutes sortes de gens parmi les représentants. Parfois, mis à la porte de leur ancien emploi, certains atterrissaient en catastrophe chez le grossiste. D'autres avaient des problèmes avec l'alcool. Il arrivait également que de jeunes poètes ou des romanciers constamment désargentés viennent frapper à sa porte et il les accueillait avec bienveillance. Il savait d'expérience qu'ils ne resteraient pas longtemps, mais ils étaient parfois assez doués et en général sympathiques même s'il y avait des exceptions. Ils économisaient sans doute pour publier un recueil de poèmes ou avoir un peu de temps pour écrire le roman qui les rendrait célèbres. Il avait employé des enseignants et des chauffeurs routiers, des paysans expulsés de leur ferme et de pauvres malheureux, sachant que, de toute façon, personne ne restait jamais bien longtemps.

Les gens étaient plus ou moins doués pour la vente. Certains avaient beaucoup d'aplomb et d'assurance. Peu importait alors ce qu'ils proposaient, ils auraient pu faire acheter n'importe quoi à n'importe qui. Il arrivait que, bien plus que le produit, ils vendent leur propre personne, leur assurance, leur compagnie et même leur amitié, en tout cas l'espace de quelques instants. Les meilleurs d'entre eux n'abordaient la vente proprement dite qu'au moment de prendre congé de leurs clients. Ils feignaient alors de se rappeler tout à coup la raison de leur visite et avaient presque honte de mentionner, comme ça, en passant, qu'ils avaient en stock des imperméables et des robes importés directement de l'étranger. Ils agissaient plus ou moins comme si tout cela les concernait à peine : ils rendaient service à leurs hôtes en ouvrant leur valise pour leur en montrer le contenu. Ils ne le faisaient qu'après avoir bu un café et complimenté le commerçant ou la mère de famille à la tête de la ferme pour la collation que ces derniers venaient de lui offrir. Il leur avait donné des nouvelles de la capitale, raconté quelques ragots, quelques histoires drôles, des anecdotes concernant les hommes politiques et les personnages pittoresques de la grande ville. Ils avaient toujours du succès avec les récits de beuveries et quand il était question de femmes aux mœurs légères. S'ils se rendaient dans des fermes isolées où les visites étaient rares, les clients étaient tout simplement heureux d'accueillir sous leur toit un personnage aussi passionnant.

Puis, il y avait ceux qui ne vendaient jamais rien. Avant même de les envoyer en tournée, le grossiste savait qu'ils connaîtraient des difficultés. Ils avaient l'air un peu benêts, étaient moins entreprenants, manquaient d'assurance et doutaient de leurs capacités. Dès le début, il supposait qu'ils ne vendraient rien, mais considérait que ça valait quand même le coup d'essayer. Le grossiste s'efforçait de les encourager. Même s'ils n'étaient pas très doués pour la vente, il savait que tout pouvait arriver et tenait à ne pas les juger d'avance. Ils commettaient généralement l'erreur de s'excuser dès qu'ils frappaient aux portes des fermes ou dans les villages de pêcheurs et avaient à peine achevé de bredouiller la raison de leur visite qu'on leur claquait la porte au nez. Cela ne signifiait pas que les gens n'étaient pas intéressés par les produits de très bonne qualité qu'ils proposaient, mais seulement qu'ils ne parvenaient pas à capter leur attention.

– Et il appartient à cette dernière catégorie même s'il lui est arrivé de temps en temps, ça, je ne dis pas le contraire, de conclure quelques bonnes ventes, ajouta le grossiste après avoir présenté ce qu'il considérait comme étant les deux types de vendeurs.

Le policier du commissariat de la rue Posthusstraeti avait subi la logorrhée de cet homme qui prenait plaisir à s'écouter parler. Le commerçant était venu signaler un vol. Un de ses représentants n'avait rapporté ni sa marchandise ni ses recettes. Il avait eu beau le chercher, il ne l'avait pas trouvé. Il avait raconté tout cela l'air inquiet. L'affaire lui semblait sérieuse, même si ce n'était pas la première fois que ce genre d'événement se produisait. Il lui était déjà arrivé d'employer des vendeurs indélicats et, à la lumière de cette expérience, il tenait à les surveiller de près et à s'assurer qu'ils s'acquittent des devoirs qu'ils avaient envers lui.

– Je leur demande parfois d'encaisser le paiement d'anciennes commandes ou de régler diverses petites affaires que j'ai en suspens là où ils se rendent, précisa-t-il. Et, parfois, disons qu'ils succombent à la tentation.

Le grossiste était compréhensif. Plutôt grassouillet, le visage bouffi, avec ses bajoues il ressemblait à une caricature de capitaliste comme celles que publiait le mensuel satirique *Spegillinn*. Il suçotait un cigare bon marché. Des volutes de fumée grisâtre l'enveloppaient tels des lambeaux de nuages et il se donnait des airs importants. Malgré son apparence, il comprenait les faiblesses humaines et souhaitait aider ceux qui, pour reprendre ses termes, ne pourraient jamais conquérir le monde, suggérant peut-être que, en ce qui le concernait, il y était parvenu avec panache.

– Donc, vous voulez que nous retrouvions cet homme ? demanda le policier. Encore jeune et inexpérimenté, il faisait de son mieux pour satisfaire tous ceux qui venaient au commissariat, qu'ils soient marchands ou clochards.

– Oui, répondit le grossiste. Je vous en serais reconnaissant. Avant que les choses ne s'enveniment, vous voyez.

– Qu'est-ce que vous voulez dire, si je puis me permettre ?

– Eh bien, vous ne m'avez donc pas écouté, mon garçon ? Il s'agit d'un vol, évidemment. Je n'aimerais pas devoir porter plainte contre mon employé pour avoir imprudemment dépensé mon argent.

– Et vous n'avez vraiment pas réussi à le trouver ? s'enquit le policier.

– J'ai remué ciel et terre, assura le commerçant. Il devait passer à l'entrepôt en rentrant de sa tournée, mais il n'est pas venu. Je suis allé chez lui : tout était fermé et il n'y avait personne. Les voisins m'ont dit qu'ils ne l'avaient pas croisé, pas plus qu'ils n'ont vu la femme qui vit avec lui. Elle semble elle aussi avoir disparu. Je suis allé tenter ma chance trois fois là-bas, dans le quartier ouest, mais personne ne répond jamais. Il fréquente le café Hressingarskalinn quand il est en ville, mais on ne l'a pas vu là-bas non plus. En résumé, personne ne sait où il est. Je dois vous avouer que tout ça m'inquiète.

– Il a déjà été malhonnête envers vous ?

– Non, et je ne veux pas l'accuser de quoi que ce soit sans avoir de preuves. Il me paraît juste étrange de ne pas réussir à le retrouver, et je m'étonne qu'il ne m'ait pas contacté. Ce n'est pas normal.

– Vous craignez peut-être qu'il lui soit arrivé quelque chose ?

– Je ne vois pas ce qui pourrait lui être arrivé, répondit le grossiste en tapotant son cigare dans le cendrier posé sur le bureau du policier. C'est un brave homme qui ne ferait pas de mal à une mouche. Je me suis dit que la police pourrait peut-être aller inspecter son appartement. Étant donné qu'il a disparu, qu'il s'est évaporé, on pourrait très bien le retrouver là-bas, qui sait s'il n'est pas mort.

– Il travaille pour vous depuis longtemps ?

– Eh bien, ça fera bientôt un an. Ses opinions politiques lui interdisent de travailler pour l'armée. Il critique beaucoup les profiteurs de guerre, le capital et les filles à soldats. Il a l'impression que le pays fonce droit vers l'enfer.

– Ah bon, il est du côté des Allemands ?

– Oh non, pas du tout. C'est plutôt le contraire. Il est communiste. C'est un de ces satanés cocos. Voilà pourquoi je m'inquiète pour lui. Je me demande s'il n'a pas eu vent de cette histoire concernant sa compagne et s'il n'a pas fait une bêtise.

– De quelle histoire parlez-vous ?

– On m'a dit qu'elle l'a quitté. Elle serait partie avec un soldat pour mener la belle vie. Enfin, je n'en sais rien. Tout ce que je sais, c'est qu'il est rentré de sa tournée parce que j'ai parlé avec l'équipage du *Sudin*. Les matelots le connaissent bien puisqu'il prend toujours ce bateau. Il était à bord l'autre jour et, depuis, il a disparu.

14

Rue Tungata, la résidence vide et abandonnée du consul d'Allemagne était ornée d'un imposant œil-de-bœuf sur la façade, juste au-dessous du toit. Légèrement plus haut dans la rue, les sœurs de Saint-Joseph s'employaient à soulager les souffrances de leur prochain et, face à leur hôpital se tenait l'église catholique, d'architecture massive avec son clocher carré. En surplomb des pauvres maisons en bois du quartier de Grjotathorp, les belles bâtisses en pierre dans le même style que le consulat occupaient le flanc de la colline. De construction solide, toutes débordaient de vie, sauf la résidence du consul d'Allemagne qui, tel un cyclope, observait de son œil unique le monde en guerre.

L'air avait fraîchi sous l'effet de la bise insistante qui soufflait du nord quand Flovent et Thorson ouvrirent la porte avec la clef que leur avait remise le contre-espionnage américain. Le consulat était fermé. C'était désormais l'ambassade de Suède qui défendait les intérêts des citoyens d'origine allemande en Islande et la bâtisse était désaffectée depuis le matin de mai de l'année précédente où on avait emmené le consul principal pour l'interroger. Flovent ignorait où cet interrogatoire avait eu lieu, mais il savait qu'un grand nombre de ressortissants allemands avaient été questionnés à Midbaejarskoli, l'école du centre-ville, où on les avait maintenus en détention jusqu'à leur extradition vers l'Angleterre.

La nuit commençait à tomber. Flovent avait apporté sa lampe de poche. Les deux hommes pénétrèrent dans le vestibule. Un escalier abrupt, sur la gauche, permettait d'accéder à l'étage et, à droite, on apercevait plusieurs pièces et salons en enfilade. Les lieux avaient manifestement été abandonnés à la hâte. Une grande partie du mobilier avait été vidée, les étagères, les tables et les chaises étaient en désordre, et des amas hétéroclites, papiers, cartons vides, journaux, vêtements, nappes et rideaux déchirés jonchaient le sol. Parmi eux figurait un portrait encadré d'Adolf Hitler dont la vitre était brisée : sans doute l'avait-on piétiné. Deux drapeaux du Troisième Reich à fond rouge et croix gammée noire gisaient sur le sol, chiffonnés, dans tout ce désordre.

Ils inspectèrent le rez-de-chaussée, plongés dans un étrange silence que seules venaient troubler les rares voitures gravissant péniblement la rue Tungata. On voyait encore dans les couloirs les traces noirâtres de la fumée dégagée par les documents que les Allemands avaient brûlés. Thorson avait pu consulter les dossiers confisqués au domicile de Gerlach, remis par les Britanniques au contre-espionnage américain. Une bonne partie avait été traduite en anglais, mais il n'y avait rien trouvé sur Felix ou Rudolf Lunden. Il s'agissait principalement de documents concernant les relations du consul avec les autochtones et de lettres adressées aux autorités islandaises où il déplorait le peu de respect que ces dernières témoignaient au Reich. Tout cela n'avait aucun intérêt aux yeux de Thorson. À en juger par ces dossiers, le rôle de Werner Gerlach consistait surtout à unir ses compatriotes présents en Islande sous la bannière du nazisme et à se livrer à diverses activités clandestines. Aucun de ces documents n'avait été noirci par les flammes ou ne portait la trace d'un séjour dans la baignoire de Gerlach, lorsque ce dernier avait brûlé quantité de papiers chez lui, à Tungata, interrompu par l'irruption des soldats britanniques. S'y trouvaient une kyrielle de notes où le consul avait consigné son opinion sur les Islandais. On ne pouvait pas dire qu'il les tenait en haute estime.

Dans le bureau du consul, à l'angle sud-ouest de la bâtisse, ils trouvèrent deux uniformes SS froissés dans un coin et d'autres portraits des dirigeants du Troisième Reich jonchant le sol. Flovent en ramassa deux pour les montrer à Thorson. Le premier représentait Heinrich Himmler et le second Hermann Göring, tous deux étaient dédicacés avec de chaleureuses salutations au consul général.

– Apparemment, cet homme et Gerlach sont bons amis, commenta Thorson en pointant son index vers la photo d'Himmler. Quant à l'autre, je ne sais pas.

Ils étaient entrés dans cette maison sinistre pour y chercher des indices sur les relations du consul avec la famille Lunden, l'origine de la capsule de cyanure et toute autre information susceptible de les aider dans leur enquête sur la disparition de Felix. Ils avaient passé une bonne partie de la soirée à réfléchir dans le bureau de Flovent, au sein du grand bâtiment qui se trouvait au numéro 11 de la rue Frikirkjuvegur, et avaient eu l'idée de venir inspecter le consulat d'Allemagne. On ignorait toujours où se trouvait Felix et on n'avait pas encore découvert l'identité de l'homme tué d'une balle dans la tête, le front marqué d'une croix gammée. Flovent et Thorson considéraient que c'était très probablement Felix qui avait abattu l'homme, il devait se cacher et allait sans doute tenter de quitter l'Islande. La capsule de cyanure laissait supposer qu'il entretenait des relations avec les Allemands et on pouvait imaginer qu'elle provenait du consulat. C'étaient là tous les indices dont ils disposaient. Flovent relata à Thorson l'interrogatoire pénible de Rudolf Lunden, en précisant que le médecin n'avait vraiment réagi que lorsqu'il avait mentionné la croix gammée sur le front de la victime. Cette précision avait laissé Rudolf sans voix.

– Il y a une chose qui m'échappe, déclara Flovent en reposant les portraits d'Himmler et de Göring. Je me demande pourquoi il n'a pas été extradé avec le consul Gerlach et tous ses compatriotes qui ont été arrêtés à l'époque. Je ne vois pas comment il s'est débrouillé pour échapper au grand ménage que les Britanniques ont fait en arrivant ici. Comment se fait-il qu'ils lui aient permis de rester ?

– Il a sans doute la nationalité islandaise. Il habite ici depuis trente ans, non ? fit remarquer Thorson en montant à l'étage, puis au grenier. Flovent le suivit jusqu'à la pièce au plafond percé d'une lucarne donnant sur la rue.

– Tu veux dire qu'il se fait vieux et qu'en plus il est cloué sur sa chaise roulante ? s'enquit Flovent.

– Tu vois une autre explication ? Les gars des services secrets m'ont dit qu'ils avaient enquêté sur lui et qu'il avait été interrogé. Mais ce n'est pas allé plus loin. Ils n'ont rien découvert indiquant qu'il représentait un danger, rien qui puisse justifier qu'on l'envoie dans un camp de prisonniers en Angleterre.

– Et ce, même s'il était très ami avec Gerlach et membre influent du Parti nationaliste ? s'étonna Flovent en éclairant la pièce sous les combles avec sa lampe de poche. Il y a quelque chose qui cloche dans cette histoire. À mon avis, ils auraient mieux fait de l'expulser avec tous les autres.

– Ce Werner Gerlach est plutôt intéressant, reprit Thorson. On m'a résumé sa carrière quand je suis allé à l'ancienne léproserie, mais tu sais peut-être déjà tout ça.

– En fait, j'ignore quasiment tout de cet homme.

– Il a suivi des études de médecine et travaillé à la faculté de pathologie humaine de l'université d'Iéna. Il est arrivé en Islande juste avant la guerre, en avril 1939. On pense qu'il a été envoyé ici sur l'ordre d'Himmler en personne, puisque ce dernier s'intéresse beaucoup à l'Islande, comme beaucoup de nazis.

– Ils croient que ceux qui vivent ici appartiennent à je ne sais quelle race nordique, germanique, restée pure depuis l'époque viking.

– Sauf qu'ils n'ont trouvé en Islande qu'un tas de bouseux ?

– En effet, répondit Flovent avec un sourire.

– Il y a un détail intéressant concernant l'université d'Iéna, je veux dire, quand on pense à l'intérêt des nazis pour les questions de pureté raciale.

– Ah bon ? Lequel ? s'enquit Flovent. Je n'ai jamais entendu parler de cette université.

– Je ne la connais pas non plus, avoua Thorson, mais on y pratique des recherches en génétique et sur la sélection des espèces, certaines d'entre elles portent sur les criminels. Cette université est la meilleure d'Allemagne dans ce domaine. Les nazis semblent croire qu'il existe un terrain génétique propice à la délinquance et ils ont engagé des travaux de grande envergure pour prouver leur théorie. Graham et Ballantine m'ont dit qu'ils font des expériences dans leurs camps de prisonniers. Ils m'ont parlé d'un camp dans un endroit qui s'appelle... ah, comment c'était... oui, je crois que c'est Buchenwald... enfin, il me semble que c'est ce nom. Ils m'ont dit qu'ils font des expériences génétiques sur les prisonniers, en pratiquant des autopsies entre autres.

– C'est vraiment n'importe quoi. Enfin ! Il n'y a pas de gène du crime.

Thorson haussa les épaules.

– En tout cas, les nazis pensent qu'ils ont trouvé un moyen radical de le neutraliser.

– Ah bon, lequel ?

– La castration, répondit Thorson. Ils n'ont pas trouvé de méthode plus fiable pour empêcher les criminels de se reproduire que le recours à la chirurgie.

– Tu ne trouves pas ça un peu... Tu penses vraiment qu'ils font des choses pareilles ?

– C'est ce que disent nos amis de la léproserie, assura Thorson en donnant un coup de pied dans un journal enroulé par terre. Le journal se déroula et, croyant apercevoir une feuille glissée entre les pages, Thorson s'avança pour la ramasser. Il découvrit deux pages arrachées dans un registre. Le reste du document était introuvable et semblait ne pas avoir échappé aux flammes de la baignoire du consul. Ces pages au sommet et à la base consumés provenaient apparemment d'un livre d'or. En les manipulant précautionneusement, Thorson repéra une date dont une partie des chiffres avait brûlé, mais qui devait être 1939. Le recto et le verso étaient couverts d'écritures manuscrites. Il devinait quelques noms et d'autres annotations qui avaient échappé aux flammes, mais qui lui semblaient pour la plupart illisibles.

Flovent approcha sa lampe de poche. Thorson fit de son mieux pour les déchiffrer et parvint à lire quelques noms.

Tous étaient allemands et accompagnés de salutations ou d'observations telles que *Mille mercis pour votre généreuse hospitalité* ou encore *Merci pour cette délicieuse soirée entre amis*.

– Tu crois que ça peut nous être utile ? s'enquit Flovent en scrutant les pages.

– Non, enfin, je ne sais pas, répondit Thorson qui avait quelques rudiments d'allemand.

– Qu'est-ce qui est écrit là ? demanda Flovent en prenant un feuillet.

Il lui montra la signature difficilement déchiffrable d'un des hôtes reçus par le consulat. Aucune date ne figurait en regard, pas plus que n'était précisé le motif de la visite.

– C'est quoi ce nom de famille ? continua-t-il en scrutant le gribouillis. Ce n'est pas Lunden ? Tu lis Lunden là ?

Thorson fixa le paraphe. Il commençait par la lettre *H*. La lettre suivante était illisible, venait ensuite un *n*, puis une lettre qui ressemblait à un *s*. Le nom de famille commençait par un *L*, suivi par une ou deux lettres illisibles, puis par un *d* et une autre lettre, elle aussi illisible.

– Est-ce que ce serait… H-ns L-de- ? suggéra Thorson.

– Le prénom serait Hans ou quelque chose comme ça ? Hans Lunden ? proposa Flovent. Le nom qui suit est très probablement Lunden.

– Oui, c'est aussi mon impression.

– Encore un membre de la famille ?

– On peut lire ça, mais ça pourrait aussi être autre chose. Je ne suis pas spécialiste des noms de famille allemands.

– S'il s'agit de Lunden, observa Flovent, cela signifie qu'il serait… le frère de Felix ? Je croyais qu'il était fils unique.

– À moins qu'il ne s'agisse du frère de Rudolf. Ou d'un cousin. En tout cas, il connaissait suffisamment Werner Gerlach pour être invité ici.

– Nous avons Felix, puis Rudolf et maintenant Hans.

– Qui sont exactement ces gens ?

– Et cette inscription juste avant son nom ? Il y a bien des lettres, non ?

Thorson scruta le griffonnage.

– Je n'arrive pas à lire. Je me demande si ce n'est pas… Ce ne serait pas un *D* majuscule ?

– Un *D*, oui, et ensuite ?

– C'est peut-être Dr ?

– Dr Hans Lunden ?

– Encore un médecin ? s'étonna Flovent, pensif, en orientant le faisceau de sa lampe dans le coin où se trouvaient les journaux. Il les éclaira quelques instants et regarda Thorson, répétant d'une voix à peine audible. Encore un médecin ?

15

Le geste lent, un homme d'une soixantaine d'années sortait des cannes à pêche de sa voiture pour les rentrer dans sa remise. Après leur passage rue Tungata, Flovent avait décidé de rendre visite avec Thorson au directeur d'école, le beau-frère de Rudolf, au cas où il serait rentré de son voyage. En apercevant cet homme en train de ranger son matériel de pêche, il s'était garé devant la maison avant de descendre de voiture pour s'avancer vers lui, suivi par son équipier.

– Ebeneser ? s'enquit Flovent.

L'homme avait remarqué qu'ils se garaient devant son domicile, mais il avait poursuivi sa tâche comme si de rien n'était. Habillé pour la pêche au saumon, vêtu d'une vareuse verte par-dessus son chandail en laine islandaise, il portait encore ses bottes et semblait arriver droit du bord de la rivière.

– Je vous connais ? demanda-t-il.

– Vous êtes bien Ebeneser Egilsson ? vérifia Flovent.

– À qui ai-je l'honneur ? Qui êtes-vous ?

– Je m'appelle Flovent, inspecteur à la Criminelle. Mon collègue s'appelle Thorson, il travaille pour la police militaire. Je ne sais pas si vous êtes au courant, mais nous enquêtons sur une affaire concernant votre neveu, Felix Lunden.

– Felix ? Ah bon ? s'étonna Ebeneser. Que se passe-t-il ? Je… je ne suis pas au courant. Il lui est arrivé quelque chose ?

– Nous l'ignorons, répondit Flovent, mais nous souhaiterions l'interroger. Avez-vous une idée de l'endroit où il se trouve ?

– Où il se trouve ? Enfin, que se passe-t-il ? Je suis absent depuis un moment… J'étais parti pêcher… Je ne vois pas de quoi vous parlez. Pour quelle raison le cherchez-vous ?

– Vous n'avez donc pas eu de nouvelles de votre beau-frère ? demanda Flovent.

– De Rudolf ? Non, aucune. Que se passe-t-il ? Il va bien ?

– Oui, nous l'avons interrogé aujourd'hui. Vous êtes bien Ebeneser Egilsson ? Directeur de l'école… ?

– C'est bien moi. Je suis Ebeneser. Qu'est-il arrivé à Felix ?

– Nous devons absolument l'interroger, répéta Flovent.

Il lui demanda s'ils pouvaient entrer lui poser quelques questions. Ebeneser commença par renâcler, prétextant qu'il avait roulé toute la journée sur des routes défoncées et qu'il était éreinté, mais devant l'air buté de Flovent il préféra se débarrasser de cette corvée, d'autant qu'il était curieux de savoir dans quel pétrin son neveu s'était mis. À en juger par l'intérieur de la maison, elle appartenait à une famille cultivée. Des bibliothèques bien remplies étaient installées partout où il y avait la place, les murs étaient ornés de tableaux dont certains étaient l'œuvre de grands paysagistes islandais, et les tables et guéridons étaient encombrés de journaux, de magazines et de publications scientifiques. En voyant des ouvrages de généalogie en évidence, Flovent interrogea le maître des lieux. Ebeneser lui répondit qu'il s'intéressait au sujet et que les recherches généalogiques étaient pour lui une distraction.

Flovent lui résuma le cours des événements depuis qu'on avait informé la police de la présence du corps dans l'appartement en sous-sol, en se gardant toutefois de lui communiquer trop de détails. Il décrivit la scène mais ne mentionna pas le Colt de fabrication américaine ni le symbole tracé sur le front de la victime, ajoutant que pour l'instant la police n'était pas parvenue à identifier le cadavre et qu'elle avait interrogé Rudolf.

Abasourdi, Ebeneser avait du mal à croire ce que lui racontaient les deux hommes. Il lui fallut un certain temps pour saisir la nouvelle catastrophique qu'ils lui annonçaient. Il leur posa de nombreuses questions sur Felix, leur demanda s'ils pensaient qu'il était également mort, s'ils le croyaient en danger, les interrogea sur l'identité de la victime, leur demanda si Felix était soupçonné de meurtre, mais Flovent et Thorson ne lui répondirent pas.

– Je suppose que vous étiez en voyage lorsque tout cela est arrivé, déclara Flovent, prenant l'initiative de l'interrogatoire.

– Je suis parti pendant une semaine. J'étais avec deux amis qui sont rentrés en ville avant-hier. Est-ce que vous me demandez… si j'ai un alibi ?

– C'est purement formel, assura Flovent. J'aurais besoin de témoins en mesure de confirmer vos dires.

Ebeneser consentit à donner quelques noms en précisant toutefois qu'il était mécontent de devoir se prêter à ça. Il considérait que sa parole suffisait.

Flovent lui répondit de ne pas s'inquiéter et répéta que c'était purement formel. Il discernait sous les reproches d'Ebeneser une réaction semblable à celle de Rudolf même si elle était loin d'être aussi violente. Attitude défensive. Réticence à coopérer. Dissimulation. Agacement. Il avait l'impression qu'Ebeneser avait beaucoup bu pendant cette longue partie de pêche tant il était négligé. Sa barbe en broussaille, ses cheveux hirsutes, sa voix éraillée et l'ensemble de son apparence physique laissaient supposer qu'il rentrait d'une beuverie.

– Je ne parviens pas à imaginer que Felix soit… que Felix ait en lui de tels instincts, reprit Ebeneser en toussotant. Il va probablement se rendre et tout vous expliquer. Je n'ai aucun doute.

– Nous verrons bien. Avez-vous une idée de l'endroit où il pourrait être ?

– Non, aucune. Aux dernières nouvelles, il était représentant et s'absentait parfois longuement de Reykjavik. Il est sans doute en tournée, vous ne croyez pas ?

Thorson lança un regard à Flovent. Il lui semblait discerner dans les paroles de l'oncle un certain mépris à l'égard de Felix, comme si la profession de représentant n'était pas digne de son neveu ni du reste de sa famille. Il se demandait si Felix n'avait pas d'une certaine manière déçu ses proches, tous médecins, professeurs ou savants. Thorson garda cependant le silence, incapable de dire si Flovent avait remarqué la même chose.

– C'est possible, convint Flovent. Vous savez s'il fréquentait la résidence du consul d'Allemagne, rue Tungata ?

– Non… La résidence du consul, dites-vous ?

– Il y était invité ?

– Non, je… ça ne me dit rien du tout. Pourquoi aurait-il… ?

– Avez-vous un revolver ou accès à une arme de ce genre ? demanda Flovent, continuant de faire pleuvoir ses questions.

– Non, je ne possède aucune arme à feu et je n'ai pas non plus de revolver, répondit Ebeneser d'un ton sec, comme si Flovent commençait à l'agacer. Il m'arrive d'aller pêcher le saumon, c'est le seul type de chasse que je pratique. Je n'utilise pas d'arme à feu et, à vrai dire, je ne comprends pas pourquoi vous me demandez si j'en ai une.

– Ce sont des questions que nous posons à tous ceux que nous interrogeons dans le cadre de l'enquête sur Felix. Il n'y a pas lieu de s'inquiéter.

– Non, certes, mais je ne suis pas sûr d'apprécier ces… ces manières et cet interrogatoire. J'ai presque l'impression que vous me considérez comme un vulgaire criminel.

– Loin de là, assura Flovent avant de continuer comme si de rien n'était. Puis-je vous demander si vous avez des liens amicaux avec des soldats américains ou britanniques ?

– Non, je ne peux pas dire que ce soit le cas. Évidemment, j'ai eu des contacts avec eux. Ils ont réquisitionné les locaux de l'école, mais je ne connais aucun de ces hommes personnellement.

– Savez-vous si c'est le cas de Felix ? S'il fréquente beaucoup les troupes d'occupation ?

– Non, je ne sais pas. Je suis incapable de vous le dire.

– Comment s'entend-il avec son père ? poursuivit Flovent. Leurs relations sont-elles bonnes ?

– C'est à eux qu'il faut le demander.

– Bien sûr. Quand avez-vous vu Felix pour la dernière fois ?

Ebeneser ne s'en souvenait plus exactement. Il s'accorda un moment de réflexion, se creusant manifestement la tête pour se rappeler leur dernière rencontre qui devait remonter à un mois environ, un jour où Felix rentrait tout juste d'une de ses tournées. Ebeneser l'avait croisé rue Posthusstraeti et Felix lui avait dit qu'il venait de débarquer du *Sudin* après un voyage dans les fjords de l'Ouest. Il n'avait rien décelé d'étrange dans son attitude. Felix avait toujours été d'un caractère jovial et liait facilement connaissance. Ces dispositions lui étaient sans doute bien utiles dans son travail. En tout cas, il avait affirmé à son oncle que sa tournée avait été fructueuse. Cela dit, leur conversation avait été plutôt brève et il s'était rapidement éclipsé.

– Vous avez remarqué s'il avait une valise ?

– Il me semble que oui, répondit Ebeneser. Mais je ne m'attarde pas spécialement sur ce type de détails.

– Vous savez ce qu'est une capsule de cyanure ? interrogea Flovent.

– Une capsule de cyanure, dites-vous ?

– Est-ce que cela vous surprendrait beaucoup si je vous annonçais que nous en avons trouvé une dans la valise de Felix et que nos investigations démontrent qu'elle provient d'Allemagne ?

Le directeur d'école dévisagea le policier sans rien dire. Il n'avait manifestement pas compris la question.

– Est-ce que cela vous surprendrait ? répéta Flovent.

– Je n'ai jamais entendu parler de ce genre de choses, répondit Ebeneser. Du cyanure… ?

– On appelle aussi ce type de produit une capsule-suicide. Il suffit de la mordre et on meurt en quelques instants. Pouvez-vous imaginer la raison pour laquelle il en gardait une à portée de main ?

– Non, je dois dire… je dois dire que je n'en ai aucune idée, assura Ebeneser. Je suis juste très surpris. Comment se fait-il que Felix possède une telle… capsule ? Vous êtes sûr qu'il n'y a pas de malentendu ?

– Avez-vous rencontré le docteur Hans Lunden quand il est venu en Islande, il y a quelques mois ?

– Hans ? répéta le directeur d'école. Quel est le rapport avec cette histoire ?

– Vous l'avez rencontré ? Vous le connaissez ?

– Eh bien, je… non, je le connais très peu. C'est…

– Oui ?

– C'est le frère de Rudolf, mais je suppose que vous le savez. Il vit en Allemagne.

– Il est là-bas en ce moment ?

– Oui, autant que je sache. Je ne vois pas pourquoi vous m'interrogez à son sujet. Comment avez-vous eu son nom ?

– Je crois savoir que ce Hans Lunden a séjourné en Islande en 1939, répondit Flovent, feignant de n'avoir pas entendu la question d'Ebeneser. Je me trompe ?

– Non, ça correspond. Il est venu juste avant que la guerre n'éclate. Au printemps 1939, si je me souviens bien.

– Vous l'avez rencontré ?

– Une seule fois. Pendant une soirée chez mon beau-frère. Excusez-moi, mais j'ai l'impression de subir un effroyable interrogatoire. Vous me reprochez quelque chose ? Que signifient toutes ces questions ? Ça ne peut vraiment pas attendre demain ? Je… ma journée a été très longue et fatigante, comme je viens de vous le dire, je suis éreinté.

– Bien sûr, répondit Flovent. Ne vous inquiétez pas, nous en avons presque terminé. Il ne reste plus que quelques points de détail. Pensez-vous que Hans Lunden aurait pu remettre cette capsule à Felix, ou vous trouvez l'idée complètement absurde ?

Ebeneser regarda tour à tour ses deux visiteurs d'un air aussi déconcerté que suspicieux.

– Est-il possible qu'il ait importé d'autres capsules comme celle-là en Islande ? reprit Flovent, voyant que le directeur d'école gardait le silence. Êtes-vous au courant ? Avez-vous un avis sur la question ?

– Je ne vous suis pas. Je ne saurais dire ce que contenaient les bagages de Hans Lunden et ce qu'ils ne contenaient pas quand il est venu en Islande. Je ne comprends pas pourquoi vous me posez toutes ces questions. Vous pensez peut-être que j'ai quelque chose à voir avec... avec cette capsule ? Je ne vois vraiment pas où vous voulez en venir. Je n'ai aucune réponse à toutes vos questions et je ne comprends pas que vous puissiez imaginer autre chose.

– Cela ne m'étonne pas, je peux vous dire que ces choses-là sont tout aussi nouvelles pour moi que pour vous, mais j'espère que vous comprenez que je considère de mon devoir de vous interroger. Je vous prie de bien vouloir faire preuve d'encore un peu de patience. Je crois savoir que vous étiez membre du Parti nationaliste, tout comme Rudolf. Est-ce par ce biais que le docteur Hans Lunden est venu en Islande ? Sur invitation du parti nazi ?

– Je ne crois pas. Je n'étais pas très impliqué et je ne sais pas grand-chose des activités du parti. Hélas, je ne peux pas vous répondre.

– Vous êtes toujours pour les nazis ?

– Non, je ne peux pas dire ça. D'ailleurs, ça ne vous regarde pas. Je ne comprends pas le sens de toutes vos questions. Et ce, d'autant moins que l'heure est très avancée...

– Je suppose que Felix entretient des liens directs avec l'Allemagne, je veux dire, par le biais de la famille qu'il a dans ce pays, reprit Flovent en changeant de sujet pour ne pas s'attirer les foudres du directeur d'école qu'il serait amené à revoir très prochainement.

– En réalité, il a passé nettement plus de temps au Danemark, vous savez peut-être que sa grand-mère est danoise, répondit Ebeneser en soupirant de fatigue. J'aimerais bien que vous écourtiez cette entrevue, si cela ne vous dérange pas.

– Bien sûr, il se fait tard, convint Flovent en s'apprêtant à partir. Merci de nous avoir reçus, nous sommes juste passés à tout hasard. Y a-t-il séjourné récemment ? Je veux dire, au Danemark.

– En fait, il n'y a pas si longtemps qu'il en est rentré, répondit Ebeneser. Il s'est trouvé piégé là-bas quand les nazis… ou plutôt les Allemands ont envahi le pays au printemps dernier. Il est resté à Copenhague jusqu'à ce qu'il trouve un bateau pour le ramener en Islande.

– Ah bon ? Donc, son retour est très récent. Vous savez ce qu'il faisait là-bas ?

– Il y a passé presque deux ans, mais j'ignore ce qu'il y faisait.

– Parfait, je vous remercie, nous n'allons pas abuser plus longtemps de votre patience, ce que vous nous avez dit nous aide beaucoup, assura Flovent. Juste une dernière petite chose : avez-vous vu Rudolf ces derniers temps ?

– Non, répondit Ebeneser. Je ne l'ai pas vu depuis un moment.

– Vous ne lui avez pas rendu visite ?

– Non, je ne l'ai pas vu.

Les deux hommes prirent congé du directeur d'école en lui serrant la main. Flovent lui adressa un sourire amical, espérant qu'il ne verrait pas qu'il avait percé à jour son mensonge concernant la dernière question.

16

Thorson demanda à Flovent de le conduire jusqu'à l'hôtel Borg. Assis sur le siège du passager, il avait à la main les feuilles partiellement consumées qu'ils avaient trouvées à la résidence du consul d'Allemagne et essayait de décrypter quelques-uns des noms qui y figuraient en s'aidant de la lampe de poche. L'entreprise était presque impossible étant donné l'état des documents. Ils discutèrent de ce que la domestique de Rudolf avait confié à mi-voix à Flovent sur la visite du directeur d'école et la dispute qui avait éclaté entre lui et son beau-frère à propos de ce groupe de garçons. Ils ne comprenaient pas pourquoi Ebeneser leur avait menti en affirmant qu'il n'avait pas vu Rudolf depuis longtemps.

– Je ne pense pas que nous aurions réussi à en obtenir plus ce soir, observa Flovent. Je dois aussi l'interroger plus précisément sur les relations entre les frères Lunden et le consul. Je m'en occupe dès demain. Il vaut peut-être mieux que j'aille le voir seul. J'ai l'impression que la présence d'un représentant de la police militaire le rend plus méfiant.

– Qu'est-ce qu'elle voulait dire, demanda Thorson, quand elle t'a parlé de ces garçons ?

– Je suis incapable de te répondre, répondit Flovent. Les deux hommes se sont disputés et la querelle portait sur un groupe de garçons. Elle n'a rien dit de plus. De quels garçons parlait-elle ? C'est un mystère. Il faudra que je retourne l'interroger.

– Ebeneser est directeur d'une école primaire, observa Thorson.

– Certes, mais j'imagine que leur dispute ne concernait pas de simples écoliers. Je ne comprends pas pourquoi cet homme a cru bon de nous mentir au sujet d'une rencontre aussi banale. Pourquoi ne veut-il pas que nous sachions qu'ils se sont vus et disputés récemment ? Qu'est-ce que ça signifie ? Qu'est-ce qu'il a à cacher ? De quoi a-t-il honte ?

– J'ai l'impression d'avoir trouvé quelque chose, annonça Thorson.

Il lui montra un nom presque illisible à côté de celui du médecin allemand. Il avait déployé des trésors de patience pour déchiffrer les pages endommagées, les avait éclairées avec la lampe de poche, penchées et orientées dans tous les sens, levées au-dessus de sa tête en les scrutant avec insistance.

– Qu'est-ce que c'est que ça ? s'enquit Flovent. C'est qui ?

Thorson faisait de son mieux pour lire la feuille en devinant les lettres manquantes. Le prénom était à peu près complet.

– J'ai l'impression que c'est un prénom assez long, quelque chose comme Bryn… hildur… puis… Apparemment, il est suivi d'un nom de famille… *H… e…* à moins que ce ne soit un *o…* et ça, ce doit être un *l.* Hel… ? Helena ? Non. C'est plutôt, Holm ? Est-ce possible ? Brynhildur Holm ? C'est un nom islandais, non ?

Parvenu à l'hôtel Borg, Flovent se gara devant la porte tambour et coupa le contact. Il y avait foule en ville. Les dancings étaient ouverts, c'était vendredi soir. De jeunes couples marchaient main dans la main le long de la rue Posthusstraeti, on voyait des jeunes filles au bras de militaires. Flovent suivit du regard un couple qui entrait dans l'hôtel Borg en se disant que Thorson y avait peut-être rendez-vous. Il s'abstint toutefois de lui poser la question. Certes, il appréciait cet Islandais de l'Ouest, mais ils ne se connaissaient pas assez pour se permettre une telle intrusion dans sa vie privée.

– Sans doute, répondit Flovent. Mais je ne vois pas de qui il s'agit. Tu crois qu'elle était au consulat avec Hans Lunden ?

– Ce n'est pas facile à dire étant donné l'état de ces feuilles. Nous devrions vérifier si nous ne trouvons pas une femme qui porte ce nom-là. Si elle a été invitée au consulat le même jour que lui, elle pourra peut-être nous en dire plus sur ce Hans Lunden.

– C'est une bonne idée, convint Flovent. Alors, tu prévois d'aller te distraire en ville ? ajouta-t-il, le ton plus léger, en tournant la tête vers l'hôtel.

– Oui, enfin non, pour l'instant, c'est ici que j'habite, j'occupe une petite chambre sous les combles, répondit Thorson. Mais il n'est pas impossible que je fasse un petit tour en bas. Dans la Salle dorée. C'est bien le nom de la salle de bal ?

– Oui, on l'appelle comme ça, la Salle dorée, confirma Flovent. Il consulta sa montre. Il était très tard. Allez, amuse-toi bien et à demain !

Thorson lui souhaita bonne nuit et s'apprêta à descendre de voiture mais, pris d'une subite hésitation, il referma sa portière. Il avait retardé le moment où il ferait part à Flovent d'une information qu'il jugeait importante. Il s'était demandé si elle avait un lien avec leur enquête. À première vue, ce n'était pas le cas, mais comme il n'arrêtait pas d'y penser, il préférait confier ses inquiétudes au policier islandais.

– Il y a une chose qui m'obsède. Je ne suis pas sûr de devoir t'en parler, déclara-t-il.

– De quoi s'agit-il ?

– Je suppose que ce n'est qu'un détail sans importance, mais j'ai beaucoup réfléchi à notre enquête. Je vois que les pistes s'orientent vers le consulat d'Allemagne, les ressortissants allemands présents en Islande, et même vers les nazis. Or…

– Qu'est-ce qui te pose problème dans tout ça ? demanda Flovent en observant le jeune soldat qui s'exprimait dans cet islandais venu d'une lointaine contrée, mais toujours élégamment teinté de l'accent du nord de l'Islande. Il le sentait inquiet.

– Il y a quelque temps, après mon rendez-vous avec mon supérieur à Höfdi, j'ai entendu quelque chose, déclara-t-il après un long silence. Ça date du jour où il m'a confié la mission de travailler avec toi, ou disons plutôt avec la police locale. Des dirigeants islandais discutaient sur les marches devant le bâtiment et, bien sûr, ils pensaient que je ne comprenais rien à ce qu'ils disaient. Il me semble qu'ils parlaient de… Winston Churchill.

– De Churchill ? Comment ça ?

– Je les ai entendus dire qu'il ferait sans doute une brève visite en Islande. Il rencontre en ce moment le président Roosevelt sur la côte est, près de Terre-Neuve, et ces hommes affirmaient qu'il ferait peut-être escale ici, dans sa route vers l'Angleterre. La police islandaise est au courant ?

– Je n'ai pas entendu parler de ça, mais ça ne veut rien dire, répondit Flovent. En général, je suis le dernier informé de ce genre d'événement. Ces hommes que tu as vus à Höfdi, tu les connais ? Tu sais qui c'est ?

– L'un d'eux est ministre, répondit Thorson, qui s'appliquait à suivre l'actualité islandaise. Je crois que sa présence à Höfdi était justement en rapport avec cette visite, mais ça n'engage que moi. J'ai beaucoup réfléchi à tout ça et je me suis dit qu'il fallait que j'en parle à quelqu'un… que je t'en parle à toi. Au cas où ça aurait un rapport avec notre enquête.

– Tu veux dire avec Felix Lunden ?

Thorson hocha la tête.

– Nous devons faire tout ce qui est en notre pouvoir pour le retrouver, poursuivit-il. Au cas où. Si jamais cette information se vérifiait.

– Tu ne crois pas que tu t'inquiètes pour rien ? répondit Flovent. Tu crois vraiment qu'il risque de nuire au bon déroulement de cette visite ?

– Je n'en sais rien, mais il y a ici un certain nombre d'agents qui travaillent pour les Allemands. Certes, leur activité est très réduite depuis que les troupes alliées occupent le pays, mais nous supposons qu'il y a des espions, comme partout ailleurs en Europe. L'Islande ne fait pas exception dans ce domaine.

– Soit, mais nous n'avons aucune information confirmant que Felix fait de l'espionnage, objecta Flovent. Et nous avons encore moins d'indices qui permettent d'établir un lien entre le meurtre commis chez lui et cette éventuelle visite.

– Je préférais quand même t'en parler. Au cas où un événement surviendrait et orienterait l'enquête dans cette direction. Où est Felix ? Que fait-il ? Est-il armé ? Qu'en savons-nous ? C'est sans doute lui qui a tué cet homme. Nous sommes en droit de supposer qu'il a toujours ce Colt. La question est de savoir si nous avons besoin de moyens supplémentaires pour mener notre enquête. Je pourrais en parler à Ballantine et à Graham. En réalité, ils sont…

– Quoi ?

Thorson se rappela les propos de Graham à la léproserie. L'Américain avait affirmé que cette enquête était de leur ressort et qu'ils ne tarderaient pas à la reprendre. D'après lui, les Islandais étaient incapables de mener des investigations aussi complexes et ils feraient tout capoter. Les deux sergents-chefs lui avaient demandé de leur rendre un rapport quotidien, ce qu'il n'avait pas encore fait.

– Rien. Je me disais seulement que tu souhaiterais peut-être qu'on t'aide un peu plus.

– Cette enquête est celle de la police islandaise, répondit Flovent. Tu es avec moi parce que l'arme du crime provient très probablement de chez vous et que nous devons pouvoir interroger sans difficulté les soldats des troupes d'occupation si une piste nous conduit vers l'un d'eux. Si nous avons besoin d'aide supplémentaire de votre part, je ne manquerai pas de t'en informer.

– Bien entendu, je voulais juste te parler de cette histoire avec Churchill.

– Merci. Mais je crois vraiment que nous n'avons rien à craindre. Le genre de chose que tu sembles redouter n'arriverait jamais ici. Pas en Islande.

Thorson fut déconcerté par cette affirmation. Deux ans plus tôt, Flovent aurait pu tenir de tels propos sans réfléchir, mais depuis lors, tant de choses avaient changé. L'Islande n'était plus une île à l'écart du monde. Elle avait été entraînée dans le tourbillon des événements, et nombre de choses jadis inconcevables s'y produisaient aujourd'hui. Flovent n'avait-il pas compris que tout avait changé et qu'il vivait dans un monde nouveau, ou l'avait-il oublié l'espace d'un instant ? Thorson savait que la réalité n'était plus la même. Sa réponse relevait d'une illusion. Ce n'était pas la première fois qu'il remarquait cette manière de penser chez les Islandais. Peut-être était-ce avant tout leur innocence qui avait été sacrifiée quand les troupes britanniques étaient arrivées en ville avec leur bruit de bottes un matin de mai. Thorson se souvint de ce que lui avait dit un de ses camarades : celui-ci lui avait demandé s'il avait envie de s'installer en Islande quand la guerre serait finie. Il avait profité d'une permission de quelques jours pour aller randonner dans les montagnes à la faveur de l'été nordique. En rentrant, il avait décrit à ses compagnons d'armes la beauté du pays et le silence qui l'avait enveloppé pendant les nuits claires. Il lui avait répondu qu'il n'avait pas envisagé de rester après la guerre. Ce dernier avait alors rétorqué quelque chose qu'il n'oublierait jamais : je suppose qu'il faut apprendre à être islandais si on veut vivre avec ces gens.

– Je pense que tu ne devrais pas sous-évaluer la situation, répondit-il à Flovent. Je crois que nous devrions malgré tout garder ceci à l'esprit et vérifier si Churchill vient ici ou non. Dans ce cas, nous devrons prendre des mesures. Graham et ses amis se méfient de…

– De quoi donc ?

– Je ne devrais pas te raconter tout ça…

Thorson hésitait encore à s'engager dans cette voie, mais tout cela le mettait mal à l'aise. Il se sentait en porte-à-faux. D'un côté, il avait certaines responsabilités envers ses supérieurs et voulait être à la hauteur de la confiance qu'ils lui accordaient en évitant de nuire aux intérêts des troupes d'occupation ou des camarades qu'il avait dans l'armée, et de l'autre il éprouvait une profonde sympathie pour les Islandais. C'était une chose que son père lui avait transmise en héritage, il devait considérer ces gens comme sa famille, même s'il avait passé presque toute sa vie loin d'ici. Il avait plus d'une fois entendu des soldats se moquer des Islandais ou tenir à leur égard des propos méprisants, et il avait toujours essayé de les défendre car cela le blessait profondément quand on critiquait le pays ou ses habitants. Il lui semblait maintenant devoir choisir son camp, or il ne supportait pas d'être placé devant ce dilemme et cela lui déplaisait au plus haut point de ne pas pouvoir être entièrement honnête avec Flovent.

– Qu'est-ce qui te gêne à ce point ? s'enquit Flovent, remarquant combien son équipier hésitait. Il y a un problème ? Tes supérieurs se méfient de quelque chose ? Qu'est-ce qu'ils veulent ? Et de quoi tu ne dois pas me parler ?

– Ils veulent prendre cette enquête en main, soupira Thorson. Et ils prévoient de le faire rapidement. Ils ne se fient pas à la police islandaise. Ils craignent qu'elle ne fasse pas le travail convenablement. Ils se fient ni à toi, ni à vous, ni aux Islandais en général.

Flovent le dévisagea longuement.

– Ça a un rapport avec cette visite ?

– Non, je ne crois pas. Enfin, je n'y ai pas réfléchi. Ils supposent que l'assassin est un militaire, étant donné l'arme utilisée. D'ailleurs, il n'est pas impossible qu'ils aient ouvert une enquête de leur côté.

– C'est ce qu'ils t'ont dit ?

– Non.

– Merci de m'avoir expliqué tout ça. Après tout, rien ne t'y obligeait.

– Je refuse d'être un… un mouchard. Je n'aime pas les petits secrets. Je devais te le dire pour que tout soit clair entre nous.

– Peu de gens feraient preuve d'une telle honnêteté à ta place, reconnut Flovent.

– La manière dont ils se comportent avec vous me déplaît. Et je n'aime pas non plus jouer double jeu…

Il avait cherché une autre expression pour exprimer son sentiment, mais n'en avait trouvé aucune. Or si quelqu'un jouait double jeu, c'était justement lui.

Mais cela, il n'en souffla pas mot.

17

Ils prirent rapidement congé l'un de l'autre. Flovent passa rue Frikirkjuvegur avant de rentrer chez lui et trouva sur son bureau un message du policier en service au commissariat de Posthusstraeti qui voulait lui communiquer une information liée à l'enquête concernant Felix Lunden. Il appela aussitôt, mais on lui répondit que ce dernier était rentré chez lui. Il contacta alors un collègue haut placé, bras droit du chef de la police de Reykjavik qu'il connaissait depuis qu'ils avaient travaillé ensemble dans les patrouilles de rue, et lui demanda s'ils avaient eu vent d'une éventuelle visite de Winston Churchill en Islande. Son collègue n'était pas au courant. Il lui fit part de sa grande surprise et voulut savoir d'où il tenait cette information. Flovent se contenta de lui répondre que c'était une simple rumeur, réticent à l'idée de mentionner Thorson afin de ne pas causer de problèmes au jeune soldat.

Il préférait ne pas établir de lien entre la disparition de Felix Lunden et la visite de l'homme d'État britannique tant que cette dernière n'était pas confirmée. Rien ne lui permettait de dire que Felix préparait un mauvais coup, pas plus qu'il ne pouvait prétendre qu'il espionnait pour le compte des Allemands en Islande, ni d'ailleurs que c'était un dangereux criminel. Et même s'il était effectivement le propriétaire de la valise, même si cette capsule de cyanure lui appartenait, Flovent devait éviter de faire des déductions aussi hâtives. Certes, la capsule tendait à indiquer que Felix menait une existence plus complexe que d'autres et que c'était peut-être un espion allemand, mais cela ne laissait rien présager des projets des nazis en Islande.

Arnfinnur, ce collègue nettement plus âgé que Flovent, promit de se renseigner et de le rappeler très vite. Il lui demanda si son enquête progressait et si la collaboration avec les troupes d'occupation se déroulait sans heurts. Flovent répondit que les choses avançaient peu à peu mais se plaignit, comme il le faisait parfois, du manque de personnel, la Criminelle avait besoin de davantage d'hommes. Il avait jusque-là prêché dans le désert mais se disait que le meurtre commis chez Felix ferait peut-être réagir sa hiérarchie. Arnfinnur assura qu'il verrait ce qu'il pouvait faire tout en soulignant que, puisqu'il disposait de l'aide de la police militaire et que la police islandaise ne comptait pas beaucoup d'hommes en ces temps difficiles, il devait s'arranger pour tirer le meilleur parti de la situation. Flovent connaissait ce refrain par cœur.

Il venait de prendre congé d'Arnfinnur quand le téléphone sonna à nouveau. Son père voulait savoir quand il rentrerait à la maison. Il lui demanda de ne pas l'attendre, même s'il savait que cela ne servait pas à grand-chose. Son père chargeait et déchargeait les bateaux sur le port et se couchait rarement avant le retour de son fils. Il lui gardait un repas au chaud quand sa journée de travail s'éternisait comme aujourd'hui, et veillait à ce qu'il n'aille pas au lit le ventre vide. Le soir, ils discutaient ou écoutaient la radio. Flovent savait qu'il appréciait ces moments. Son père avait perdu la moitié de la famille qu'il avait fondée quand la grippe espagnole avait emporté son épouse et sa fille. Lui et Flovent les avaient pleurées en silence. Après ça, son père n'avait pas recherché de nouvelle compagne. Cet homme appartenait à la dernière génération d'Islandais capables de se satisfaire de peu, de traverser les guerres, les crises économiques, et de voir les leurs succomber à des épidémies sans jamais se plaindre.

Flovent lui promit qu'il ne tarderait plus. Il s'apprêtait à quitter son bureau quand le téléphone retentit pour la troisième fois. Hésitant sur le seuil, il finit par décrocher le combiné.

– C'est bien Flovent ? demanda une voix masculine.

– Lui-même.

– Je sais qu'il est tard, mais j'ai essayé de te contacter plus tôt dans la journée. Je m'appelle Einar. Je travaillais au commissariat de la rue Posthusstraeti ce matin quand un commerçant est venu me voir, et depuis je n'arrête pas de penser à ce qu'il m'a dit. C'est au sujet de cet homme qu'on a découvert mort dans l'appartement en sous-sol.

– Oui ? Je t'écoute.

– Le grossiste est à la recherche d'un de ses représentants. Il craint qu'il ne soit parti avec l'argent collecté pendant sa tournée.

– Est-ce que ce représentant s'appellerait Felix ? Il n'a donc ni vu ni entendu les avis de recherche ?

– Non, non, il ne s'agit pas de ce Felix.

– De qui, alors ?

– J'ai pensé que l'homme recherché par le grossiste était peut-être la victime.

– Tu peux le contacter tout de suite ?

– Oui, il m'a laissé son numéro de téléphone et…

– Appelle-le et demande-lui de venir me retrouver à la morgue de l'Hôpital national. Dis-lui que c'est très important. S'il veut, nous pouvons lui envoyer une voiture.

Thorson ne savait pas exactement ce qu'il cherchait quand il sortit de l'hôtel Borg, peu après avoir quitté Flovent. Ce n'était pas la première fois qu'il se livrait à ce genre d'expédition pour explorer ses désirs et tenter de trouver des réponses aux questions qui l'obsédaient. Il était conscient de son grand manque d'expérience, sans doute dû au peu d'intérêt qu'il manifestait pour ces choses. Ses camarades dans l'armée attiraient les femmes. Certains n'hésitaient pas à en profiter tandis que d'autres se montraient un peu plus prudents et n'appréciaient pas spécialement la manière dont les choses se déroulaient en ville. Il avait entendu les soldats raconter bon nombre d'histoires, certaines aussi étranges que tristes. Des histoires qui parlaient de dépravation. De fierté mal placée. Quand il passait en voiture dans les camps militaires, il lui arrivait de penser à cette femme dont il avait dû s'occuper. Tombée dans une congère, elle souffrait d'engelures. En la reconduisant chez elle, il avait découvert qu'elle avait couché avec trois soldats dans leur baraquement plus tôt dans la soirée. Elle avait refusé toute forme de paiement. Je ne voudrais pas qu'ils me prennent pour une putain, avait-elle déclaré.

Il marcha vers l'hôtel Islande, établissement nettement moins élégant que l'hôtel Borg, constitué d'un amas de maisons en bois collées les unes aux autres le long de la rue Austurstraeti et jusqu'à l'angle d'Adalstraeti. La salle de bal était pleine à craquer de soldats. Certains avaient une femme à leur bras. Quand Thorson arriva, un videur jetait dehors un malheureux Islandais pauvrement vêtu en lui criant qu'il n'avait pas sa place ici. Thorson espérait qu'on le mettait à la porte parce qu'il était ivre, et pas parce que c'était un autochtone. Une brigade de protection des mineurs avait récemment été créée dans la police. Deux de ses représentants emmenaient des gamines qui protestaient vigoureusement. Un petit orchestre de jazz jouait dans la salle de bal et on dansait joue contre joue dans la chaleur moite saturée de fumée, de parfums et de sueur. Le bruit était assourdissant, les rires tonitruants des hommes rivalisaient avec la musique. Thorson se faufila jusqu'au comptoir et commanda à boire. Un lieutenant ivre le bouscula. De nouveaux contingents de soldats américains déferlaient sur le pays chaque semaine et ces derniers semblaient désormais aussi nombreux à l'hôtel Islande que les Britanniques. Les femmes s'intéressaient maintenant aux Américains. Il comprit immédiatement pourquoi en entrant. Ils étaient plus riches, plus élégants, et souriaient plus généreusement. Ils ressemblaient à Clark Gable, et les Britanniques à Oliver Twist.

Thorson parcourut du regard cette salle où l'alcool coulait à flots et où on dansait au rythme du jazz.

L'hôtel Islande.

Il n'avait jusque-là pas mesuré combien ce nom convenait pour décrire le spectacle qu'il avait sous les yeux. Nulle part ailleurs il ne percevait aussi clairement que l'Islande n'était qu'une escale.

Une simple nuit d'hôtel.

Une rencontre furtive.

Elle était là, comme les week-ends précédents, assise avec un groupe de soldats. En l'apercevant, elle vint à sa rencontre et lui demanda s'il n'allait pas lui offrir un verre. Il commanda un gin, sa boisson préférée, lui avait-elle dit. Ils trinquèrent. Elle était soulagée qu'il maîtrise sa langue parce qu'elle ne parlait ni ne comprenait un seul mot d'anglais, ce qui était très gênant. Il était tout de même dommage qu'il soit pour ainsi dire islandais même s'il était très beau en uniforme. Elle éclata de rire, elle était toujours d'humeur joyeuse. Il appréciait sa compagnie. Il savait un certain nombre de choses la concernant, elle n'hésitait pas à lui parler d'elle, même s'il ne lui posait aucune question. Elle était d'au moins dix ans son aînée, ses cheveux bruns retombaient en boucles sur ses épaules et sa robe laissait deviner des formes généreuses. Son visage avait perdu sa fraîcheur juvénile, sans doute à cause des abus de toutes sortes, se disait Thorson, mais ses yeux étaient encore beaux et presque ronds comme des billes. Elle les écarquillait quand elle racontait ou entendait une histoire qui piquait sa curiosité. Elle lui avait parlé d'une de ses amies qui avait rencontré un soldat anglais originaire de Brighton. Tous deux étaient heureux et amoureux. Thorson savait bien sûr que de belles histoires naissaient à l'hôtel Islande entre des êtres que tout semblait séparer. Des contes de fées où il était question de gens qui trouvaient leur âme sœur alors qu'autour d'eux le monde était à feu et à sang. Il savait que ces histoires pouvaient être belles et pures.

– Alors, tu es décidé ? demanda-t-elle une fois leurs verres vides.

– Oui, je crois.

– Tu as de l'argent ?

Il s'apprêtait à plonger sa main dans sa poche quand elle l'arrêta.

– Pas ici, mon petit. Allez, viens.

Baldur, le légiste, n'était pas franchement ravi de l'appel téléphonique qu'il avait reçu. Il comptait bien refuser d'aller retrouver Flovent à la morgue, mais il avait fini par céder à ses prières répétées. Flovent l'attendait devant le bâtiment. Il lui présenta ses plus plates excuses pour l'avoir dérangé si tard le soir. Comme il demeurait près de l'hôpital, il était venu à bicyclette. Au même moment, un camion de livraison se gara devant eux dans un crissement de freins. Le grossiste descendit et demanda lequel des deux était Flovent.

– Ça presse vraiment tant que ça ? lança-t-il avant de les saluer d'une poignée de main. Le policier qui m'a téléphoné m'a dit que si je n'arrivais pas immédiatement, il serait dans l'obligation de m'arrêter.

– Je vous remercie d'être venu, répondit Flovent. J'ai appris que vous recherchez un de vos employés, un représentant.

– C'est exact, confirma le grossiste. Il venait d'allumer un de ces cigares bon marché qu'il suçotait frénétiquement. Vous croyez qu'il est ici ?

– C'est ce que nous venons vérifier, précisa Flovent. Baldur ouvrit la porte. Ils le suivirent jusqu'à la salle où était entreposé le corps. Le légiste alla le chercher et le plaça sous la lumière crue de la salle d'autopsie.

– Je tiens à vous mettre en garde, prévint Flovent. Cet homme a reçu une balle dans la tête et ce n'est pas beau à voir. Baldur a fait ce qu'il a pu pour arranger les…

– Ne vous inquiétez pas pour moi, interrompit le grossiste. C'est inutile, j'ai travaillé dans un abattoir, jeune.

– Cet endroit n'est pas un abattoir, protesta Baldur.

Il souleva le drap blanc qui couvrait le corps. Le grossiste le reconnut immédiatement.

– C'est bien lui. Il n'y a aucun doute. Pas étonnant que je n'aie pas réussi à le trouver, observa-t-il, comme s'il se sentait obligé de faire un peu d'humour pour dédramatiser.

– Alors ? s'enquit Flovent. Qui est-ce ? Comment s'appelle-t-il ?

– Eyvindur. Je savais qu'il était revenu en ville avec le *Sudin*, mais j'ignorais qu'il avait fini chez vous.

– Eyvindur, dites-vous ?

– Oui, pauvre garçon. C'est l'un des plus mauvais représentants que j'aie jamais engagés, commenta le commerçant en laissant tomber par mégarde la cendre de son cigare sur le corps.

Elle quitta la paillasse, enfila sa culotte et son soutien-gorge, fit glisser sa robe par-dessus ses cheveux bruns qui retombaient en boucles sur ses épaules et la lissa du plat de la main en le regardant de ses grands yeux interrogateurs auxquels rien n'échappait, et qui devinaient tant de choses.

– Ça arrive à tout le monde, mon petit, rassura-t-elle, peu convaincante. Ne t'inquiète pas. Cet endroit n'est d'ailleurs pas très engageant. J'aimerais bien pouvoir t'offrir mieux que ça.

Thorson balaya la cabane du regard, reboutonna son pantalon et enfila sa chemise. Il aurait voulu pouvoir disparaître sous terre. Il bredouilla quelques mots, trébucha sur un vieux filet, puis sortit retrouver la nuit du mois d'août et rentra à l'hôtel Borg en pressant le pas.

18

Flovent remarqua immédiatement que des choses manquaient dans l'appartement. Il le comprit en ouvrant le placard de la chambre dont un côté était totalement vide et se souvint alors des propos du grossiste sur la compagne d'Eyvindur. Le commerçant ne l'avait pas trouvée chez elle non plus quand il était passé. Flovent alla regarder dans le placard de l'entrée qui ne contenait, lui aussi, que des vêtements masculins. Il inspecta chaque pièce à la recherche des détails manquants et constata que toute trace de cette femme avait disparu.

En dehors de cela, le grossiste n'avait pas été d'un grand secours. Il ne savait presque rien d'Eyvindur, il lui avait simplement dit qu'il s'appelait Ragnarsson, qu'il travaillait pour lui depuis bientôt un an et qu'il avait effectué un grand nombre de tournées dont le résultat n'avait pas été franchement concluant. Il reconnaissait toutefois que les produits dont il lui avait confié la vente n'étaient pas faciles à placer. Eyvindur était à ses yeux quelqu'un d'honnête même s'il l'avait soupçonné de vol en voyant qu'il ne se présentait pas à l'entrepôt après sa dernière tournée. Le représentant vivait avec une femme du nom de Vera, pensait-il, mais chaque fois qu'il était venu frapper à leur porte dans le quartier ouest les jours précédents afin de trouver Eyvindur, elle était absente. On lui avait dit qu'elle était partie.

Le grossiste avait déclaré ne rien savoir de leur relation, si ce n'est qu'à sa connaissance ils n'étaient pas mariés et n'avaient pas d'enfant. Eyvindur était plutôt discret sur sa vie privée même s'il passait son temps à déplorer la présence de l'armée en Islande et à claironner qu'il refusait de travailler pour les Britanniques. Et plus encore pour les Américains. Non qu'il ait été du côté des Allemands. Pas du tout. Le commerçant l'avait entendu plus d'une fois maudire les nazis.

Il n'avait aucune observation particulière à faire sur la dernière tournée d'Eyvindur, pas plus que sur les précédentes. Ce dernier prenait toujours le ferry *Sudin*, faisait plusieurs escales, restait un moment, puis rentrait avec le même bateau et rapportait les commandes et l'argent, quand il en avait encaissé. Le grossiste se demandait vraiment qui aurait pu vouloir lui nuire. Il le décrivait comme un brave homme qui n'aurait pas fait de mal à une mouche. Ce qu'il était allé faire chez Felix Lunden restait pour lui un mystère. Certes, tous deux étaient représentants, mais il ignorait qu'ils se fréquentaient en dehors du travail. Du reste, le grossiste ne connaissait Felix que de nom. Il travaille pour un concurrent, avait-il précisé en lui donnant le nom de l'entreprise que Flovent avait gravé dans sa mémoire.

Ne voulant pas attendre le lendemain matin pour inspecter l'appartement de la victime, il avait quitté la morgue à la hâte et s'était dirigé vers le quartier ouest, à l'adresse que le commerçant lui avait communiquée. Il avait fait appeler un serrurier qui travaillait parfois pour la police, mais s'était dit qu'il était inutile de déranger Thorson pour l'instant. Forcer la serrure n'avait pas pris beaucoup de temps à l'artisan, qui était ensuite reparti chez lui en le laissant seul dans le petit appartement qui se résumait à un salon exigu, une cuisine, une chambre et un cabinet de toilette. Le mobilier était vieux et usé. Il n'y avait là aucun objet récent ou à la mode. Les occupants des lieux vivaient chichement. Trois photos anciennes reposaient sur la commode, deux portraits de personnes âgées et une, légèrement floue, dont Flovent supposa qu'elle représentait Vera et Eyvindur.

– Pourquoi pensiez-vous qu'Eyvindur vous avait volé ? avait-il demandé au grossiste alors qu'ils se séparaient devant la morgue. Il s'était déjà montré malhonnête ?

– Pas du tout. J'attendais un paiement des fjords de l'Ouest. Je lui avais demandé de l'encaisser pour moi et je sais qu'on le lui a remis. Comme je n'arrivais pas à le trouver, cette idée m'est venue à l'esprit. Mais sinon, Eyvindur était d'une honnêteté irréprochable.

– Donc, il avait de l'argent sur lui ?

– Eh bien, pas vraiment une grosse somme. Je suppose qu'il l'a dépensée. Vous me préviendrez si vous découvrez quelque chose chez lui, n'est-ce pas ?

Flovent trouva sur la table de cuisine le portefeuille d'Eyvindur, qui ne contenait que de la menue monnaie, et chercha en vain l'argent du grossiste. Il ne l'avait pas trouvé non plus sur le corps. Il se demanda si Eyvindur avait été tué pour ces quelques couronnes encaissées dans les fjords de l'Ouest. L'idée lui semblait absurde. Il n'avait aucune raison de soupçonner le grossiste. Cet homme avait l'air franc et honnête, mais il ne pouvait rien exclure. Était-il possible qu'il ait tué Eyvindur pour quelques malheureuses couronnes ? Avait-il inventé toute cette histoire en prétendant qu'il avait cherché son employé ? Le signalement qu'il était venu faire à la police n'était peut-être qu'un leurre. On avait déjà vu ça. La meilleure manière de se cacher consistait parfois à s'exposer au grand jour.

La seule chose intéressante qu'il trouva en faisant un premier tour dans l'appartement fut une petite enveloppe marron enroulée sur elle-même qui dépassait de dessous le canapé éculé, comme si on l'y avait jetée. En la dépliant, il se souvint en avoir déjà vu une identique. Il s'était cassé la tête en vain pour traduire ce qui y était écrit : Industrial Chemical Prophylactic Product. Cette enveloppe contenait ce que les soldats appelaient dans leur langage quotidien un E.P.T. KIT. Si elle avait été pleine, elle aurait contenu un mode d'emploi, une lingette imbibée de savon, du papier hygiénique et cinq grammes de gel antiseptique destiné à enduire les organes sexuels. L'armée distribuait régulièrement ces kits aux soldats afin de prévenir les maladies vénériennes.

Flovent la glissa dans sa poche et se remit à chercher des traces de la compagne d'Eyvindur. Il regarda la photographie et, alors qu'il cherchait des lettres ou des messages écrits, il entendit du bruit dans le couloir. Il découvrit un homme qui s'acharnait sur la porte de l'appartement d'en face. Saloperie de clef, soupira le voisin qui tentait d'ôter de la serrure la clef qui y était coincée. Il fit un bond en voyant Flovent sortir de chez Eyvindur.

– Que… qu… qui êtes-vous ? bredouilla-t-il en le regardant d'un air craintif.

– Je suis policier, précisa Flovent. Vous habitez ici ?

– Eh bien… oui, je… j'ai un problème avec ma clef, répondit le voisin avant de se remettre à trifouiller la serrure. Flovent avait l'impression qu'il avait bu, et suffisamment pour avoir des difficultés à rentrer chez lui. J'en ai fait fabriquer une nouvelle, poursuivit le voisin, et parfois elle se coince. Donc, la police est à la recherche… à la recherche d'Eyvindur.

– Vous l'avez vu dernièrement ? s'enquit Flovent, préférant ne pas lui dévoiler le triste destin d'Eyvindur. Son haleine alcoolisée empestait tout le couloir.

– Non, et je n'ai aucune idée de l'endroit où il est. Vous devriez interroger son oncle, c'est lui qui lui loue cet appartement. Il saura peut-être vous renseigner.

– Il est passé ? Vous savez si des gens sont venus le chercher ici ?

– Non, je n'ai vu que ce type qui fume le cigare. Il m'a dit qu'il était grossiste. Mais je n'ai croisé personne d'autre.

– Et sa compagne, Vera, vous l'avez aperçue dernièrement ?

– Aïe, non, ça fait un bon bout de temps que je ne l'ai pas vue.

– Qu'est-ce que vous savez d'elle ?

– Rien de plus que les autres gens qui vivent ici. Ce pauvre Eyvindur ne comprenait pas ce qui lui arrivait… il a demandé à tout le monde dans l'immeuble où elle était partie. Si nous l'avions vue s'en aller. Enfin, il était sacrément abattu, ce n'est pas étonnant. La voisine du dessus était au courant, et elle lui a tout dit. Elle a vu une voiture noire arriver un soir tard, à peu près vers cette heure-ci. Vera a balancé ses affaires dedans, puis elle est partie. Sans dire au revoir à personne.

– Vous ne savez pas où elle est allée ? Personne ne sait dans l'immeuble ?

– Non, enfin… non, pas vraiment… mais…

– Oui ?

– Je me suis dit qu'Eyvindur était peut-être parti à sa recherche dans les baraquements. C'est la première idée qui m'est venue à l'esprit.

– Vous voulez parler des baraquements militaires ? Pourquoi serait-il allé la chercher là-bas ?

– Parce qu'elle l'a sans doute quitté pour un de ces soldats qui viennent traîner ici… autour de l'immeuble, répondit le voisin. Je n'en ai jamais parlé à Eyvindur. Je trouvais… je trouvais que ça ne me regardait pas. Mais je pense que c'est à elle qu'ils venaient rendre visite. Enfin, c'est que j'ai supposé. J'en ai vu certains… lever les yeux vers sa fenêtre.

– Et qu'est-ce qu'ils lui voulaient ? s'enquit Flovent.

– Ils venaient s'amuser, enfin, j'imagine. On entendait parfois de la musique sur le gramophone.

– Ils étaient anglais ou américains ?

– Ceux que j'ai vus ? Il y avait un Anglais, répondit le voisin, sûr de lui. Un soldat britannique… mais il n'était pas le seul… je… je n'en sais pas plus, vous savez. Ma voisine du dessus, celle qui a vu Vera se sauver comme une voleuse… comme une voleuse dans la nuit, eh bien, elle nous a dit qu'elle était partie avec un Anglais. Un soldat britannique. Enfin, un de ces militaires. Bref, elle s'est trouvé un soldat.

Quand Flovent rentra enfin chez lui vers minuit, il trouva son père endormi sur le canapé. Flovent essaya de ne pas le réveiller, mais il ne faisait que somnoler. Il ouvrit les yeux, se redressa et lui demanda d'un ton bienveillant s'il comptait se tuer à la tâche. Ils mangèrent le repas réchauffé et discutèrent un moment avant d'aller se coucher. Flovent lui parla de l'enquête en cours. Il faisait confiance à son père pour être discret et savait qu'il s'intéressait à ses enquêtes les plus complexes. Il avait souvent été pour lui une oreille attentive et de bon conseil, mais il craignait parfois que son fils ne se surmène. Il savait qu'il tenait à faire de son mieux et que certaines choses affreuses dont il était témoin dans sa profession l'atteignaient profondément même s'il les taisait. C'était une habitude qu'il avait conservée depuis la terrible épidémie de grippe espagnole.

– Des représentants ? déclara-t-il après avoir écouté le récit de son fils.

– Oui, deux représentants, confirma Flovent.

– Et ils se seraient disputés, ce Felix et ce… comment s'appelle-t-il… Eyvindur ?

– Probablement.

– Et Felix aurait fini par lui tirer une balle dans la tête ?

– Peut-être. On ne sait pas.

– Ils se seraient querellés à quel sujet ? Pour des histoires de tournées ?

– C'est sans doute plus grave que ça, répondit Flovent, certainement pour quelque chose de plus important.

– Qu'est-ce qui est important ? demanda son père.

– Eh bien, par exemple, les femmes.

– Oui, je ne dis pas le contraire.

– On nous a raconté qu'en amour la compagne d'Eyvindur ne mettait pas ses œufs dans le même panier. Son voisin dit qu'elle fréquentait des soldats. On l'a vue partir avec l'un d'eux.

– Donc, elle est, comme on dit, plongée jusqu'au cou dans la situation.

– Il semble bien.

– Et ça n'a pas plu à son compagnon.

– J'imagine que non, répondit Flovent, revoyant mentalement le cadavre du représentant sur la table d'autopsie. J'ai bien peur que non.

– Et toi ?

– Moi ?

– Tu ouvres l'œil ?

Son père avait posé la question avec circonspection. Elle n'était motivée par aucune curiosité malsaine, mais simplement par l'expérience que le vieil homme avait faite de la solitude depuis la mort de sa femme.

– Je n'ai pas le temps pour ça, répondit Flovent en souriant.

– J'espère que tu ne t'inquiètes pas pour moi. Tu sais, je me débrouillerai.

– Bien sûr.

– Je ne veux pas être une entrave.

– Ce n'est pas le cas.

– Cette femme à la boutique dont tu… tu penses toujours à elle ?

– Je préfère ne pas en parler.

– D'accord, mon petit.

19

Les voisins d'Eyvindur n'avaient aucune critique à faire sur lui. C'était un homme convenable, silencieux et discret, certes assez peu sociable mais courtois. Ils furent tous choqués d'apprendre que c'était lui qui avait été récemment tué d'une balle dans la tête. Il s'absentait souvent par nécessité professionnelle et son installation dans cet appartement était assez récente. Ils ne tarissaient pas d'éloges sur lui, mais il en allait tout autrement de Vera, sa compagne. Aucun n'était capable de dire où elle était partie, mais tous avaient remarqué des bruits surprenants dans l'appartement quand Eyvindur était absent, des visiteurs qui venaient et repartaient tard dans la nuit, des cailloux jetés contre les vitres, des voix étouffées au petit matin, des claquements de portes et des pas pressés sur le trottoir devant l'immeuble. Il lui arrivait aussi d'être très irritable et grossière quand on lui faisait une remarque. Tout le monde la laissait donc tranquille et personne n'avait parlé à Eyvindur de ces visites nocturnes ou des cailloux jetés aux fenêtres.

La voisine du dessus affirmait que le couple s'était violemment disputé juste avant qu'Eyvindur ne parte pour sa dernière tournée. Ensuite, Vera était partie. Elle avait été témoin de la dispute, elle avait vu Eyvindur sortir, écarlate, de l'appartement. Il l'avait saluée brièvement et s'était hâté avec ses deux valises en direction du port. Elle ignorait le motif de leur querelle mais supposait qu'elle concernait justement les visites reçues par Vera en l'absence de son compagnon. C'était d'ailleurs surtout ses éclats de voix à elle que la voisine avait entendus, Eyvindur n'avait pas protesté, il était parti.

– Ils n'étaient même pas mariés, commenta-t-elle, méprisante. Cette fille se roule dans la fange.

– Dois-je comprendre que vous ne l'appréciez pas ? s'enquit Flovent.

– Et dire qu'elle se donne des grands airs, poursuivit la voisine, consternée. Comme si elle était au-dessus de tout le monde, cette... cette espèce de fille à soldats !

– Donc, vous avez vu Eyvindur partir ? Vous étiez dans le couloir à ce moment-là ?

Elle hésita longuement avant de lui répondre, si bien qu'il supposa qu'elle avait collé son oreille à la porte du couple. Rien de ce qui avait lieu de jour comme de nuit dans cet immeuble ne semblait échapper à l'attention de cette fouineuse aux jugements implacables.

– Je... je passais par là, assura-t-elle après un moment de réflexion.

– Vous avez entendu ce qu'ils se sont dit ?

– Non, ça... enfin, comment j'aurais pu ? Je remontais chez moi. Je ne vois pas comment j'aurais pu entendre. Tout ce que je sais, c'est qu'ils se disputaient. Et elle criait, mais je n'ai pas compris ce qu'ils disaient.

– Ils n'auraient pas parlé d'un certain Felix ?

– Non, je crois vous avoir dit assez clairement ne pas avoir entendu la teneur de leur échange, j'ignore le motif de leur dispute.

– On m'a dit qu'elle recevait des visites de soldats en l'absence d'Eyvindur, glissa Thorson qui avait accompagné Flovent dans le quartier ouest après que ce dernier lui avait raconté sa rencontre avec le grossiste et sa visite la veille au soir dans l'appartement.

– C'est le moins qu'on puisse dire.

– Elle recevait toujours les mêmes ?

– Non, ce n'étaient jamais les mêmes. D'ailleurs, je ne me suis pas gênée pour le lui dire. Pour lui dire que je ne voulais pas qu'elle fasse ses cochonneries dans notre immeuble.

– Ses cochonneries ? répéta Thorson.

– Enfin, ça crève les yeux ! s'exclama la voisine, les lèvres pincées.

– Quoi donc ?

– Vous avez besoin d'un dessin ? Cette fille faisait la putain, voilà ! Elle dirigeait ici un vrai bordel pour militaires.

Pour quelle raison seraient-ils venus la voir, autrement ? Pour prendre le thé ? Vous imaginez peut-être qu'elle les invitait à goûter ?!

– Donc, vous pensez qu'elle se prostituait ?

– Eh bien, qu'est-ce que vous voulez qu'elle ait fait d'autre ? Cette fille a le feu aux fesses et là, elle avait enfin trouvé un moyen d'en tirer profit.

Flovent et Thorson échangèrent un regard. Leur interlocutrice devenait hargneuse et déversait son fiel sur son ancienne voisine. Flovent avait montré à Thorson l'enveloppe marron qu'il avait trouvée sous le canapé. Thorson n'était pas surpris qu'il ait découvert ça ici si Vera était effectivement, comme on disait, dans la situation.

– Et que vous a-t-elle répondu quand vous l'avez accusée ? risqua Flovent.

– Accusée ?! Que… vous n'insinueriez tout de même pas que je mens ?

– Mais non, pas du tout. Elle ne s'est pas défendue ? Ou bien… ?

– Non, elle n'a pas protesté. Elle m'a simplement répondu que je n'avais qu'à la fermer et que sa vie ne me regardait pas. Je lui ai rétorqué que je veillerais à mettre fin à tout ça. Ensuite, elle a simplement déménagé, et en pleine nuit.

– Pouvez-vous nous décrire l'homme qui est venu la chercher ? demanda Thorson. On nous a dit que vous l'aviez vue monter dans le véhicule.

– Non, il faisait noir, mais j'ai quand même remarqué que c'était un soldat, répondit la voisine. J'imagine qu'il est britannique, mais il n'est pas descendu de la voiture et je ne l'ai donc pas vu distinctement. Il n'a même pas pris la peine de l'aider à mettre ses affaires dans le coffre.

– Elle a emporté ses vêtements et des objets ?

– Oui, oui, elle a fait deux ou trois voyages, puis ils sont partis en trombe.

– Avez-vous remarqué le type de la voiture ? Sa marque ou sa plaque ?

– Non, je ne connais pas tout ça. Elle était noire, c'est tout.

– C’était un véhicule militaire ?

– Non, je ne pense pas. Enfin, je n’en sais rien. On m’a dit qu’elle était devenue lingère pour eux. Pour les soldats. Elle tiendrait une blanchisserie.

La voisine du dessus ajouta qu’en rentrant chez lui quelques jours plus tard, Eyvindur avait découvert que Vera l’avait quitté. Ça l’avait profondément atteint. Il avait interrogé tous les habitants de l’immeuble et c’est elle qui lui avait expliqué la manière dont sa compagne s’était comportée. Elle s’était efforcée de l’épargner autant qu’elle l’avait pu, disait-elle, ce n’était pas à elle de s’occuper de leurs histoires de couple, et elle avait été peinée de devoir lui parler des visites que recevait Vera. Eyvindur avait refusé de la croire et l’avait même traitée de menteuse, soutenant que Vera n’était pas comme ça. Puis, il s’était complètement refermé sur lui-même et n’avait plus adressé la parole à personne. Pour couronner le tout, son oncle qui lui louait l’appartement était arrivé peu après dans le couloir et l’avait informé qu’il devrait bientôt quitter les lieux.

– Il avait plusieurs mois de loyer en retard, expliqua-t-elle. Thorson et Flovent eurent l’impression qu’elle le plaignait. Il avait toujours des problèmes d’argent et tirait le diable par la queue.

– Quand l’avez-vous vu pour la dernière fois ? interrogea Flovent.

– Eh bien, quand son propriétaire est venu lui faire une histoire, répondit-elle en comptant les jours qui s’étaient écoulés depuis. Flovent se disait que cela remontait sans doute à la veille de la découverte du corps au domicile de Felix.

Ils la remercièrent pour son aide précieuse et retournèrent à l’appartement d’Eyvindur. La réponse à une de leurs nombreuses questions se trouvait dans le salon : deux valises au nom d’Eyvindur Ragnarsson et contenant des échantillons de produits provenant de chez le grossiste, du cirage, du vernis Poliflor et un service à vaisselle. Ils les avaient fouillées sans rien y trouver d’autre que ce qu’elles étaient censées contenir. Ils n’y avaient découvert aucune pilule ni capsule dissimulée dans la doublure. Toutes deux étaient usées et l'une ne tenait que par deux bouts de ficelles bien placés.

– Cela signifie que la valise trouvée chez Felix appartient effectivement à Felix, non ? s'enquit Thorson.

– Oui, c'est ce qu'on peut supposer, convint Flovent. Tout comme la capsule.

Après avoir soigneusement fouillé l'appartement en quête d'indices, Thorson se plongea dans l'exploration de plusieurs piles de documents trouvés dans le petit cagibi à côté de la cuisine. C'étaient de vieilles feuilles jaunies reliées par des ficelles. Cette pièce contenait un tas d'objets hétéroclites, parmi lesquels une paire de skis et une vieille valise. Thorson l'avait ouverte, découvrant de vieux vêtements, quelques livres, ainsi que deux missels élimés et une vieille photo. Il l'avait saisie avec précaution. Prise chez un photographe, elle représentait un homme barbu et une femme, tous deux d'âge mûr, en habits du dimanche. Ils fixaient Thorson depuis leur lointain passé, l'air grave et légèrement soupçonneux. Il y avait aussi une publication célébrant l'anniversaire de l'école dirigée par Ebeneser, un livret de quatre pages illustré par deux photos. Sur la première, prise en plein air, quatre garçons pubères posaient au premier plan, devant deux hommes et une femme. Les garçons semblaient pauvres. Deux d'entre eux avaient un bonnet qui leur tombait sur les yeux. Les hommes étaient en costume noir. L'un d'eux portait un chapeau. La femme se détachait du reste du groupe, vêtue de son uniforme d'infirmière, une cape lui couvrant les épaules.

Il lui sembla tout de suite reconnaître un des deux hommes présents sur le cliché bien que ce dernier paraisse nettement plus jeune que lorsqu'il l'avait rencontré. Tête nue, il n'avait pas beaucoup changé. Thorson scruta le visage des garçons dans l'espoir de reconnaître Eyvindur mais, le tirage n'étant pas suffisamment net, il était incapable de se prononcer, d'autant qu'il n'avait vu d'Eyvindur que son visage défiguré à la morgue.

– Tu as trouvé quelque chose ? s'enquit Flovent en jetant un œil à l'intérieur du cagibi.

Thorson lui tendit la photo et la brochure en précisant qu'il les avait découvertes dans une valise, qui contenait également deux missels. Flovent examina le cliché du vieux couple qui fixait l'objectif d'un air sévère, comme si l'appareil était une boîte magique échappant à leur entendement, puis il s'attacha aux deux autres, ceux où on voyait les garçons et les adultes à l'arrière-plan.

– Tu le reconnais ? demanda Thorson.

– C'est le directeur ? Ce n'est pas Ebeneser ?

– Je crois bien. Un peu plus jeune, évidemment. Tu penses qu'elle a été prise à l'école ? On ne voit que l'angle du bâtiment, mais il a l'air sacrément grand.

Concentré sur la photo, Flovent ne parut pas l'entendre.

– Ce n'est tout de même pas elle… ? marmonna-t-il.

– Qui ça ? Tu sais quelque chose sur ces gens ? Tu connais les autres ?

– J'ai l'impression d'avoir déjà vu cette femme, répondit Flovent en lui montrant l'infirmière. Je suis sûr que c'est elle.

– Qui est-ce ? demanda Thorson.

– Très juste, qui est-ce ? marmonna Flovent. Je ne l'ai aperçue que brièvement et pourtant…

– Pourtant quoi ? Mais enfin, qui c'est ?

– Je l'ai vue chez Rudolf. Elle m'a regardé un instant depuis la fenêtre du salon, puis a brusquement tiré les rideaux. Je suis sûr que c'est elle. J'ignore son nom, mais elle était chez Rudolf Lunden, assura Flovent en regardant à nouveau la photo. Je suis absolument certain que c'est bien la même femme.

Il scruta avec insistance le visage des garçons.

– Tu crois qu'Eyvindur serait l'un de ces gamins ?

– Il avait sans doute une raison de conserver ce livret, fit remarquer Thorson.

– Peut-être que cette femme en saura un peu plus sur la dispute entre Ebeneser et Rudolf, observa Flovent en passant son doigt sur le visage de l'infirmière.

– La dispute à propos du groupe de garçons ?

– Oui, confirma Flovent. Leur dispute au sujet des garçons. Elle pourra peut-être nous éclairer.

Tous deux sursautèrent lorsque la porte s'ouvrit brusquement. Un homme apparut dans l'embrasure. Furieux de les voir au milieu du salon, il s'avança vers eux à grands pas menaçants, s'apprêtant visiblement à les jeter dehors.

– Qu'est-ce que vous faites ici ?! tonna-t-il, le regard rivé sur Thorson. Je ne veux pas voir de soldats dans cet appartement ! C'est Vera qui vous envoie ? À moins que vous ne cherchiez cette chatte en chaleur ?

20

Ils étaient stupéfaits. Il fallut à Flovent un certain temps pour le calmer, lui faire entendre qu'ils étaient tous deux policiers et qu'avec Thorson, membre de la police militaire, ils enquêtaient sur le meurtre d'Eyvindur. Propriétaire de l'appartement, l'homme était l'oncle de la victime. Il comptait chercher immédiatement de nouveaux locataires. Ça ne sert à rien d'attendre, déclara-t-il, gêné, sans doute parce que le meurtre de son neveu était aussi récent. Il se disait malgré tout qu'il ne fallait pas que cet appartement reste vide. La demande de logements augmente constamment, tout comme les prix des loyers, ajouta-t-il, un peu honteux, il ne voulait pas perdre de temps – même si, bien sûr, il regrettait ce drame affreux. Mais la vie continue. Que dire d'autre ? Ça ne sert à rien de laisser cet endroit vide, enfin, si ça ne vous dérange pas. C'est gênant pour la police ?

Flovent ne voyait aucune objection à ce qu'il reloue. Il pouvait le faire quand bon lui semblerait. L'oncle précisa qu'il confierait les biens d'Eyvindur à un garde-meuble de sa connaissance et qu'il essaierait peut-être d'en vendre une partie pour récupérer l'argent qu'il lui devait.

– Il tardait toujours à régler son loyer, précisa-t-il.

Âgé d'une cinquantaine d'années, cet homme de taille imposante et à la voix grave semblait déterminé. Sigfus ne se perdait pas en palabres, il en venait droit au fait.

– Si ce n'avait pas été mon petit Eyvindur, je crois que je l'aurais mis dehors depuis longtemps, ajouta-t-il, comme par respect pour son défunt neveu.

Flovent l'informa que la police avait immédiatement tenté de contacter ses proches pour leur annoncer sa mort. On avait tout fait pour retrouver la famille, mais Sigfus semblait être le seul membre vivant. L'oncle confirma que c'était le cas. Eyvindur n'avait pas d'enfant, cette sale fille l'avait quitté, il n'avait ni frères ni sœurs, et ses parents étaient tous deux décédés.

– Vous avez trouvé le coupable? demanda Sigfus, en ajoutant que le meurtre de son neveu le déconcertait totalement. C'est bien la dernière personne que j'aurais imaginée avoir une fin aussi violente. C'était un brave garçon. Je ne lui connaissais absolument aucun ennemi, absolument aucun.

– Non, on ignore encore qui a fait ça, répondit Flovent.

– Ce pauvre petit a toujours été plutôt solitaire, il n'a pas eu une vie facile. Je lui ai loué l'appartement pour une somme ridicule par rapport au prix du marché. Mais si j'avais su ce qu'elle… ce que cette Vera faisait pendant qu'il était en tournée, si j'avais su qu'elle faisait toutes ces cochonneries, je l'aurais mise à la porte.

– Vous avez une idée de l'endroit où elle est?

– En ce qui me concerne, mon petit, elle peut aller au diable. Ce n'est pas elle qui est à l'origine de tout ça, n'est-ce pas? Elle ne m'a jamais plu. Jamais. Elle ne s'est tout de même pas débarrassée de lui de cette manière? J'ai entendu à la radio qu'on l'a tué avec un revolver de l'armée.

– Certes, mais…

– Dans ce cas, c'est assez clair, vous ne pensez pas? reprit l'oncle en s'adressant à Thorson. C'est l'un des vôtres? Il n'y a que des meurtriers et des salauds dans vos… fichues troupes. Elle a demandé à l'un d'eux de tuer mon neveu. Elle n'a sans doute pas eu beaucoup de mal à le convaincre. Elle voulait être tranquille pour faire la pute. Eyvindur a dû la mettre en colère, il a essayé de la récupérer et elle s'est arrangée pour qu'un soldat lui règle son compte. C'est le plus probable, non?

– Savez-vous si votre neveu était en contact avec des militaires? demanda Thorson, balayant les conjectures de l'oncle. Cet homme était manifestement opposé à la présence des troupes d'occupation. Thorson avait l'habitude de ce genre de réaction, il n'était ni surpris ni désarçonné.

– À mon avis, il n'avait aucune raison de les fréquenter. En revanche, Vera semblait beaucoup les distraire et elle en a tiré profit.

– Eyvindur vous en a parlé ? Il vous aurait dit qu'il avait peur d'elle ? Qu'il craignait qu'elle lui attire des ennuis ?

– Non, il n'aurait jamais rien fait qui risque de déplaire à sa compagne. Elle se l'était mis dans la poche. Il n'avait rien dans le pantalon. Elle le manipulait complètement. Il osait à peine faire un pas sans sa permission. Je crois que c'est elle qui lui a demandé de devenir représentant. Ou disons plutôt qu'elle l'y a forcé. C'est l'impression que j'ai eue quand il m'en a parlé. Elle lui reprochait de l'étouffer ou je ne sais quoi. Évidemment, elle avait juste envie qu'il fasse ce métier pour pouvoir faire tranquillement la putain. Eyvindur n'avait pas les qualités d'un vendeur. Il me l'a dit lui-même.

– Quand donc ?

– Il n'y a pas très longtemps. Il est venu me régler une partie du loyer en s'excusant de ne pas gagner assez d'argent et en me disant que Vera passait son temps à le lui reprocher. Elle avait envie de plein de choses. J'ai eu pitié de ce pauvre garçon, même s'il me devait plusieurs mois. Il y en a qui ne s'en tirent pas si facilement. J'ai réfléchi à l'idée de lui demander d'aller collecter mes loyers, mais je savais qu'il en était incapable. Les gens auraient ri au nez de ce pauvre diable. Ils ne se seraient pas risqués à rire au nez de mon frère.

– Vous voulez dire, du père d'Eyvindur ?

– À moins d'être tout nouveau dans la police, son nom devrait vous dire quelque chose. Ragnar Ragnarsson.

– Ragnar Ragnarsson ? Vous ne parlez tout de même pas de… ?

– Il a passé plusieurs années en prison. Vous le connaissez sans doute.

Flovent identifia immédiatement l'individu et se souvint qu'il avait eu affaire à lui des années plus tôt. Il se rappelait cet homme, sa force, son air mauvais et les tatouages qui lui couvraient les avant-bras. Il se souvenait de son arrestation après une bagarre mémorable dans un bar et de la plainte pour violences déposée contre lui. Ragnar avait donné du fil à retordre aux policiers qui l'avaient arrêté. Le jeune homme auquel il s'était attaqué était terrifié quand on l'avait secouru puis confié aux soins d'un médecin. Il ne connaissait pas du tout son agresseur. Flovent se souvenait d'autres occasions où la police avait eu maille à partir avec ce Ragnar Ragnarsson. Contrebande. Vols. Violences. Puis, tout à coup, il avait disparu de la circulation. Il était tombé malade en prison où il purgeait une peine de quelques années. On avait tardé à le faire examiner par un médecin et, à son arrivée à l'hôpital, il était déjà mort. Flovent avait entendu dire qu'il avait eu une attaque cérébrale.

– Je me souviens bien de lui, répondit Flovent, surpris. C'était le père d'Eyvindur ?

– On ne peut pas dire qu'en l'occurrence la pomme soit tombée près du pommier, commenta Sigfus. Disons plutôt que le fruit est tombé à des lieues de l'arbre. Je n'ai jamais rencontré d'hommes plus différents qu'Eyvindur et son père. Je crois que le gamin n'avait tellement rien hérité de son père qu'il se posait des questions. Et il en a parfois fait les frais.

– Ragnar était un salaud et un crimi…

– Faites attention à ce que vous dites, je sais que ce n'était pas un ange, mais il n'en reste pas moins que c'était mon frère.

– Pas un ange, répéta Flovent. C'était une véritable ordure. On n'a pas pleuré au commissariat de Posthusstraeti en apprenant sa mort. Ça faisait une crapule de moins à surveiller.

– Eh bien, comme vous voulez, répondit Sigfus, je n'ai pas envie de me disputer avec vous. C'est quoi, ça ? Des photos d'Eyvindur ?

Flovent lui tendit le portrait qu'ils avaient trouvé dans le cagibi avec les missels. Sigfus y reconnut ses parents. Ces deux paysans avaient un jour de leur vie de chien effectué un voyage jusqu'à Reykjavik et s'étaient fait photographier en souvenir. Il n'avait jamais vu la brochure célébrant l'anniversaire de l'école, pas plus que les photos qui l'illustraient, mais il reconnut immédiatement Eyvindur. C'était l'un des deux gamins nu-tête.

– Nous pensons qu'un des adultes est le directeur de l'école, Ebeneser, déclara Flovent. Vous connaissez les deux autres ?

– Non, je... Apparemment celle-là est infirmière.

– En effet.

– Je me souviens qu'Eyvindur m'a parlé d'une infirmière qui travaillait dans son école. Ça arrivait que je le prenne chez moi quand... quand ça allait mal chez ses parents.

– Qu'est-ce qu'il vous a raconté à son sujet ?

– Eh bien, juste qu'il y avait là-bas une femme qui était gentille avec lui, répondit Sigfus. Rien de bien intéressant. Et il me semble que c'était justement l'infirmière.

– Vous vous rappelez son nom ?

– Non, je ne suis même pas sûr qu'il me l'ait dit. Il m'a simplement raconté qu'elle le traitait bien, qu'elle était gentille avec lui. On ne pouvait pas en dire autant de tout le monde. C'est sans doute pour cette raison qu'il m'a parlé d'elle. Il n'avait pas l'habitude d'être respecté, le pauvre. On le négligeait. Il avait toujours l'air d'un pouilleux quand je le récupérais chez moi.

– Et sa mère ? s'enquit Thorson.

– Elle est morte avant sa communion. Elle ne s'est pas beaucoup occupée de lui. C'était une poivrote. Et elle en a vraiment bavé avec mon frère qui était un sacré coureur.

Sigfus regarda à nouveau la photo.

– Ce garçon-là... ajouta-t-il, pensif, en montrant l'autre gamin.

– Oui ?

– Il était parfois avec Eyvindur. Je crois même qu'ils jouaient pas mal ensemble quand le petit était chez moi. Il est d'origine étrangère ou, en tout cas, il porte un nom étranger.

– Ce ne serait pas Lunden ? Felix Lunden ?

– Felix ? Euh oui, je crois bien que c'est ça !

– Il fréquentait la même école qu'Eyvindur ?

– Il me semble. J'ai vraiment l'impression que c'est effectivement le petit Lunden.

– Vous savez où on a retrouvé le corps de votre neveu ? demanda Flovent.

– Oui, dans un appartement, ici, en ville. J'allais justement vous poser la question. Chez un autre représentant, c'est ça ?

– Précisément au domicile d'un certain Felix Lunden.

Sigfus dévisagea Flovent comme s'il avait mal compris.

– Qu'est-ce que vous dites ?! C'est… c'est lui qui a tué Eyvindur ?

– On l'ignore.

– Enfin, ça semble évident, non ? Où est-il ? Où il est, ce Felix ?

– On l'ignore également.

– Est-ce qu'il… est-ce qu'il se cache ? Nom de Dieu ! Et vous ne croyez pas que c'est lui ? C'est lui qui a tué Eyvindur, non ?

21

Ils frappèrent à la porte de Rudolf Lunden. Personne ne vint leur ouvrir. Flovent alla regarder par les fenêtres et ne décela aucune présence à l'intérieur. Thorson ne vit personne non plus en faisant le tour de la maison fermée à double tour et sinistre, comme si personne n'y avait jamais habité. Même le généreux soleil du mois d'août était impuissant à réchauffer la froideur inquiétante qui émanait de la façade recouverte de crépi en sable de mer.

Ils quittèrent les lieux pour se rendre chez Ebeneser où ils apprirent qu'il était parti travailler. Sa femme accueillit avec le sourire ces deux policiers inconnus qui demandaient à parler au directeur d'école. Celui qui portait un uniforme piqua sa curiosité. En dépit de son accueil avenant, elle semblait surprise. Apparemment, Ebeneser l'avait informée de leur précédente visite. Elle tenta de découvrir ce qui les amenait en les questionnant d'un ton ferme et poli, mais ils restèrent évasifs.

L'oncle d'Eyvindur ne savait rien de plus sur les relations entre son neveu et Felix Lunden pendant leur jeunesse. Il pensait se souvenir de Felix, mais n'avait pas grand-chose à ajouter. Eyvindur avait peu d'amis et il ramenait rarement des camarades d'école ou des connaissances chez lui. Il préférait s'en abstenir, honteux des conditions de vie de sa famille et inquiet des réactions de son père.

– Je sais qu'il lui arrivait de lever la main sur lui, avait déclaré Sigfus alors qu'ils prenaient congé. Les deux policiers sentaient clairement que cela lui déplaisait de plus en plus de parler de son frère. Rien de bien grave, vous voyez, avait-il poursuivi, enfin, frapper un enfant, c'est toujours grave. En tout cas, Eyvindur avait peur de Ragnar, c'est l'une des raisons pour lesquelles je le prenais parfois chez moi.

– Eyvindur et Felix étaient amis ?

– Je suppose, oui, avait répondu Sigfus. Je me rappelle en tout cas les avoir vus traîner ensemble.

– Eyvindur vous a parlé de lui récemment ou depuis qu'ils sont adultes ? Vous savez s'ils avaient gardé le contact ?

– Non, il n'a jamais prononcé son nom.

Ils n'avaient pas pu en apprendre plus. Flovent voulait trouver cette femme aperçue dans la maison de Rudolf pour l'interroger sur la photo et l'enfance d'Eyvindur. Avec Thorson, ils se demandaient s'il était possible que cette ancienne amitié explique le meurtre commis au domicile de celui que l'oncle avait appelé le petit Lunden. Ils se demandaient également si Felix se cachait. Les deux hommes avaient manifestement autre chose en commun que leur profession. Ils étaient dans une certaine mesure liés l'un à l'autre par un passé, une scolarité, une amitié et une jeunesse.

– Que fait donc un fils de médecin avec un gamin pouilleux issu d'une famille à problèmes ? s'interrogea Thorson quand ils eurent pris congé de l'épouse d'Ebeneser. Le fils d'un homme violent ? D'un criminel ? Et d'une mère incapable ?

– Ce n'est pas si surprenant, répondit Flovent. Nous ne sommes pas très nombreux et les gens d'ici sont unis par des tas de liens, même s'il y a des classes sociales nettement plus marquées que beaucoup veulent bien le dire. Ils ont dû se retrouver régulièrement au fil du temps. En tout cas, ils étaient tous les deux représentants et faisaient l'un comme l'autre des tournées en province. Il y a peu de chance qu'ils ne se soient pas croisés.

– Et tout ça se termine par une balle dans la tête d'Eyvindur ?

– Oui, ça s'achève de cette manière terrible.

– Tu ne crois pas que Felix l'a tué ?

– Si, ça me semble très probable.

– Eyvindur s'est procuré la clef de son appartement d'une manière ou d'une autre.

– Sans doute.

– Et Felix l'a surpris… ?

Ils trouvèrent enfin Ebeneser dans une des salles de classe de l'école. Penché sur le bureau, il sursauta violemment en les voyant entrer dans la petite pièce au mobilier adapté aux plus jeunes élèves. Les trois hommes semblaient gigantesques au milieu du petit mobilier.

– Vous… vous ici ? s'alarma Ebeneser en se levant d'un bond. Nous avons pourtant… je croyais que vous aviez fini de m'interroger ?!

– Oui, mais je dois vous soumettre quelques points de détail, répondit Flovent en lui tendant la main. Il sentit sa paume moite et remarqua son apparence aussi peu soignée que le jour où, à peine rentré de sa partie de pêche, il les avait fait entrer chez lui. Les cheveux ébouriffés, il ne s'était toujours pas rasé et son costume aurait eu besoin d'un bon nettoyage. Une bouteille de brennivin roula de sous le bureau et alla bruyamment heurter le pied d'une table.

– Ah… eh bien, elle est donc là ! déclara Ebeneser comme s'il avait surpris quelqu'un la main dans le sac. La présence ici de ce genre de choses n'est pas souhaitable, poursuivit-il en la ramassant. Il va falloir qu'on y remédie. Hélas… je savais qu'il la cachait ici… ou disons plutôt que… je soupçonnais qu'il… gardait ça en lieu sûr, enfin bon, c'est bien là… c'est tout à fait clair, bredouilla-t-il en posant la bouteille sur le bureau. Puis il se ravisa et la rangea dans un tiroir.

Flovent n'avait pas l'impression qu'Ebeneser était ivre. Ou alors, il dissimulait très bien son état. En revanche, les deux policiers étaient arrivés à un moment gênant. Flovent fit comme si de rien n'était, ne voulant pas froisser le directeur, et Thorson adopta la même stratégie. Ils le laissèrent donc jouer tranquillement sa petite comédie, d'ailleurs ceci ne les regardait pas.

– Nous essayons de… de traiter ce problème, reprit Ebeneser en se redressant. Je suis désolé que vous en soyez témoin. Le professeur en question… il… enfin… je… à dire vrai, je ne m'attendais pas du tout à vous voir débarquer à l'école. Vous avez le don de surprendre les gens.

– Nous avons appris que vous étiez ici, répondit Flovent, se rappelant brusquement qu'il n'avait pas eu le temps de vérifier les déclarations d'Ebeneser concernant les dates de son voyage en province. Il devait s'en occuper au plus vite.

– Felix a fréquenté cette école ? s'enquit Thorson.

– Oui, il était ici.

– Vous l'avez peut-être eu en classe ?

– En effet.

– Il était bon élève ?

– Tout simplement excellent, assura Ebeneser.

– Il était donc promis à un bel avenir ?

– Oui, c'est le moins qu'on puisse dire.

– Malgré tout, il est devenu représentant ?

Ebeneser hésita, se demandant comment prendre cette dernière remarque.

– Il aurait été logique qu'il réussisse mieux que ça ? glissa Flovent. Non que je méprise la profession de représentant, mais est-ce que ça n'a pas été une grosse déception pour sa famille ? On peut imaginer que oui, n'est-ce pas ? Vous êtes d'accord ?

– Je suppose que Rudolf aurait voulu qu'il exerce une profession plus prestigieuse. Oui, très probablement, si c'est ce que vous voulez dire.

– Mais il n'a pas réussi à le pousser dans cette voie ?

– Felix voulait poursuivre ses études, mais il n'avait plus... il n'avait plus les qualités requises. Il a quitté le lycée de Reykjavik pour partir à l'étranger. Au Danemark. Dans la famille de son père. Je crois vous l'avoir déjà dit. Mais bon, il n'a rien fait là-bas non plus.

– Vous rappelez-vous un jeune homme prénommé Eyvindur ? reprit Flovent. Eyvindur Ragnarsson. Il avait le même âge que Felix.

Ebeneser s'accorda un instant de réflexion. Il semblait peu à peu se remettre de la surprise que lui avait causée cette visite.

– Eyvindur Ragnarsson ? Oui, je m'en souviens. Il était ici il y a une dizaine d'années, si ma mémoire est bonne.

En même temps que Felix. Ce pauvre garçon portait toute la misère du monde. Il venait d'une famille à problèmes. Son père…

– Oui, nous savons qui était Ragnar, interrompit Flovent.

– … était une crapule. Tout simplement un criminel. Il me semble même qu'Eyvindur a été enlevé à sa famille, en tout cas pendant un temps. Et ce n'est pas arrivé qu'une seule fois. Cette famille était un vrai nœud de vipères. Le service de protection de l'enfance s'en est mêlé, ils ont bien été les seuls à s'occuper de lui. Sa mère en était complètement incapable.

– Vous vous souvenez d'elle ?

– Pas vraiment. Disons qu'elle n'était jamais là pour son fils. Pas plus d'ailleurs que le père. Ils laissaient ce gamin à la dérive, j'en ai bien peur. C'est l'un des pires cas qu'on ait vu dans cette école.

– Excusez-moi si je saute du coq à l'âne, mais pourquoi avez-vous dit tout à l'heure que Felix n'avait plus… les qualités requises ?

– Comment ça ?

– Vous venez de dire qu'il avait tenté de poursuivre ses études, mais qu'il n'avait *plus* ces qualités quand il a quitté le lycée. Que vouliez-vous dire ? S'il ne les avait plus, c'est donc qu'il les avait possédées à une époque ? Que s'est-il passé ?

Ebeneser répondit qu'il ne voyait pas trop où Flovent voulait en venir et jeta un regard en direction du tiroir où il avait rangé sa bouteille d'alcool, comme s'il était impatient de les voir disparaître afin de reprendre l'activité qu'ils avaient interrompue. Il ajouta qu'il ne pouvait malheureusement pas leur être d'un plus grand secours. On l'attendait à une réunion et si, pour une raison qui lui échappait, les deux policiers souhaitaient lui poser d'autres questions sur cette affaire, il était préférable qu'ils prennent rendez-vous. Il pouvait les recevoir à l'école ou chez lui quand ils le désiraient. Il était hélas occupé pour l'instant et s'ils voulaient bien faire preuve de compréhension…

Ebeneser se leva. Flovent voyait qu'il n'était pas à son aise dans cette salle de classe, mais il n'avait pas encore obtenu de lui ce qu'il attendait.

– Il nous reste à discuter des garçons, déclara-t-il.

– Des garçons ? répéta Ebeneser. Quels garçons ?

– Je ne sais pas, j'espérais justement que vous pourriez me l'expliquer.

– De quels garçons parlez-vous ?

– De ceux à propos desquels vous vous êtes disputé avec Rudolf Lunden.

22

Ebeneser le dévisagea longuement, sans un mot. Flovent attendait patiemment sa réponse tandis que le silence s'épaississait dans la salle de classe exiguë. Apparemment, ils étaient seuls dans le bâtiment. Il se passerait encore des semaines avant que l'école ne reprenne, après les grandes vacances. Alors, les couloirs s'empliraient de gamins pleins de vie, le teint hâlé par le soleil d'été. Pour l'heure, l'établissement était silencieux et froid, ses couloirs déserts. En venant là voir Ebeneser, Flovent n'avait pas imaginé l'étrange impression qu'il ressentirait à se promener dans une école primaire plongée dans sa torpeur estivale.

– Je… je ne suis pas sûr de comprendre, bredouilla le directeur, les bras croisés sur la poitrine.

– Vous nous avez assuré n'avoir pas vu Rudolf ces derniers temps, c'est faux. Nous savons que vous lui avez rendu visite très récemment et nous aimerions que vous nous en disiez un peu plus.

– Je… comme je vous l'ai déjà dit, je ne peux pas vous aider là-dessus.

– Cette rencontre a-t-elle eu lieu ?

– Eh bien, puisque vous insistez, consentit Ebeneser, ayant enfin trouvé comment lui répondre, oui, nous nous sommes rencontrés brièvement l'autre jour. Je ne voyais aucune raison d'en faire état parce que… cette… entrevue… concernait des affaires personnelles qui, à mon avis, ne vous regardent pas. Je ne sais pas d'où vous tenez ce renseignement, mais le fait que Rudolf et moi on discute ensemble n'est pas une nouveauté ! C'est mon beau-frère. C'est lui qui vous a dit ça ?

– La nouveauté, c'est que vous refusez d'en parler, je me trompe ? ironisa Thorson sans répondre à sa question. Vous semblez extrêmement réticent.

– Non, je n'ai aucune réticence. Simplement, c'est une histoire qui ne vous regarde pas, répéta Ebeneser d'un ton nettement plus ferme. On ne pourrait pas écourter cet entretien ? J'ai beaucoup à faire.

– Nous avons bientôt fini, répondit Flovent. De quoi avez-vous discuté ? De Felix ? Quels sont ces garçons dont il était question ?

– C'est un malentendu, plaida Ebeneser. Nous n'avons parlé d'aucun garçon. C'est Rudolf qui vous a raconté ça ? Dites-le-moi ! Je ne comprends pas pourquoi il a évoqué notre entrevue. Qui vous en a parlé ?

– Dans ce cas, quel était le sujet de votre dispute ? reprit Flovent, sur le point de perdre patience. Le nazisme qui vous séduit tant ? Vous ne vous êtes sans doute pas beaucoup querellés là-dessus ! À moins qu'elle n'ait porté sur les réunions du parti que vous fréquentiez assidûment ?

Ebeneser eut une moue de mépris, refusant manifestement de s'abaisser à répondre à de telles questions. Flovent envisagea un instant de poursuivre l'interrogatoire à la prison de Hegningarhus si le directeur s'entêtait à ne pas coopérer, mais il écarta vite l'idée. Opter pour cette solution revenait à faire d'une mouche un éléphant et risquait en outre d'attirer l'attention si la population apprenait que la police avait arrêté cet homme, ancien membre du parti nazi islandais, dans le cadre de l'enquête qu'elle menait sur Felix Lunden. Il lui fallait avoir en main des éléments nettement plus concrets que la réticence de cet homme à coopérer pour en arriver à de telles extrémités. Il tenta à nouveau de mettre à l'épreuve la patience d'Ebeneser en sortant de sa poche la brochure publiée à l'occasion de l'anniversaire de l'école.

– C'était eux, le motif de votre dispute ? s'enquit-il en lui montrant la photo.

Ebeneser prit le livret sans manifester aucune réaction. Après avoir longuement scruté le cliché, il leur demanda où ils avaient trouvé cette publication. Flovent répondit qu'il l'avait découverte parmi des missels au fond d'une valise appartenant à l'un des gamins qu'on voyait sur la photo.

Ce dernier était mort d'une manière affreuse récemment. C'était l'homme qu'on avait retrouvé avec une balle dans la tête au domicile de Felix.

– Et il s'agit d'Eyvindur, conclut Flovent.

– Eyvindur ? murmura le directeur.

– Oui.

– C'est lui ? C'est lui qu'on a trouvé mort chez Felix ?!

– Nous sommes enfin parvenus à l'identifier, précisa Flovent.

– Mais... et Felix ? Où est-il ?

– Nous espérions que vous nous aideriez à le trouver.

– C'est Felix qui l'a tué ? s'alarma Ebeneser.

– Nous n'avons aucun autre suspect pour l'instant, répondit Flovent.

Ebeneser continuait à fixer le document, cherchant manifestement ses mots. Flovent avait l'impression que plus leur entrevue durait, plus il avait du mal à les trouver.

– Vous pensez qu'il a pu arriver quelque chose à Felix ?

– Nous n'avons rien qui laisserait le supposer. Vous nous demandez si nous craignons qu'il n'ait lui aussi été tué ?

– Non, je ne vous... je ne sais pas où il se trouve, assura Ebeneser, si c'est la raison de votre visite. Je n'ai aucune idée de l'endroit où il pourrait être. Je dois vous dire qu'il me semble très peu probable qu'il ait fait une chose pareille, mais après tout, qu'est-ce que j'en sais ? Il y a très longtemps que je ne l'ai pas vu et... je ne sais pas à quoi il s'est occupé ces dernières années. Vous feriez mieux d'interroger Rudolf, son père. Je crains de ne rien pouvoir ajouter.

– En ce qui concerne cette photo...

– J'aimerais que vous me laissiez, si ça ne vous dérange pas. Vous m'apprenez là de bien mauvaises nouvelles... des nouvelles affreuses pour nous. Je veux dire, pour toute sa famille, enfin, vous imaginez. Je suis... je suis vraiment consterné. Si ce que vous dites est vrai, si Felix est effectivement... coupable de ces horreurs, pour nous qui le connaissons, il y a de quoi être effondré.

– C'est bien compréhensible, assura Flovent. Pouvez-vous nous dire à quelle époque et à quelle occasion cette photo a été prise ? Il nous faudrait les noms de ceux qui y figurent.

– Vous croyez que Felix a pris la fuite ?

– Il semble bien. Enfin, jusqu'à preuve du contraire. Concernant cette photo…

– Je crains de ne pouvoir vous être d'un grand secours, répéta Ebeneser.

– Ce ne serait pas le bâtiment de l'école que nous voyons derrière vous ? reprit Thorson.

– Si, je crois qu'elle a été prise ici à l'occasion de l'anniversaire de notre établissement. Vous êtes sûrs que c'est Felix qui a fait ça à Eyvindur ?

– Tous les indices vont dans ce sens. Ils ont fréquenté la même école, répondit Flovent en lui reprenant le livret. Vous savez s'ils s'entendaient bien ?

– Je l'ignore.

– Nous avons des raisons de croire qu'ils étaient amis à cette époque, peu importe ce qui est arrivé par la suite.

– C'est bien possible, mais je ne suis pas au courant.

– Pouvez-vous nous dire qui se trouve sur cette photo ? continua Flovent en lui présentant à nouveau le cliché.

– Eh bien, je suis là, évidemment, et ici, c'est Felix, juste devant moi. Eyvindur est à côté de lui. Là, vous voyez l'infirmière scolaire… et ce professeur décédé il y a quelques années. Je ne sais pas qui sont les deux autres garçons. Je me souviens d'Eyvindur parce qu'il était… enfin, on passait notre temps à régler les problèmes. Les autres élèves s'en prenaient à lui dans la cour de récréation et il avait du mal à se défendre. Vous êtes sûr que c'est bien lui que vous avez retrouvé chez Felix ?

Flovent hocha la tête en ajoutant que l'arme utilisée, de fabrication américaine, faisait partie de l'équipement des soldats. Pour l'instant, l'enquête ne s'orientait toutefois pas dans cette direction. Il se demandait s'il devait lui dire que le tueur avait tracé le symbole nazi sur le front de la victime. Presque personne n'était au courant de cette croix gammée. Il décida de lui dévoiler cette information. Ebeneser l'écouta, surpris et horrifié, puis déclara qu'il ne pouvait imaginer que Felix se soit livré à une chose pareille. Ni d'ailleurs quiconque.

– Vous croyez que son meurtre a un rapport avec leur amitié d'enfance ? demanda-t-il, hésitant, comme s'il craignait d'entendre la réponse. Si tant est que ce soit effectivement Felix qui l'ait tué.

– C'est possible, répondit Flovent. Vous souvenez-vous de quoi que ce soit sur leurs relations ? Étaient-ils amis dans leur jeunesse ? Ils sont ensemble sur cette photo. Ils ont dû faire un certain nombre de choses ensemble.

– Je suis malheureusement incapable de répondre à ces questions.

– Que pouvez-vous me dire au sujet de l'infirmière ? reprit Flovent, pointant à nouveau l'index sur la photo. Elle a travaillé longtemps ici ?

– Oui, quelques années, mais elle travaillait aussi dans d'autres écoles.

Ebeneser se tut.

– En tout cas, vous devez très bien vous souvenir d'elle, reprit Flovent, pour la bonne raison que vous la connaissez beaucoup mieux dans un autre contexte.

Le directeur toussota.

– Oui, en réalité, elle travaille chez Rudolf Lunden depuis plusieurs années.

– Exact. Quel emploi occupe-t-elle précisément ? Que fait-elle ?

– Tout et n'importe quoi, répondit Ebeneser. Elle lui prodigue des soins, s'occupe de lui. Disons qu'elle est sa gouvernante.

– Elle vit chez lui ?

– Oui.

– Ils sont en couple ?

– Non, ils ne sont pas mariés.

– Mais ils sont très proches ?

– C'est à eux qu'il faut poser la question. C'est elle qui vous a parlé de ma dernière rencontre avec Rudolf ?

– Non, je ne connais même pas son nom. Peut-être pouvez-vous me le dire ? pria Flovent.

– Elle s'appelle Brynhildur, répondit le directeur, Brynhildur Holm.

23

Le chef d'orchestre annonça que les musiciens s'accorderaient une pause de vingt minutes après le morceau de jazz endiablé assorti d'un solo de trompette plus entraînant encore. Les clients se mirent à danser avec une ardeur redoublée et, quand la musique se tut, tous quittèrent la piste en un clin d'œil pour aller s'installer autour des tables. À nouveau, les soldats s'agglutinaient au bar en s'apostrophant bruyamment avant de traverser, leur verre à la main, cette marée humaine, cette moiteur, l'épaisse fumée, les éclats de rire et toute cette frénésie.

Le dancing de l'hôtel Islande était plein à craquer. Les videurs avaient beaucoup de mal à refouler les nouveaux arrivants, parmi lesquels se trouvait Thorson. Il avait dû se résoudre à leur présenter sa carte de police et deux jeunes Islandaises qui attendaient depuis longtemps d'entrer dans le palais aux merveilles en profitèrent pour s'engouffrer à l'intérieur. La brigade de protection des mineurs était absente. Thorson fut entraîné par la foule jusqu'au bar. Ayant tout son temps pour s'offrir un verre, il attendit tranquillement qu'un des serveurs le repère. Ces derniers n'avaient pas un instant de répit.

Il y avait ici une foule de jeunes femmes aux cheveux joliment bouclés qui accompagnaient des soldats. Thorson entendait les rires communicatifs exploser sur les lèvres bien rouges, il voyait la joie de vivre briller sous les cils maquillés et les robes qui virevoltaient au rythme du jazz. Il fouilla la salle du regard à la recherche de son amie, mais ne la trouva pas. Elle lui avait confié qu'elle venait d'ailleurs, de Keflavik, un village situé de l'autre côté de la baie. Dans sa jeunesse, en admirant Reykjavik et ses lumières dans la nuit, elle s'était persuadée que cet océan lumineux lui offrirait une vie de conte de fées. Dès qu'elle avait eu l'âge et la possibilité de le faire, elle avait quitté son village et traversé la baie sans jamais regarder en arrière.

Thorson vida son verre et s'apprêta à repartir. Il croisa quelques camarades en se dirigeant vers la porte. Ces derniers l'invitèrent à les rejoindre à leur table et voulurent le faire boire. Il s'excusa, prétextant qu'il était plus ou moins en service. Allons, un petit verre de rhum ne fait de mal à personne ! L'un d'eux en plaça un sous son nez. Il s'éclipsa lorsque l'orchestre se mit à jouer un morceau très connu. Tous investirent la piste de danse et il en profita pour disparaître dans la nuit.

Il prit la direction des cabanes à filets qui longeaient le port. Leur première rencontre avait eu lieu à l'hôtel Islande. Elle lui avait avoué que Reykjavik n'avait pas tenu ses promesses sur la vie de conte de fées qu'elle avait espérée. La ville l'avait laissée dubitative. Les magasins étaient plus beaux, les bâtiments plus grands, les voitures plus nombreuses, il se passait plus de choses, mais en réalité il régnait ici la même atmosphère provinciale que celle qu'elle connaissait. Arrivée pendant la grande crise, elle s'était fait engager comme domestique dans une famille où elle avait trimé pour des patrons désagréables qui ne lui versaient qu'un maigre salaire. Elle les avait quittés au bout de deux ans, elle avait trouvé du travail toujours provisoire dans le poisson, occupé tous les emplois qu'elle pouvait, de jour comme de nuit. Les longues journées ne lui faisaient pas peur. Elle tenait à être un jour sa propre patronne pour ne plus être soumise à la surveillance constante de ses employeurs. Elle s'était mise en couple avec le propriétaire d'un bar divorcé, mais lorsque les troupes d'occupation avaient débarqué et que la ville s'était remplie de joyeux soldats, cette histoire était déjà terminée. Elle avait assez vite fait la connaissance de certains d'entre eux et, très rapidement, elle avait tiré des revenus de ces relations rapprochées. Elle n'en éprouvait aucune honte. Ils lui offraient aussi les sorties et l'alcool. C'était une femme pragmatique et honnête. Thorson s'était permis de lui demander pourquoi elle faisait ça. Il n'avait pas voulu la vexer et encore moins la juger, mais il voulait juste savoir ce qu'il en était. Elle lui avait souri, l'air étrangement lointaine, le regard vague, comme si elle n'était jamais parvenue à prendre pied dans le monde si fascinant qu'elle avait entrevu, autrefois, dans les lumières de la ville, depuis l'autre côté de la baie.

Thorson savait d'expérience que les excès allaient dans les deux sens. Cette amie était l'exact contraire d'une autre jeune femme avec qui il avait vaguement fait connaissance et qui travaillait à l'hôtel Borg. Cela n'avait pas été sans mal, même si, en tant qu'Islandais de l'Ouest, il maîtrisait couramment la langue. Le fait qu'il porte l'uniforme avait suffi à compliquer les choses. Cette jeune femme préférait avoir aussi peu de contacts possible avec lui ou les autres soldats. L'ayant récemment croisée devant l'imprimerie Isafold, il avait engagé la discussion et l'avait immédiatement sentie très mal à l'aise. Observant les passants d'un air presque apeuré, elle avait écourté leur conversation, puis s'en était allée. Thorson avait bien compris que c'était par prudence. Elle ne voulait pas se faire une mauvaise réputation qui aurait rejailli sur sa famille si on la voyait, ne serait-ce que quelques instants, discuter en ville avec un soldat. Les rumeurs naissaient à toute vitesse. Et les préjugés régnaient en maîtres.

Arrivé à la cabane à filets, il jeta un œil par la vitre crasseuse sans rien voir à l'intérieur. La porte était fermée à clef. Alors qu'il s'apprêtait à rebrousser chemin, il entendit du bruit dans son dos.

– Tu veux réessayer, mon petit ?

Il fit volte-face et découvrit son amie qui s'était approchée à pas de loup en rejetant un nuage de fumée. Elle avait en général une certaine élégance, mais là, son rouge à lèvres s'était étalé et le trait de khôl sous ses yeux avait coulé sur le fard de ses joues. En bas nylon et petite robe légère, elle avait jeté une veste militaire sur ses épaules et portait un bob blanc comme ceux des gars de la marine américaine.

– Non, répondit-il en lui souriant.

– Dans ce cas, qu'est-ce que tu viens faire ici ?

– Je voulais te parler. Et toi, qu'est-ce que tu fais ?

– J'attends.

Elle éclata de rire. Thorson comprit qu'elle n'était pas dans son état normal. Il l'avait déjà vue ivre, mais jamais à ce point.

– Tout va bien ? demanda-t-il.

– Ne t'inquiète pas pour moi, mon petit. Qu'est-ce que tu viens faire ici ? Qu'est-ce que tu veux ? Tu veux me parler ? Tu sais bien que je ne peux rien pour toi. Tu n'es pas comme ça, c'est tout.

– Je cherche une femme, répondit Thorson, préférant ne pas commenter leur dernière rencontre. Je me suis dit que tu la connaissais peut-être. Elle s'appelle Vera. Ça te dit quelque chose ?

– Pourquoi je la connaîtrais ?

– Parce que vous êtes toutes deux… Parce qu'elle fréquente sans doute des soldats…

– C'est si difficile à dire ? Allons, ne te gêne pas. Je suis comme je suis. Je n'ai jamais cherché à m'en cacher.

– Oui, elle… on m'a dit qu'elle s'était liée d'amitié avec des militaires.

– Liée d'amitié. C'est joliment tourné. Et c'est pour ça que tu crois que je la connais ?

– Je me suis dit qu'il fallait que je te pose la question. Au cas où.

– Vera ?

– Oui. Elle a quitté son compagnon. Elle recevait des invités la nuit quand il n'était pas en ville. Des militaires.

– Son nom ne me dit rien.

– Tu pourrais peut-être te renseigner ? Demander à tes amies ? Elle dirige sans doute une blanchisserie pour l'armée, nous sommes en train de vérifier, mais ça prend du temps parce qu'il y a beaucoup de femmes qui exercent ce métier.

– Peut-être que tu devrais aller parler aux gens de l'hôpital de Landakot ?

– À qui donc?

– Aux nonnes françaises. On finit toutes chez elles, tôt ou tard.

Thorson la dévisagea comme s'il ne comprenait pas du tout ce qu'elle voulait dire.

– Tu n'as jamais eu la chaude-pisse, pas vrai, mon petit?

Trois soldats américains apparurent à l'angle de la cabane et s'avancèrent. Le premier avait une bière à la main, le deuxième une bouteille de vodka et le troisième une cartouche de cigarettes.

– C'est eux que tu attends? demanda Thorson.

– Ils connaissent un baraquement qui fait boîte de nuit dans le quartier des Melar.

Les trois Américains saluèrent Thorson qui leur répondit en anglais. Ils ajoutèrent qu'en le voyant en tenue de ville, ils avaient cru qu'il était islandais, puis éclatèrent de rire. L'un d'eux prit son amie dans les bras et commença à la peloter. Thorson n'avait jamais vu ces hommes. C'était de simples marines, un peu plus jeunes que lui, des gamins de vingt ans. Mal dégrossis, tant dans leurs manières que dans leur langage, ils allumèrent une cigarette et burent au goulot. Thorson entendit l'un d'eux parler de Chicago. Peut-être venaient-ils de là-bas. Son amie écouta leur conversation, mais Thorson supposait qu'elle comprenait mal l'anglais.

– Alors, tu l'as sautée? demanda l'un d'eux sans ambages.

– Pas la peine d'être grossier, éluda Thorson.

– Excuse-moi, rétorqua le plus fort en gueule, je ne voulais pas être *grossier*. J'espérais juste que t'avais fini, que tu te casserais et que tu nous laisserais tranquilles, tu piges?

Ses copains éclatèrent de rire.

– Je n'ai pas l'impression qu'elle veuille vous suivre, fit remarquer Thorson. Elle me disait justement qu'elle n'avait pas envie de traîner avec vous. Sans doute parce que vous n'êtes tous que des nabots boutonneux.

Les trois Américains échangèrent un regard. Celui qui tripotait son amie la lâcha et tous vinrent se poster face à lui. Il se demanda s'il devait leur présenter sa carte de police militaire, mais il voulait éviter si possible de recourir à cette extrémité. De toute manière, étant donné l'état des compères, il n'était pas certain que ce document les impressionne. Son amie observait la scène sans intervenir.

– Tu te crois malin ? lança le marine.

– Je ne veux pas d'embrouilles. Fichez le camp et laissez cette femme tranquille.

– Tu veux lui interdire de venir avec nous ? En quoi ça te regarde ? Tu es son mac ou quoi ?

– Non, je ne suis pas son souteneur.

– Tu ne crois pas que c'est à elle de décider ce qu'elle veut ?

– Qu'est-ce qu'ils racontent ? demanda son amie en islandais. Il y a un problème ?

– C'est à toi d'en décider, répondit-il, mais tu ferais peut-être mieux de ne pas suivre ces types. Ce n'est pas très raisonnable.

– Enfin, qu'est-ce que tu racontes ? Ce sont de braves garçons, assura-t-elle.

– Ils ne parlent pas de toi avec respect.

– Je ne connais personne qui le fasse, mon petit, à part toi peut-être.

– De quoi vous causez ? s'agaça le soldat en fixant Thorson. Tu comprends leur charabia ?

Thorson s'apprêtait à les contourner pour continuer à plaider la cause de son amie quand l'un d'eux s'avança tout à coup, manifestement disposé à en découdre. L'Islandaise comprit qu'il s'était mis en danger. Il ne pourrait pas grand-chose contre ces trois hommes s'ils s'en prenaient à lui. Elle s'interposa, attrapa le marin par le bras et l'entraîna à l'écart. Ses deux camarades reculèrent également. Thorson les suivit du regard tandis qu'ils disparaissaient en emmenant son amie.

Il aurait préféré la voir dans d'autres conditions et faisait de son mieux pour ne pas imaginer ce qui se passait dans ce baraquement du quartier des Melar dont on prétendait qu'il faisait boîte de nuit.

24

Le grossiste qui employait Felix Lunden et l'envoyait faire ses tournées en province était très mécontent de la visite tardive de Flovent. Cet homme d'âge mûr, rangé et honorable, n'avait pas l'habitude de recevoir des hôtes à cette heure-là, comme il l'avait fait remarquer au policier quand il avait enfin consenti à le faire entrer chez lui. Le commerçant vivait seul, sa femme était morte et ses trois fils avaient quitté le foyer depuis des années. L'un d'eux travaillait à l'entrepôt avec lui et prenait peu à peu la succession de son père.

Flovent commença par lui expliquer plus exactement ce qui l'amenait. Il lui décrivit l'état dans lequel la police avait trouvé l'appartement de Felix et lui parla du meurtre qui y avait été commis, ajoutant qu'il avait sans doute lu tout ça dans les journaux. Le grossiste reconnut avoir entendu parler de cette affaire mais, sans nouvelles de son employé depuis un certain temps, il n'avait aucune idée de l'endroit où il se trouvait. Il lui raconta que Felix était venu le voir, à peu près six mois plus tôt, pour lui offrir ses services comme représentant, poste qu'il avait très à cœur d'obtenir. Le grossiste lui avait répondu que, pour l'instant, il n'avait besoin de personne. Felix avait alors proposé de travailler gratuitement pour faire ses preuves. L'offre était des plus inhabituelles, et le grossiste n'avait pas pu la refuser.

Felix lui avait fait très bonne impression, ce jeune homme rayonnait d'assurance, il était poli et savait se tenir. Il semblait né pour ce travail. Très vite, il avait effectué sa première tournée et ses recettes avaient dépassé toutes les espérances. Depuis qu'il travaillait pour l'entreprise, les ventes avaient grimpé en flèche et il fallait réassortir à toute vitesse. Le grossiste lui parla de diverses sortes de vêtements de plein air, de pardessus et de crèmes de beauté destinées aux femmes. Felix inspirait confiance, il y avait son sourire, sa poignée de main, son rire jovial. Il était capable de tourner à son avantage toutes sortes de situations auxquelles les représentants se voyaient confrontés mais, surtout, il avait le don pour traiter ses clients d'égal à égal.

Le grossiste assura ne pas avoir particulièrement lié connaissance avec lui, il n'avait aucune raison de le faire et n'entretenait pas de relations personnelles avec ses employés. Felix ne s'était pas étendu sur son parcours quand il avait sollicité cet emploi. Par exemple, il n'avait pas mentionné qu'il avait été élève au lycée de Reykjavik, ne lui avait pas dit qu'il avait écourté ses études ni qu'il était au Danemark lors de l'invasion allemande. Le commerçant ignorait son opinion sur la guerre, les nazis et les alliés, Hitler ou encore Churchill. Flovent avait posé les mêmes questions à Ebeneser et obtenu des réponses semblables. Il avait demandé aux deux hommes s'ils l'avaient entendu s'exprimer sur le Premier ministre britannique, mais ces derniers ignoraient ses opinions politiques. Il ne semblait pas le crier sur les toits, en tout cas ils ne l'avaient jamais entendu le faire.

– Vous savez pourquoi le métier de représentant l'attirait à ce point ? Pourquoi il tenait tant à l'exercer ?

– Non, il m'a dit qu'il se passionnait pour la vente et je me demande s'il n'a pas ajouté qu'il voulait voyager en Islande. Il n'a pas donné d'autres explications. Les hommes qui font ce métier sont souvent célibataires. Ils n'ont personne dans leur vie et, à force de traîner en ville, certains ont envie d'un peu de changement.

– Souhaitait-il aller dans des endroits précis ? Est-ce qu'il se rendait plus souvent à certains qu'à d'autres ?

– Felix décidait plus ou moins où il allait, disons, dans certaines limites. Il passait beaucoup de temps dans l'Ouest, dans la province du Vesturland et les fjords. Mais bon, il écumait aussi la péninsule de Sudurnes, tous les villages du cap de Reykjanes, et poussait parfois vers l'est jusqu'à

Selfoss. Il était courageux, ça, il n'y a pas à dire. Il s'arrêtait toujours un peu ici, puis repartait aussitôt et n'avait pas peur de travailler dans les secteurs les plus difficiles.

– C'est-à-dire ?

– Ceux où on vend le moins. Je parle surtout des fjords de l'Ouest. Il allait jusque dans les lieux les plus reculés et les vallées isolées. Il n'hésitait pas.

Le grossiste ne connaissait pas Eyvindur Ragnarsson, ce dernier n'ayant jamais travaillé pour lui, et il ignorait également tout de ses relations avec Felix. Jamais Felix ne lui avait parlé de cet homme.

– C'est assez surprenant qu'ils soient tous deux représentants, non ? observa-t-il. Ils ont peut-être eu un conflit de nature professionnelle ? Une dispute ?

– À quel sujet ? demanda Flovent sans lui dire qu'ils avaient fréquenté la même école.

– Eh bien, pour des histoires d'argent. Ou peut-être de femmes. Peut-être qu'ils se sont disputés un secteur. C'est toujours plus difficile de travailler dans une zone où les représentants sont nombreux, même s'il est ridicule de régler de telles broutilles d'une manière aussi violente. Ça n'aurait aucun sens.

– Avez-vous des exemples ? Des cas de conflits entre représentants ?

– Non, aucun.

Flovent l'interrogea ensuite sur leur collaboration, la fréquence des tournées de Felix, les lieux où il passait la nuit, ses voyages en ferry, les divers individus exerçant la profession, les manies de certains, et plus particulièrement celles de Felix.

– Je me suis demandé pour quelle raison il a utilisé un autre nom pendant sa dernière tournée, observa le grossiste. Ce n'était peut-être d'ailleurs pas la première fois qu'il le faisait, je n'en sais rien.

– Ah bon ?! s'étonna Flovent, qui s'apprêtait à partir. Il venait de consulter sa montre et ne voulait pas abuser du temps de son interlocuteur.

– Oui, je ne sais pas si c'était une habitude, mais il l'a fait au moins une fois.

– Un autre nom ? répéta Flovent. Il ne comprenait pas où le grossiste voulait en venir. Vous savez qu'il porte un nom de famille étranger. Felix Lunden. C'est ça que vous trouvez bizarre ?

– Non, évidemment. C'est bien son nom, mais il me semble que, justement, il ne s'est pas toujours présenté sous ce patronyme.

– Dans ce cas, comment se présentait-il ?

– Il utilisait le nom de Rudolfsson, fils de Rudolf.

– Felix Rudolfsson ?

– Oui. Je ne vois pas pourquoi. D'ailleurs, je ne lui ai pas posé la question. Ça ne me regardait pas.

– Comment avez-vous découvert ça ?

– J'ai dû le contacter pendant qu'il était en tournée, il n'y a pas longtemps. J'ai donc appelé l'auberge où il séjournait habituellement pour qu'on me le passe. On m'a demandé si je voulais dire Felix Rudolfsson. Je n'ai pas vraiment su quoi répondre. J'avais demandé à parler à Felix Lunden, mais la femme qui a décroché m'a assuré n'avoir qu'un seul Felix dans son registre et il s'appelait Felix Rudolfsson. J'ai donc demandé à lui parler et, quelques instants plus tard, Felix était au bout du fil.

– À votre avis, pourquoi n'utilisait-il pas son nom de famille pendant ses tournées ?

– Eh bien, je ne sais pas si on peut aller jusqu'à dire ça, répondit le grossiste. Cette fois-là, il s'était fait appeler Rudolfsson. Mais c'est tout. Je ne sais pas si c'était habituel. J'étais juste étonné de voir qu'il n'utilisait pas son nom de famille cette fois-là, mais je n'en ai rien laissé paraître. Ça ne me concerne pas. C'est son problème.

– Où était-il ?

– À Isafjördur. C'est la dernière tournée qu'il a faite pour nous. Ensuite, il est rentré à Reykjavik pour me rapporter ses commandes et les recettes qu'il avait encaissées. Puis, j'ai vu son nom dans les journaux et lu qu'il était sans doute l'auteur d'un meurtre.

– Donc, il se présentait sous l'identité de Felix Rudolfsson ?

– Le fait qu'il ne veuille pas utiliser le nom de Lunden était son problème, même si cela me semblait assez bizarre, et encore plus maintenant, depuis qu'on a trouvé ce pauvre homme mort chez lui.

– Lunden est un nom allemand, observa Flovent. Ce n'est pas le genre de chose susceptible de vous attirer des sympathies par les temps qui courent.

– Certes, dans ce cas ça se comprend, mais je me suis demandé s'il… s'il y avait une autre raison. S'il se cachait sous une fausse identité ou Dieu sait quoi.

25

Pour la deuxième fois en deux jours Flovent trouvait porte close chez Rudolf Lunden. Il frappa longuement et regarda par les fenêtres mais, ne distinguant aucune présence à l'intérieur, il se résolut à demander aux voisins s'ils savaient où était partie la famille. La maîtresse de maison âgée d'une cinquantaine d'années qui lui ouvrit la porte le renseigna. La veille, elle avait vu Rudolf partir à l'aube. Elle en ignorait le motif, mais ce n'était pas première fois que ça arrivait. Rudolf avait des problèmes de santé et il séjournait pour des périodes plus ou moins longues à l'hôpital. Elle avait entendu dire qu'il était cardiaque, mais, après tout, elle ne pouvait l'affirmer avec certitude. Campée sur le pas de sa porte, un tablier par-dessus sa robe de tous les jours et des lunettes à monture d'écaille, la voisine était des plus loquaces. Il lui semblait que la maladie de Rudolf était la raison pour laquelle on ne l'avait pas envoyé au Royaume-Uni, contrairement à grand nombre de ses compatriotes. Son mari, employé dans un ministère, avait entendu des bruits de couloir affirmant qu'on craignait qu'il ne survive simplement pas au voyage. C'était une question d'humanité, commenta-t-elle sèchement, considérant manifestement qu'on aurait pu s'en passer pour des individus comme Rudolf Lunden.

Flovent fut pris de remords en se rappelant qu'il avait fait conduire cet homme de force à la prison de Hegningarhus afin de pouvoir l'interroger correctement. Il n'avait pas apprécié son comportement. Cette attitude hautaine et cette condescendance l'avaient agacé au point de le pousser à opter pour cette solution inhabituelle. Depuis, il avait honte, non seulement parce que Rudolf était cloué sur un fauteuil roulant, mais aussi parce qu'il n'avait sollicité aucune autorisation de sa hiérarchie et qu'il doutait d'être dans son droit. Et maintenant que cette femme lui apprenait que le médecin était cardiaque, vraiment désolé il se demandait si la manière dont il l'avait traité n'était pas tout simplement la cause de son hospitalisation.

La voisine en avait moins à dire sur Brynhildur Holm. Elle savait toutefois que Rudolf l'employait comme gouvernante. Il recourait également aux services d'une femme de ménage à raison de deux fois par semaine, contrairement à elle et son époux qui avaient perdu la leur, partie travailler pour les Britanniques, ce qui l'obligeait désormais à s'acquitter toute seule des tâches ménagères. Elle ne savait rien de cette gouvernante et ignorait jusqu'à son nom, qu'elle apprenait d'ailleurs de la bouche de Flovent. Elle glissa en passant que Rudolf et Brynhildur Holm n'étaient pas du genre à fréquenter leurs voisins. Ils ne se fendaient même pas d'un bonjour quand on les croisait dans la rue, alors pensez donc! Ils recevaient rarement. Certes, il leur arrivait tout de même d'avoir des invités, surtout le soir, et ceux-ci repartaient tardivement, en tout cas à une heure où elle était déjà couchée. Flovent préféra ne pas le relever, mais il avait le sentiment que cette femme surveillait de près tout ce qui se passait dans sa rue.

Il la remercia de lui avoir donné ces renseignements et était déjà assis au volant de sa voiture quand il aperçut la jeune domestique qui montait l'escalier menant chez Rudolf. Il avait prévu de l'interroger à nouveau, mais n'en avait jusqu'alors pas eu le temps. Elle avait refermé la porte derrière elle quand il parvint en haut des marches. La jeune femme le reconnut immédiatement. Il déclara qu'il souhaitait lui poser quelques questions, si cela ne la dérangeait pas. Sur ses gardes, elle entrebâilla la porte et objecta que Rudolf était absent.

– Je sais, mais c'est vous que je viens voir. Vous m'avez dit quelque chose l'autre jour concernant la dispute entre votre patron et son beau-frère Ebeneser. Vous vous souvenez ?

Elle fit non de la tête.

– Vous m'avez dit les avoir entendus se disputer au sujet d'un groupe de garçons. Vous savez qui sont les garçons en question ?

– Non, je l'ignore.

– Ils fréquentaient l'école primaire ?

La jeune femme continuait de secouer la tête.

– C'étaient des amis de Felix ?

– Je ne peux pas vous aider, je suis désolée. Je n'aurais pas dû vous en parler. Je ne sais pas pourquoi je l'ai fait.

– Parce que vous appréciez Rudolf, n'est-ce pas la raison ? suggéra Flovent. Vous souhaitiez expliquer son comportement. Il est toujours aussi acariâtre ?

– Il a beaucoup décliné ces derniers temps, répondit la jeune femme. En vieillissant, il s'aigrit… Hélas, je ne peux pas vous aider plus que ça, désolée.

– Il a une gouvernante ?

– Oui, Brynhildur. Vous pourriez peut-être l'interroger, mais elle est absente en ce moment. Je dois me mettre au travail. Au revoir.

– Savez-vous où je peux la trouver ?

– Non, je l'ignore.

Rudolf Lunden avait été admis la veille au service de médecine générale de l'Hôpital national, dans le grand bâtiment blanc qui longeait le boulevard Hringbraut. Rien ne s'opposait à ce que Flovent aille le voir : les visites étaient autorisées, mais il ne fallait pas qu'elles soient trop longues. Rudolf dormait dans une chambre à deux lits dont l'un était vide. Le policier se demandait comment s'occuper en attendant que le malade se réveille. Il ne voulait surtout pas troubler son sommeil après ce qu'il venait d'apprendre. Le fauteuil roulant n'était pas dans la chambre. Aucun objet personnel ne figurait sur la table de nuit où reposaient un exemplaire du magazine *Andvari* et un de la revue *Skirnir*, tous deux propriétés de l'hôpital. Après avoir fait les cent pas quelque temps dans le couloir en jetant régulièrement des coups d'œil dans la chambre, Flovent céda à la curiosité et s'empara de l'exemplaire de *Skirnir* qui reposait, ouvert, sur celui d'*Andvari*. Ce numéro, daté de 1939, contenait diverses études traitant de littérature ou d'ethnologie. Rudolf semblait l'avoir abandonné au milieu de la lecture d'un article concernant l'origine des Islandais. L'auteur développait la théorie selon laquelle ces derniers descendraient d'une peuplade baptisée les Hérules, qui était originaire du pourtour de la mer Noire et était montée vers le nord de l'Europe à la faveur des grandes migrations.

Flovent s'empressa de reposer le magazine en entendant le soupir de Rudolf, qui ne tarda pas à ouvrir les yeux. Le policier se leva. Le médecin le reconnut immédiatement.

– Qu'est-ce... qu'est-ce que tu viens faire ici ? lança-t-il. Je ne veux pas te voir !

Rudolf n'avait visiblement pas pardonné à Flovent l'humiliation qu'il lui avait infligée. Son regard n'exprimait que mépris et il avait cessé de le vouvoyer.

– J'ai appris que vous étiez hospitalisé, répondit poliment Flovent en prenant soin de bien choisir ses mots. Il avait eu le temps de préparer son discours dans le couloir pendant que Rudolf dormait. Je souhaiterais vous poser quelques questions supplémentaires, je n'en ai pas pour longtemps. Notre enquête a révélé plusieurs choses que je voudrais vous soumettre et je crains que ça ne puisse pas attendre. Je sais que vous n'êtes pas en état, mais j'espère que vous pourrez m'accorder un peu de temps.

– Sors d'ici, murmura Rudolf en le fusillant du regard. À moins que tu ne sois venu pour m'emmener ? M'arracher à mon lit d'hôpital ?!

Flovent secoua la tête. S'efforçant de manifester de la déférence au médecin, il lui expliqua qu'il était passé chez lui la veille pour le saluer, mais il avait trouvé porte close et ce n'était qu'aujourd'hui qu'il apprenait son hospitalisation.

Il avait pensé que son humilité contribuerait à radoucir Rudolf, mais il s'était lourdement trompé. Le visage du médecin ne montrait qu'animosité et, quand il lui demanda à nouveau s'il pouvait lui poser quelques questions, il refusa en ajoutant qu'il avait chargé son avocat de déposer une plainte contre la police pour violences à l'encontre de la police. Flovent ne tarderait donc pas à recevoir des nouvelles de lui puisqu'il l'avait fait emmener à la prison de Hegningarhus sans motif valable et en dehors de tout cadre légal.

– Vous ne m'avez pas vraiment laissé le choix, objecta le policier. Vous refusiez toute discussion. L'expérience montre que, lorsqu'on les emmène à Hegningarhus, les gens sont plus enclins à coopérer. Je ne savais pas pour… pour votre maladie. Vous auriez dû m'en parler.

– Tu n'es qu'un crétin ! s'exclama Rudolf. Rien qu'un sale petit crétin sans éducation !

Flovent fut tenté de lui répondre que, justement, il souhaitait l'interroger sur celle qu'il avait dispensée à son fils mais, craignant d'aggraver son cas, il préféra s'abstenir. Il voulait lui demander si Felix l'avait déçu en choisissant le métier de représentant. Il avait envie de savoir pourquoi il avait quitté le lycée et si cela avait également été pour Rudolf source de déception. Une foule de questions de ce type l'obsédaient, mais il ne voulait pas être à l'origine d'une nouvelle attaque. N'étant même pas certain que les médecins autoriseraient une visite de la police dans ces conditions, il préférait d'ailleurs ne pas s'attarder.

– Vous avez été particulièrement peu coopératif, regretta Flovent.

– Tu n'es pas à la hauteur de ta tâche.

– Vous n'êtes pas inquiet pour Felix ? Vous ne vous demandez pas où il est et comment il va ?

– Ce qui m'inquiète ou pas ne te regarde pas ! Allez, dehors !

– À moins évidemment que vous ne sachiez où il se cache. Vous le savez ?

Rudolf ne répondit pas.

– Vous savez que votre fils se présente parfois sous le nom de Felix Rudolfsson ? Qu'il omet de mentionner son nom de famille ? Qu'il préfère ne pas utiliser le nom de Lunden ?

– Première nouvelle ! Quelle raison aurait-il de faire ça ? Qu'est-ce que c'est que cette bêtise ? Tu n'as rien de plus intéressant à m'apprendre ?

– Est-ce que le nom d'Eyvindur Ragnarsson vous dit quelque chose ?

Rudolf secoua la tête.

– C'est l'homme que nous avons trouvé au domicile de votre fils. Ce nom ne vous dit rien ?

Rudolf continuait à secouer la tête.

– Tu vas me laisser tranquille, oui ou non ? s'agaça-t-il.

– Vous n'avez aucune idée de la raison pour laquelle on l'a retrouvé mort chez votre fils ?

– Non, répondit Rudolf.

– Et vous ignorez également où Felix se cache ?

– Combien de fois vais-je devoir te répéter que je ne sais pas où il est ?!

– Vous craignez qu'il lui soit arrivé quelque chose ?

– Comment ça ?

– Qu'il ait eu le même sort qu'Eyvindur ?

– Tu veux dire qu'il serait mort ?

– Je suppose que vous avez envisagé cette éventualité. D'autant plus maintenant que vous êtes au courant de l'existence de cette capsule de cyanure. Craignez-vous qu'il ait mis fin à ses jours ?

– Je ne sais rien sur Felix. Je te l'ai répété je ne sais combien de fois, mais apparemment, tu es trop idiot pour le comprendre.

– Vous ne vous inquiétez pas pour lui ?

– Cette question ne mérite même pas que j'y réponde, lança Rudolf. Aucune de tes questions ne mérite une réponse ! J'exige que tu me fiches la paix !

– Apparemment Felix était un enfant très ouvert et dénué de préjugés, reprit Flovent. Vous saviez que gamins Eyvindur et lui étaient amis, ou tout du moins bons camarades ?

Rudolf se taisait.

– Je dis dénué de préjugés parce qu'un océan séparait ces deux enfants en ce qui concerne leur origine sociale. Eyvindur venait d'une famille à problèmes. Sa mère était alcoolique et son père délinquant connu pour sa violence qui l'a d'ailleurs mené en prison. Felix était un enfant de la bourgeoisie. Vous a-t-il parlé de lui ? Étiez-vous au courant de leur amitié ?

Rudolf continuait de garder le silence.

– Quelles raisons un fils de notable a-t-il de se lier d'amitié avec un garçon comme Eyvindur, qui vient d'une famille à problèmes et dont le père était un repris de justice ? Ils n'ont pas eu besoin de votre autorisation ? Ils avaient votre bénédiction ? Ou est-ce qu'ils se fréquentaient contre votre volonté ? C'était une façon pour Felix de vous provoquer ? C'est à ce moment-là qu'il a cessé de se conformer aux attentes de son père ?

– Dehors ! Je n'ai rien à te dire !

Flovent sortit la brochure qu'il avait trouvée avec Thorson chez Eyvindur, plaça la photo sous le nez du médecin et lui demanda s'il reconnaissait ces visages. Rudolf semblait résolu à l'ignorer royalement et à agir comme s'il n'était pas là. Flovent lui posa à nouveau la question mais, constatant qu'il demeurait de marbre, il entreprit de détailler le cliché. Il pointa l'index sur Ebeneser, sur Brynhildur, puis sur Eyvindur et Felix, et lui demanda s'il connaissait les autres. Rudolf ne consentit même pas à regarder la photo.

– Je crois savoir que Brynhildur Holm est aujourd'hui employée chez vous comme gouvernante. Je me trompe ?

Rudolf continuait de se taire.

– Pouvez-vous me confirmer qu'elle travaille chez vous ?

– Qu'est-ce que tu lui veux ?

– Je crains de ne pouvoir vous le dire pour l'instant, répondit Flovent aussi poliment que possible. Il avait beau éprouver pour cet homme une certaine compassion étant donné son état de santé, le mépris que le médecin manifestait à son égard l'agaçait fortement. Disons que je ne peux pas pour l'instant, ajouta-t-il, voyant le visage de Rudolf s'empourprer. Pouvez-vous me dire où la trouver ? Nous avons découvert qu'elle louait rue Njalsgata un appartement qu'elle a quitté il y a des années. Mon collègue doit interroger son ancien logeur et…

– Tout cela ne me regarde pas, tu peux continuer de divaguer tout seul autant que tu voudras, rétorqua Rudolf. Fiche-moi la paix. Je n'ai rien à te dire.

– D'accord. Il reste juste une petite chose dont je dois vous toucher un mot.

– Je refuse de te parler. Quand vas-tu te décider à le comprendre ?

– Qui est Hans Lunden ? s'entêta Flovent. Le docteur Hans Lunden ?

Rudolf leva les yeux, manifestement surpris d'entendre ce nom.

– Pourquoi cette question ?

– Il est venu en Islande peu avant la guerre, mais il est possible qu'il ait fait d'autres séjours ici, vous pourrez peut-être me le dire. Qui est-il et que venait-il faire en Islande ?

Rudolf ne répondit pas.

– C'est votre frère ? Comment a-t-il fait la connaissance du docteur Werner Gerlach, l'ancien consul ?

Flovent supposait qu'il continuerait à garder un silence obstiné et il avait raison. Allongé sur son lit d'hôpital, Rudolf se taisait et attendait simplement qu'il s'en aille. Il n'avait toutefois pas posé ces questions en vain. Certes, il savait à peine lui-même où elles pouvaient le conduire, pas plus qu'il n'était capable d'interpréter les éléments qu'il avait découverts avec Thorson, mais elles lui avaient permis d'informer Rudolf qu'il connaissait l'existence de Hans Lunden et de liens l'unissant au consul d'Allemagne. Si ces informations avaient de l'importance, Rudolf ne manquerait pas de s'interroger sur la manière dont il les avait découvertes mais, surtout, il se demanderait si Flovent en savait plus au sujet de Hans, de Gerlach et de leurs manigances. Il jugea bon de laisser le médecin méditer sur un autre point avant de prendre congé – provisoirement.

– Que pouvez-vous me dire sur les liens entre Brynhildur Holm et Hans Lunden ?

– Qu'est-ce que tu t'imagines donc avoir découvert ? répondit Rudolf, méchamment, après un long silence. Tu ne sais rien ! Tu n'as rien dans la tête !

– Qu'est-ce que je ne sais pas ? rétorqua Flovent. Vous n'avez qu'à me le dire. Qu'est-ce qui vous empêche d'être honnête avec moi ? Vous n'êtes pas inquiet pour votre fils ?

Rudolf garda le silence.

– Je souhaiterais vous interroger à nouveau sur le motif de votre dispute avec votre beau-frère Ebeneser. Concernant ces garçons. Je suis sûr que tout cela a un rapport avec Felix. Pouvez-vous le confirmer ?

Rudolf demeurait impassible.

– Pouvez-vous m'en parler ?

Un long moment s'écoula sans que le médecin consente à lui répondre. Flovent se disait qu'il valait mieux renoncer, cela ne servait à rien de le cuisiner sans relâche sur les points qu'il avait soulevés. Il décida donc de le laisser tranquille. Il baissa les yeux sur la table de nuit, sur la revue *Skirnir* et lui demanda s'il s'intéressait aux origines des Islandais et à cette théorie récente concernant les Hérules. Toujours aussi mutique, Rudolf se contentait de regarder par la fenêtre.

Flovent s'apprêtait à quitter la chambre quand Rudolf se tourna brusquement vers lui.

– Ils imaginaient qu'une nation d'exception vivait sur cette île, dit-il. Que l'Islande était une sorte de conservatoire…

– Qui ça, ils ? Et quel conservatoire ?

– Ces imbéciles !

– Quel conservatoire ?

– Ces… ces maudits imbéciles !

Rudolf se refusant à la moindre explication supplémentaire, Flovent prit congé en lui souhaitant un prompt rétablissement avant de quitter l'hôpital, désemparé. Il s'attarda un moment devant le bâtiment, réchauffant son visage au soleil généreux du mois d'août tandis qu'il s'efforçait de comprendre le sens de ce que lui avait dit le médecin à la fin de leur entrevue. Quelques instants plus tard, alors qu'il longeait l'aile ouest de l'établissement, il vit une femme à l'allure familière en sortir. Il sursauta en reconnaissant Brynhildur Holm, fut sur le point de l'interpeller, mais se ravisa aussitôt et préféra la suivre jusqu'à la colline de Skolavörduholt vers laquelle elle semblait se diriger à vive allure. Vêtue d'un long manteau noir, elle dépassa à grandes enjambées les baraquements militaires sans jeter le moindre regard alentour et en tenant serrée contre elle une petite sacoche noire comme celles que les médecins emportaient pour leurs visites à domicile.

26

L'ancien logeur de Brynhildur Holm était très désireux d'apporter son concours à la police, surtout après avoir appris que Thorson était un Islandais de l'Ouest. Il avait lui-même des cousins là-bas. Deux de ses oncles maternels avaient émigré avec leur famille à Winnipeg au tout début du siècle et continuaient d'entretenir une correspondance avec leurs parents restés en Islande. Il manifesta une grande curiosité concernant la vie de Thorson en Amérique. Le policier lui parla un peu du Manitoba, de ses grandes fermes, des figures saillantes de la communauté islandaise là-bas, des hommes de lettres et de ceux qui marquaient la vie sociale de leur empreinte, mais resta évasif sur sa vie privée, même s'il percevait clairement la curiosité du bailleur là-dessus.

Il se souvenait bien de Brynhildur. Elle lui avait loué un appartement rue Njalsgata pendant quelques années et toujours ponctuellement réglé son loyer. Jamais il n'avait eu à se plaindre de la célibataire. À l'époque, il avait craint qu'elle ne soit très seule car elle recevait rarement des visites et n'essayait pas de faire la connaissance des autres occupants de l'immeuble ni de ceux des maisons environnantes. Elle n'avait en revanche pas hésité à venir en aide à ses voisins. Dès qu'ils avaient appris qu'elle était infirmière, ils étaient venus la solliciter pour soigner des maladies bénignes et des petits bobos. À la connaissance du bailleur, elle n'avait jamais été mariée. L'attitude de cette femme l'avait toujours dissuadé de lui poser des questions personnelles.

Le propriétaire demanda à Thorson ce que la police militaire pouvait bien lui vouloir, incapable d'imaginer qu'elle ait pu contrevenir à la loi. Thorson éluda habilement sa question en lui répondant qu'il aidait la police de Reykjavik à résoudre de menus problèmes survenus entre les soldats et la population locale. Il lui raconta qu'elle avait sans doute été témoin de certains faits en s'appliquant à rester le plus évasif possible.

Son interlocuteur n'avait gardé aucun contact avec Brynhildur Holm depuis qu'elle avait quitté son appartement. Il lui était arrivé de l'apercevoir en ville, mais il ne savait ni à quel endroit elle avait déménagé ni où elle habitait actuellement. Il n'avait jamais entendu parler de Rudolf Lunden et ne connaissait que de nom Ebeneser, le directeur d'école. L'appartement autrefois loué par Brynhildur était à présent occupé par une famille nombreuse originaire des fjords de l'Est, le mari travaillait pour l'armée britannique dans la baie de Nautholsvik et gagnait bien sa vie.

Après l'avoir remercié, Thorson s'apprêtait à partir quand le bailleur déclara qu'il prévoyait depuis longtemps de contacter Brynhildur Holm car, lors de son déménagement, elle lui avait confié deux cartons de livres qu'elle n'était jamais venue chercher. Ils étaient toujours dans sa cave et, même s'ils n'étaient pas très encombrants, il préférait évidemment les savoir entre les mains de leur propriétaire. Il lui demanda donc s'il serait amené à voir bientôt Brynhildur. Thorson lui répondit qu'il devrait sans doute bientôt l'interroger.

– Ça ne vous gêne pas de lui rappeler l'existence de ces deux cartons ? demanda le bailleur.

– Je n'y manquerai pas, promit le policier.

– Ils sont chez moi, reprit-il en l'invitant à le suivre avant d'ajouter qu'il serait soulagé de s'en débarrasser au plus vite. Ils ne contiennent rien d'intéressant. J'ai vérifié. Je suppose que ce sont des vieux bouquins qui ne l'intéressent plus vraiment.

Il le fit entrer dans la remise qu'il avait dans la cave de l'immeuble et lui montra les deux petits cartons posés sur une étagère, parmi les outils et les boîtes de peinture.

– Il faudrait que je fasse un peu de tri là-dedans, s'excusa-t-il en parcourant les étagères du regard. Il y a un moment que je dois m'en occuper, mais je n'ai jamais le temps. Personne n'utilise cet endroit à part moi. Je pourrais sans doute jeter la plupart de ces choses à la décharge, voyez-vous.

Il prit un des cartons et l'ouvrit, il s'était dit plusieurs fois qu'il ferait mieux d'aller montrer ces livres à un bouquiniste pour savoir s'ils avaient de la valeur et, éventuellement, les vendre. C'est que ça coûte aussi de stocker ces cartons. Rien n'est gratuit dans ce monde. Tout se paie.

Il continua à parler comme un moulin en lui montrant l'intérieur du carton, qui contenait une quinzaine d'ouvrages, essentiellement des livres islandais pour enfants, parmi lesquels ceux de Nonni, certains en édition allemande. Le propriétaire en sortit un pour le feuilleter. Thorson remarqua que Brynhildur avait inscrit son nom à l'intérieur. L'homme replaça les livres de manière à qu'on ne voie pas qu'il y avait touché.

Le second carton contenait des ouvrages traitant des soins infirmiers publiés en Allemagne ou en Angleterre, des manuels d'enseignement, supposa Thorson. Le bailleur lui en tendit un d'où tomba un petit fascicule que Thorson ramassa. Traduit de l'allemand vers l'anglais, le document avait été publié à Londres cinq ans plus tôt et ne contenait qu'une vingtaine de pages. La couverture imprimée sur papier grisâtre et bon marché portait le titre et le nom de l'auteur. Thorson n'aurait accordé aucune importance à ce fascicule en le ramassant par terre si le nom de l'auteur, un certain Hans Lunden, ne l'avait pas frappé. Le titre, sous forme de question, avait également attiré son attention. *Peut-on faire diminuer le taux de criminalité par sélection génétique ?*

– Qu'est-ce que c'est ? Vous avez trouvé quelque chose d'intéressant ?

– Non, répondit Thorson en feuilletant le livret.

– Vous voulez peut-être le garder, proposa le bailleur, voyant qu'il était plongé dans sa lecture.

– Non, non, pas du tout, assura Thorson. En lui rendant le fascicule, il se rappela les propos de Graham et de Ballantine à la léproserie. Ils étaient au courant de recherches en génétique conduites par les nazis sur les repris de justice afin de prouver que le crime était inscrit dans les gènes. Ils lui avaient parlé d'expériences pratiquées dans les camps de prisonniers, et avaient mentionné celui de Buchenwald.

– Voilà tout ce que contiennent ces cartons et je n'ai pas l'impression qu'il y a là grand-chose d'intéressant, soupira le bailleur en remettant les ouvrages en place. Peut-être que la dame n'a même pas envie de les récupérer, mais ça ne lui ressemble pas. Elle a toujours été très correcte le temps qu'elle est restée ici et j'ai pu constater qu'elle prenait soin de ses affaires. Elle payait toujours son loyer en temps voulu. Je n'ai jamais eu besoin de la rappeler à l'ordre. Pas une seule fois. Vous lui rappellerez l'existence de ces caisses quand vous la verrez, n'est-ce pas ?

Thorson en fit la promesse et, dès qu'ils furent sortis de la cave, il prit congé de lui en le remerciant. Tandis qu'il s'éloignait au volant de sa voiture, il regretta de ne pas avoir emporté le fascicule pour le montrer à Flovent. Le plus intéressant était la brève présentation de l'auteur, Hans Lunden, sur la page de garde. On y précisait qu'il était né dans la province de Schleswig-Holstein, qu'il avait suivi des études de médecine à l'université de Stuttgart, puis travaillé comme professeur auxiliaire à la faculté de médecine de l'université d'Iéna et s'était spécialisé en génétique.

Thorson croyait se souvenir que Werner Gerlach, le consul d'Allemagne, avait aussi travaillé dans une équipe de recherche en génétique au sein de la même université.

27

Flovent hésitait. Tandis qu'il continuait à suivre Brynhildur Holm sur la colline de Skolavörduholt, veillant à ce qu'elle ne le repère pas, il se demandait s'il n'aurait pas mieux fait d'interrompre ce jeu de cache-cache et de l'interpeller pour lui poser ses questions. Il ne savait pas pourquoi il avait brusquement décidé de la prendre en filature plutôt que de l'interroger. Il supposait qu'elle avait rendu visite à Rudolf juste avant lui et qu'elle s'était attardée à l'hôpital, sans doute pour saluer des infirmières de sa connaissance, puis elle était sortie par une des portes de service au moment où lui-même quittait l'hôpital. Il l'avait vue se diriger à grandes enjambées vers le centre-ville, comme appelée par une affaire urgente.

Les Britanniques avaient installé leur premier camp militaire à Reykjavik au sommet de la colline et l'avaient baptisé Camp Skipton d'après un village du Yorkshire. Il y avait là environ soixante-dix baraquements qui occupaient l'espace où l'on prévoyait de construire plus tard une grande église en mémoire de Hallgrimur Pétursson, le grand poète et psalmiste du XVIIe siècle, et s'étendaient jusqu'à la clôture du musée consacré au sculpteur Einar Jonsson. Cette colline avait jadis été la principale voie permettant de quitter la ville et, au bord du chemin, il y avait Steinkudys, un tertre où les voyageurs jetaient des cailloux afin de s'assurer qu'ils arriveraient sains et saufs à destination. Sous ce tertre reposait la dépouille d'une pauvre femme originaire des fjords de l'Ouest, condamnée pour crime passionnel au tout début du XIXe siècle et morte en prison. Les autorités avaient refusé qu'elle soit inhumée en terre consacrée, on l'avait donc balancée là comme un chien, au sommet de la colline. Flovent regarda un instant l'ancien emplacement de la tombe désormais disparue sous un imposant baraquement militaire.

Brynhildur avançait dans la rue trouée de flaques d'eau qui longeait le camp. Bien qu'elle ne soit plus de la première jeunesse, un ou deux soldats sifflèrent à son passage. Confortablement assis au soleil, les militaires jouaient aux cartes et fumaient en plaisantant. Brynhildur les ignora superbement et, sa sacoche à la main, son manteau noir boutonné jusqu'au col, s'engagea dans la rue Skolavördurstigur.

Elle descendit jusqu'au croisement avec Bankastræti et prit la direction du port. En un clin d'œil, elle avait atteint la rue Hafnarstræti où elle ralentit légèrement avant de s'engouffrer dans une ruelle attenante. En la voyant disparaître brusquement au coin d'une maison, Flovent pressa le pas. Il ralentit à l'approche de la ruelle bordée par deux bâtiments, à proximité de la cantine de Marta Björnsson, et entra sans bruit. Il arriva dans une arrière-cour fermée et déserte. Incapable de dire quelle porte Brynhildur avait empruntée, Flovent imagina qu'elle était entrée dans l'un des bâtiments puisque le seul moyen de quitter cette cour intérieure était de passer par la ruelle.

Sans doute l'avait-elle repéré. Elle avait tenté de le semer en entrant ici. Il quitta la cour pour aller vérifier qu'elle n'avait pas traversé un des bâtiments pour rejoindre la rue mais, constatant que ce n'était pas le cas, il rebroussa chemin et tenta d'ouvrir les portes de service. Toutes deux étaient fermées. Brynhildur devait avoir la clef de l'une d'elles. Il quitta à nouveau la cour pour essayer d'entrer par l'avant du bâtiment.

De retour dans la rue, il tomba nez à nez avec un groupe de marins américains qui remontaient du port. Levant les yeux sur les immeubles, il remarqua un petit écriteau à peine visible posé à la base d'une des fenêtres, avec l'inscription *Hermundur Fridriksson, médecin.* Il se souvint alors que Rudolf Lunden avait eu autrefois un cabinet rue Hafnarstræti.

Brusquement, il comprenait où Brynhildur Holm s'était rendue si vite en quittant l'hôpital de Landsspitali.

N'ayant aucune idée de l'adresse exacte de l'ancien cabinet de Rudolf, il entra à tout hasard là où il avait vu l'écriteau. C'était un bâtiment à deux étages surmonté de combles et dont le vieil escalier raide grinçait énormément.

Il frappa aux deux portes du rez-de-chaussée mais, voyant que personne ne répondait, il monta à l'étage pour y tenter sa chance. Une femme d'un certain âge vint lui ouvrir. Elle se rappelait très bien le docteur Rudolf Lunden dont le cabinet se trouvait dans l'immeuble d'à côté, également à l'étage. Ces deux bâtiments abritaient autrefois des appartements et des locaux à usage professionnel, parmi lesquels deux cabinets médicaux. Depuis, le vieux docteur Hermundur était décédé et Rudolf avait cessé d'exercer. À sa connaissance, les deux cabinets étaient aujourd'hui déserts.

Flovent descendit les marches quatre à quatre pour rejoindre le bâtiment voisin. La porte donnant sur la rue n'était pas fermée à clef. Il entra dans le couloir sombre et, découvrant un escalier semblable à celui d'à côté, se demanda comment Rudolf s'était débrouillé pour gravir ces marches. Il ignorait depuis combien de temps le médecin était en fauteuil roulant, mais se disait qu'il avait sans doute cessé d'exercer pour cette raison. La voisine lui avait expliqué où se trouvait exactement le cabinet. La porte fermée à clef trembla lorsque Flovent posa la main sur la poignée. Elle ne semblait pas très difficile à forcer. Il la mit donc à l'épreuve sans plus tarder et la poussa avec insistance, puis entendit un discret craquement. La serrure céda et la porte s'ouvrit.

Il entra dans la petite salle d'attente meublée de trois chaises, aux murs recouverts de lambris. L'un d'eux était orné d'une photo encadrée représentant un paysage alpin. La pièce était plongée dans la pénombre, les rideaux étaient tirés à toutes les fenêtres et une épaisse couche de poussière s'était déposée sur les chaises. Une porte permettait d'accéder au cabinet, divisé en deux par une cloison qui séparait le bureau de la salle d'examen. Flovent actionna le bouton sur le mur, mais aucune lumière ne s'alluma. Il s'approcha d'une fenêtre et ouvrit le rideau pour y voir plus clair et découvrit alors les étagères à médicaments couvertes de poussière, des instruments de mesure de la vue, un bureau, une table d'examen, un secrétaire et des tiroirs ouverts contenant des masques et des seringues. Le cabinet fonctionnait manifestement à plein régime lorsqu'il avait fermé. Rudolf l'avait sans doute quitté au terme d'une banale journée de travail et n'y était jamais revenu.

Les traces qu'on apercevait çà et là dans la poussière autour du bureau et de la table d'examen indiquaient toutefois que quelqu'un avait récemment séjourné ici. En inspectant les lieux plus attentivement, il trouva des restes de nourriture, deux bouteilles de lait et un thermos de café dont il renifla le contenu. Il n'y avait aucun doute, quelqu'un s'était installé dans l'ancien cabinet.

Il resta un moment immobile et tendit l'oreille, mais ne discerna que les bruits de la rue en contrebas.

– Felix! cria-t-il. Felix Lunden! Vous êtes ici?

Sa voix résonna sans obtenir aucune réponse.

En retournant dans la petite salle d'attente, il découvrit une porte permettant d'accéder à l'arrière du bâtiment et donnant sur un étroit escalier de secours. Il supposa que Brynhildur Holm s'y était réfugiée, puis qu'elle en était redescendue en l'entendant s'acharner sur la porte d'entrée. Felix était sans doute parti avec elle. Quoi qu'il en soit, il était évident que quelqu'un était venu récemment dans le cabinet de Rudolf Lunden. Il s'apprêtait à descendre l'escalier, mais il se ravisa. De toute manière, il était trop tard pour rattraper l'infirmière.

Quand il retourna dans la salle d'attente, ses yeux s'étant habitués à la pénombre, il vit la sacoche noire que Brynhildur transportait en sortant de l'hôpital et l'ouvrit. Elle ne contenait ni remèdes ni matériel médical, mais du ravitaillement, un rasoir, du savon, des journaux, du café et des sandwichs.

Flovent prit le rasoir et entendit un léger craquement dans un coin. Il alla regarder et remarqua le grand placard à vêtements presque invisible dans le mur.

– Felix ?

Il tendit l'oreille.

– Brynhildur ?!

N'obtenant aucune réponse, il s'avança lentement.

– Felix ? appela-t-il à nouveau.

Voyant qu'il n'obtenait toujours aucune réponse, il s'apprêtait à tirer d'un coup sec sur la poignée du placard quand la porte s'ouvrit violemment, dévoilant un inconnu qui bondit aussitôt sur lui. Flovent eut juste le temps d'apercevoir un objet scintiller dans la main de son assaillant, puis ressentit une douleur vive à la tempe et à la nuque. En deux temps, trois mouvements, l'inconnu lui avait asséné deux coups en pleine tête. Il tenta de l'attraper, mais ses forces déclinèrent brusquement, son corps d'une lourdeur de plomb refusait de lui obéir, puis il perdit connaissance et ne sentit rien quand sa tête heurta bruyamment le plancher.

28

Le signalement arriva sur le bureau de Thorson alors qu'il terminait sa journée. Il était minuit. La soirée ayant été plutôt calme, il en avait profité pour contacter les blanchisseries qui travaillaient pour l'armée. Ces dernières poussaient comme des champignons depuis que le pays était occupé, ce qui permettait à nombre de femmes d'avoir de bons revenus en travaillant de manière indépendante.

Quelques jours plus tôt, Thorson avait accepté de remplacer un camarade le temps d'une demi-garde afin que ce dernier puisse aller pêcher la truite avec un ami au lac de Hafravatn, à l'est de la ville. Il connaissait ce bel endroit où le poisson ne manquait pas et où les membres de la police militaire allaient parfois se détendre pendant leurs permissions. Il avait tenté à plusieurs reprises de joindre Flovent au cours de la soirée, en vain. Il voulait lui parler du fascicule écrit par Hans Lunden, trouvé dans les livres de Brynhildur Holm.

Le signalement qu'il venait de recevoir concernait un destroyer amarré dans le port de Reykjavik. Membre d'une délégation américaine arrivée en ville quelques jours plus tôt, l'homme qui avait prévenu la police s'offrait une promenade du soir dans le quartier. Il avait affirmé qu'étant lui-même père de deux filles du même âge, il ne supportait pas d'avoir vu ce qu'il avait vu et souhaitait que la police militaire intervienne au plus vite. On confia cette mission à Thorson en soulignant qu'il était sans doute préférable de contacter les autorités islandaises et la brigade de protection des mineurs. S'il souhaitait que la police militaire lui envoie des renforts, il devrait attendre, tous les effectifs étant déjà mobilisés un peu partout en ville.

Il franchissait la porte de son bureau quand le téléphone sonna. Il décrocha. C'était Graham qui appelait de la léproserie. Thorson lui expliqua qu'il n'avait malheureusement pas le temps de discuter pour l'instant, il devait aller régler une affaire urgente.

– Alors, allez-vous bientôt mettre la main sur ce… ce Felix Lunden ? poursuivit Graham comme s'il n'avait pas entendu ce que son collègue venait de lui dire.

– On a bon espoir de le trouver très bientôt.

– Il est important de nous tenir informés… et de nous le remettre avant que les autorités islandaises ne viennent tout compliquer. Vous comprenez ce que je veux dire, n'est-ce pas ? S'il est impliqué dans une affaire d'espionnage et si vous l'avez vivant, bien sûr. En savez-vous plus sur ses activités en Islande ? Et sur l'homme trouvé mort à son domicile ?

– Oui, nous… la victime exerçait elle aussi le métier de représentant.

– Ah bon ? Vous croyez qu'ils ont eu un différend personnel ? Ils se connaissaient ?

– Probablement.

– Que faisait cet homme là-bas ?

– On ignore pourquoi il était chez Felix.

– Ce Lunden est sans doute dangereux. Il est armé ?

– Nous ne pouvons pas l'affirmer formellement.

– C'est quand même à supposer, observa Graham.

– Je n'ai hélas pas le temps… On m'attend pour une affaire urgente. On ne pourrait pas en discuter plus tard ?

– Tenez-nous au courant, conclut Graham d'un ton sec.

Thorson savait qu'il devait faire vite. Il préférait ne pas contacter la brigade de protection des mineurs avant d'avoir vérifié ce qui se passait sur le port. Cette brigade avait été créée afin d'éviter que de très jeunes filles totalement inexpérimentées aient des contacts trop intimes avec les soldats. Il avait déjà collaboré avec certains de ses membres et n'adhérait pas vraiment aux méthodes musclées qu'ils employaient pour surveiller les filles qu'ils expédiaient ensuite loin de la ville. À son avis, personne ne ressortait meilleur d'un séjour en maison de correction.

Il descendit donc seul en voiture, roulant à toute vitesse vers le port où il aperçut le destroyer. Il se gara près de la passerelle d'embarquement qu'il gravit au pas de course en quelques enjambées. Deux gardes apparurent et lui barrèrent la route dès qu'il fut sur le pont. Il leur présenta sa carte de police et demanda à voir leur supérieur.

– Qu'est-ce que tu viens faire ici ? demanda l'un d'eux, méfiant. Plus âgé que son collègue, il n'avait pas vraiment l'air de vouloir coopérer.

– Vous êtes seuls à bord ? se borna à répondre Thorson.

– Quasiment tout l'équipage est à terre, répondit le plus jeune. Tout comme les officiers, il n'y a que le second du commandant, il dort et nous avons interdiction de le réveiller.

– Sous aucun prétexte, renchérit le plus âgé.

– Je dois inspecter le bâtiment, déclara enfin Thorson. Je n'en ai pas pour longtemps.

– Inspecter le bâtiment ? rétorqua le plus méfiant. Et pourquoi donc ? Qu'est-ce qu'il y a à inspecter ?

– Nous avons reçu un signalement. Je dois vérifier s'il est fondé. Vous avez monté la garde ici toute la soirée ?

– Oui.

– Avez-vous admis des civils à bord ?

Les gardes se consultèrent du regard.

– Rien ne nous oblige à répondre à cette question, aboya le plus âgé.

– Allez-vous m'autoriser à monter à bord, oui ou non ?

– Pas sans l'aval de nos supérieurs.

Le plus âgé des gardes avait les cheveux noir de jais et les yeux bruns. Thorson se demanda s'il était originaire du Nouveau-Mexique ou d'un État voisin.

– Personne ne monte à bord sans leur autorisation.

– Dans ce cas, réveillez le second !

– Hors de question.

– Il y a des Islandais sur ce navire ? s'enquit Thorson.

– Pas à ma connaissance.

– Un témoin nous en a pourtant signalé plusieurs qui auraient embarqué il y a quelques instants.

– Tu as les papiers ?

– Les papiers ?

– Les autorisations signées et tamponnées.

– Ne jouez pas au plus malin, prévint Thorson, perdant patience. J'ai autre chose à faire. Soit vous me laissez monter et nous réglons le problème discrètement en évitant les complications, soit j'appelle tous les hommes disponibles et nous fouillons ce navire dans les moindres recoins pour chercher les Islandais qui s'y trouvent. Et qui sait si nous ne découvrirons pas d'autres choses ? Tout cela se soldera sans doute par des arrestations, des séjours en prison et un tas d'ennuis que nous préférons tous éviter. Sauf si vous avez envie d'expliquer à vos supérieurs ce qui s'est passé et pourquoi vous n'avez pas été capable de l'éviter. C'est ce que vous voulez ? Pour moi, ça ne change rien. C'est à vous de voir.

Les gardes échangèrent un regard tandis qu'ils réfléchissaient. Ils n'étaient plus aussi sûrs d'eux. Son petit discours semblait avoir porté. Bientôt, le plus âgé s'écarta pour le laisser passer.

Il descendit en vitesse sur les ponts inférieurs, longea les couloirs au pas de course en frappant aux portes des cabines. Les deux gardes n'avaient pas menti en disant que le bâtiment était presque vide. Ce destroyer ressemblait à un vaisseau fantôme. Thorson n'étant pas familier des navires de guerre, il ouvrit chaque porte sur son passage, inspecta chaque cabine, alla au mess où il trouva un gamin solitaire en pleine corvée de pommes de terre, s'égara jusqu'aux toilettes, descendit l'escalier menant au pont inférieur, puis à celui d'en dessous, jusqu'à atteindre les entrailles du navire, juste à côté de la salle des machines où régnait une odeur étouffante de mazout, de ferraille et de sueur. Il ouvrit une porte de plus et trouva enfin les deux jeunes filles que le membre de la délégation avait vues monter à bord en compagnie de quelques matelots.

L'homme qui avait donné le signalement avait affirmé qu'elles ne devaient pas avoir plus de quinze ans, que c'étaient en réalité encore des enfants, et Thorson constata qu'il ne s'était pas trompé. Elles étaient en compagnie de trois matelots ivres qui jouaient aux cartes, enveloppés dans un épais nuage de fumée. Des bouteilles d'alcool et des cigarettes encombraient les tables. L'une des gamines, toute débraillée, était assise sur les genoux d'un matelot. L'autre était allongée sur une couchette, les jambes nues sous sa robe légère, et fumait une cigarette. Deux des hommes étaient torse nu, le troisième portait un maillot de corps. Le plus âgé devait avoir environ cinquante ans.

– Nom de Dieu, tu es qui, toi ? lança le matelot qui tenait la gamine dans ses bras en se levant d'un bond, faisant presque tomber la môme par terre. Ses gros doigts étaient maculés de cambouis.

Des soutiers, pensa Thorson.

– Je ne veux pas de complications, prévint-il.

– Des complications ? Comment ça, des complications ? Qui fait des complications ?

Les deux autres le regardèrent, posèrent leurs cartes et se levèrent, surpris par cette intrusion.

– Ces jeunes filles doivent me suivre, annonça Thorson.

– Sur ordre de qui ?

Il sortit sa carte de police militaire, mais cette dernière avait apparemment peu de valeur à bord du navire. Le matelot la lui fit tomber des mains sans même la regarder. Thorson ordonna aux gamines de quitter immédiatement la cabine pour le suivre à terre. Elles semblèrent surprises de l'entendre s'exprimer en islandais, malgré les brumes de l'alcool, mais elles ne bougèrent pas d'un iota. Toutes deux blondes, elles étaient peut-être sœurs. Le rouge dont elles s'étaient maquillé les lèvres et les joues rendait la situation plus pitoyable encore aux yeux de Thorson.

– Elles n'iront nulle part, rétorqua le plus agressif.

– Les filles ! cria Thorson, regrettant d'être venu seul. Allez, dépêchez-vous ! Suivez-moi !

Les gamines sursautèrent, s'apprêtant à obéir. Brusquement, le matelot excédé par cette intrusion se rua sur lui et le projeta dans l'étroit couloir, puis tenta de lui asséner un coup de poing au visage. Thorson l'esquiva et le reçut dans l'épaule, ce qui le plaqua à la cloison. Il recula le long du couloir, poursuivi par le matelot qui s'était armé d'une grosse clef à molette. Il vit les deux autres sortir de la cabine derrière lui, et les gamines se faufiler devant eux. Le forcené retint une des filles et lui barra la route. L'autre cria à sa copine de la suivre, mais cette dernière ne parvenait pas à se libérer de l'emprise du matelot.

– Où tu vas comme ça? cria le matelot qui poursuivait Thorson en brandissant sa clef à molette. Je croyais que tu voulais causer?

– Laisse ces gamines partir et on pourra parler!

Thorson avait atteint l'escalier menant à la salle des machines. Il commençait à se demander s'il ne ferait pas mieux de renoncer pour aller chercher des renforts quand il entendit un bruit de pas au-dessus de lui. Le plus âgé des gardes commença à descendre vers lui et s'arrêta à mi-chemin.

– Rick, arrête tes conneries! ordonna-t-il au marin qui voulait en découdre avec le policier. Laisse-les tranquilles!

– Te mêle pas de ça, Cortez, ça te regarde pas!

– Arrête tes conneries! répéta Cortez. Ce gars est de la police militaire, espèce de crétin! Je t'avais dit qu'elles étaient trop jeunes. Je t'avais prévenu!

Rick hésita et leva les yeux vers le garde, il n'avait manifestement aucune envie de céder. Thorson saisit l'occasion et appela les gamines. Le matelot lâcha celle qu'il retenait prisonnière et toutes deux coururent rejoindre le policier qui s'engageait déjà dans l'escalier. Cortez et Rick continuaient de se fixer d'un regard hostile quand Thorson passa devant le garde en faisant avancer les filles devant lui jusqu'au pont supérieur. De là, ils empruntèrent un autre escalier qui les conduisit à l'air libre, puis atteignirent la passerelle avant de regagner rapidement la terre ferme.

29

Nettement plus endurcie que l'autre, l'une des gamines refusait catégoriquement de rentrer chez elle et de lui révéler son adresse. Il n'avait qu'à les laisser tranquilles, elle et sa copine. Elle commença par affirmer n'avoir nulle part où aller, puis reconnut avoir fugué de chez ses parents, en ajoutant qu'elle n'y retournerait pas. Moins butée, la seconde se montrait reconnaissante envers Thorson d'être venu les chercher au fond de ce navire. Elle vivait avec son père et ses deux frères à proximité du camp militaire de Tripolikamp et ça ne la gênait pas qu'il la ramène là-bas pour peu qu'il la dépose assez loin de la maison car son père détestait les soldats et lui avait souvent interdit de les fréquenter. Thorson ne prit pas la peine de lui demander pourquoi elle lui désobéissait. Elle avait sans doute ses raisons, mais il était fatigué et préférait ne pas s'engager dans ce genre de discussion. Se conformant à son souhait, il la déposa près du marais de Vatnsmyri après qu'elle eut enlevé le plus gros de son maquillage et promis de ne plus jamais monter sur un navire militaire.

Les deux copines se dirent au revoir. Thorson suivit la gamine du regard tandis qu'elle enjambait maladroitement les touffes d'herbe du marais pour rentrer chez elle. Il se demandait s'il n'aurait pas dû la confier aux autorités islandaises. Elle lui avait juré que son père la tuerait s'il apprenait qu'elle avait fricoté avec des soldats. Il la frappait parfois pour moins que ça, et s'en prenait également à ses frères quand il était ivre. Or il l'était la plupart du temps. Avant de la déposer, Thorson lui avait expliqué que, si elle avait besoin d'aide, elle ne devait pas hésiter à le contacter en appelant la police militaire.

La plus endurcie lui avait déjà demandé deux fois s'il n'avait pas une cigarette. Elle précisa qu'elle s'était échappée de la maison de correction où la brigade de protection des mineurs l'avait placée. Elle savait qu'elle y serait renvoyée dès qu'on la rattraperait, mais n'hésiterait pas à s'enfuir une nouvelle fois. Dès qu'elle eut constaté que Thorson respectait sa promesse de les déposer, elle et sa copine, à l'endroit où elles le désiraient, elle se montra toutefois moins hostile. Elle avait jusqu'alors répondu à ses questions par des cris, mais elle lui avoua alors qu'elle avait en ville une sœur aînée en mesure de l'héberger et lui donna le nom de la rue. Elle continuait cependant de soutenir qu'elle avait dix-huit ans alors qu'elle en paraissait tout au plus quinze. Il s'efforça de lui expliquer que, même si la majorité des matelots et soldats présents en ville étaient de braves garçons, ils étaient si nombreux qu'il y avait forcément parmi eux quelques brebis galeuses. Les fréquenter, c'était se mettre en danger, et les filles de son âge ne devaient les approcher sous aucun prétexte. Jamais.

Elle objecta qu'elle n'avait jamais eu aucun problème. Tous ceux qu'elle connaissait étaient gentils, ils lui donnaient de l'argent, lui offraient des cigarettes et des sucreries. Thorson tenta de lui faire comprendre que, s'ils lui offraient de l'alcool et des cigarettes, ils attendaient quelque chose en échange. Les jeunes filles de son âge n'avaient pas leur place dans cet univers, encore moins quand cela les menait dans les profondeurs d'un navire amarré dans le port de Reykjavik.

Il n'était pas sûr que cela serve à quelque chose de lui répéter des paroles qu'elle avait sans doute entendues plus d'une fois, mais il avait tout de même l'impression que la carapace de la gamine se fissurait. Les effets de l'alcool se dissipaient. Elle était assise, silencieuse, à l'avant de la jeep, petite et désemparée, ses jambes blanches et maigres dépassant de sa robe d'été, ses chaussettes blanches maculées de poussière descendues sur ses chevilles. Ses chaussures à bride n'atteignaient pas le plancher du véhicule. Quelques instants plus tard, elle se mit à sangloter. Thorson se gara sur l'accotement, éteignit le moteur et la prit dans ses bras pour la réconforter. Elle baissait les yeux, honteuse.

– Allons, ne pleure pas, petite.

– Je ne veux pas retourner en maison de correction, renifla-t-elle. Empêchez-les de me renvoyer là-bas. Ils viennent vous chercher chez vous, vous placent en garde à vue et vous envoient loin de la ville.

– Ne t'inquiète pas, je ne veux pas te faire subir un interrogatoire, rassura Thorson. Il faut juste que tu comprennes que ce que tu fais est très dangereux. Tu dois arrêter. Et ta mère, tu ne pourrais pas…

– Elle… elle… elle est toute contente quand je lui rapporte de l'alcool et des cigarettes.

– Et ton père ?

– Mon père ? répéta la gamine.

– Oui, il n'est pas… il est… ?

– Maman m'a dit qu'il venait des îles Vestmann.

– Tu ne le connais pas ?

– Non.

– Comment est-ce que tu rencontres ces hommes, ces matelots ? J'espère que tu ne fais rien avec eux.

– En ville, dans les bars. Au Ramona et au White Star. Un peu partout. Et non, je n'ai jamais rien fait avec eux.

– Et tu ne dois jamais le faire, répondit Thorson.

– Je sais très bien ce qu'ils veulent. Vous imaginez que je ne comprends pas ? Vous croyez peut-être que je n'en ai jamais rencontré de leur genre ? Il y en a un dans la rue qui me paie pour regarder pendant qu'il… enfin, vous savez bien. Tout ce qu'il me demande, c'est de le regarder…

– Nom de Dieu ! s'exclama Thorson. Tu dois absolument te protéger de ce genre d'individus. Ils peuvent être très dangereux et tu ne dois… tu ne dois pas non plus accepter ça…

– Ma sœur est… elle s'est trouvé un soldat. Elle est fiancée. Lui, il vient de Londres. Elle va le suivre là-bas pour vivre avec lui et elle deviendra anglaise.

La gamine avait dit cela comme si sa sœur avait décroché le gros lot.

– Et alors ? relança Thorson. Tu as envie de suivre son exemple ?

– Elle dit que c'est nettement mieux d'en dégoter un comme ça plutôt qu'un Islandais. Elle était sacrément contente quand elle les a vus arriver… je veux dire, les soldats… et elle passait son temps à sortir avec ses copines. Elles s'amusaient tout le temps. D'ailleurs, il y en a une qui est mariée, mais ça n'a aucune importance.

– En effet, je suppose, observa Thorson.

La gamine ayant repris ses esprits, il redémarra pour la conduire chez sa sœur. La soirée était avancée, l'écho des klaxons et des cris leur parvenait depuis le centre-ville lorsqu'ils se garèrent. La gamine ne disait rien, mais Thorson avait l'impression qu'elle lui était reconnaissante. Il était toutefois incapable de dire si c'était parce qu'il était venu la chercher dans le destroyer ou parce qu'il ne l'avait pas directement amenée à la brigade de protection des mineurs pour y être interrogée. Peut-être un peu des deux.

D'environ vingt-cinq ans, très occupée à se préparer, la sœur aînée était furieuse contre sa cadette à cause d'un événement qui s'était produit plus tôt dans la journée et dont la nature échappait à Thorson. Elle le jaugea du regard dans l'embrasure de la porte, mais dès qu'elle l'entendit s'exprimer dans leur langue, dès qu'il précisa être islandais de l'Ouest, il perdit d'un coup tout son attrait. Pfff, avait-elle soufflé, méprisante. Il lui conseilla de veiller un peu mieux sur sa sœur.

– Un peu mieux ? rétorqua-t-elle en cherchant une cigarette, les cheveux ébouriffés et les traits creusés, comme si elle avait un peu trop fait la fête ces derniers jours. Elle trouva son paquet et son briquet, la marque la plus prisée des soldats, et inspira la fumée. Qu'est-ce qu'elle a encore fait ? Elle est incontrôlable. Elle en trouve une nouvelle tous les jours.

– Elle n'a rien fait de mal, répondit Thorson. Elle était simplement en mauvaise compagnie.

– La brigade des mineurs l'a déjà ramassée deux fois, s'agaça la sœur. Ils l'ont envoyée à la campagne. Comme si ça servait à quelque chose.

– Je ne retournerai pas là-bas ! s'exclama la gamine.

– Ah, ferme-la, petite, gronda l'aînée en rejetant un nuage de fumée. Autre chose ? demanda-t-elle à Thorson, énervée.

– Non, surveillez-la d'un peu plus près, c'est une gentille fille.

– Pfff, frima-t-elle en lui claquant la porte au nez.

Thorson secoua la tête. Il n'était plus aussi certain d'avoir eu raison d'écouter la gamine en la ramenant ici. Il s'apprêtait à retourner à sa jeep quand il entendit l'aînée déverser sa colère sur la cadette.

– Qu'est-ce que tu fabriquais encore ? Où tu étais partie traîner ?

Thorson plaignait la petite.

– Tu ne vas tout de même pas me dire que tu étais sur un des bateaux ? Allez, avoue ! Réponds-moi ! Tu es complètement folle ?! Tu veux devenir une pute à matelots ?!

Thorson n'entendit pas la réponse. Il n'y eut qu'un petit claquement, la grande avait sans doute donnée une gifle à la petite.

– Tu ne pouvais donc pas aller chez Vera, espèce de crétine ?! Elle a passé la journée à te chercher ! Tu n'aurais pas pu aller la voir comme je te l'avais dit ?!

L'instant d'après, quelques coups retentirent à sa porte et l'Islandais de l'Ouest, membre de la police militaire, était encore là, joli garçon, mais l'air un peu trop fragile. Elle ne savait pas exactement ce qui l'agaçait à ce point chez lui.

– Oui ! Encore vous ?! aboya-t-elle. Qu'est-ce que vous voulez ?

– Vous avez bien dit Vera ?

30

Flovent ne reprit connaissance qu'au bout d'un long moment. Il lui fallut un certain temps pour comprendre où il se trouvait et se rappeler ce qui était arrivé. Il avait mal à la tête, c'était surtout sa tempe qui était douloureuse, mais il ignorait pourquoi. Il se souvenait vaguement avoir suivi Brynhildur Holm depuis l'hôpital jusqu'au centre-ville, puis gravi un escalier jusqu'au cabinet du médecin. Il porta sa main à sa tête. Quelque chose collait à ses cheveux et ses vêtements. Il était allongé sur le sol dur, plongé dans la pénombre. Seuls quelques rais de lumière filtraient par les fenêtres donnant sur la rue. Incapable de dire où il se trouvait exactement, il avait à la fois faim et envie de vomir.

Il se demanda un moment pourquoi il était allongé par terre sans trouver la réponse.

Il parvint à grand-peine à s'asseoir, l'esprit embrumé, le corps affaibli. Scrutant la pénombre, il distingua la table d'examen et le secrétaire, le bureau et le fauteuil, et supposa qu'il était encore dans le cabinet du médecin. En se remettant debout, il fut pris d'une violente quinte de toux accompagnée de terribles nausées. Les mains appuyées sur la table d'examen, il regarda en direction du placard dont la porte était encore grande ouverte et se rappela brusquement ce qui était arrivé. Quelqu'un avait poussé cette porte avec violence, puis avait bondi sur lui en le frappant à la tête. Il passa à nouveau sa main sur sa nuque endolorie et comprit que c'était du sang qui collait à ses cheveux.

– Il déteste son père.

Flovent se tourna brusquement, perdit ses appuis sur la table d'examen et manqua de s'effondrer au sol. Les yeux rivés vers la salle d'attente, il vit dans la pénombre une femme quitter sa chaise et s'avancer. Même s'il ne distinguait pas les traits de son visage, il la reconnut immédiatement.

– Brynhildur ? Brynhildur Holm ?

– Je suppose que vous m'avez suivie. J'ai compris trop tard que je vous avais conduit jusqu'ici.

– Ce n'était pas très difficile. D'ailleurs, je me suis souvenu que Rudolf Lunden avait son cabinet dans cette rue, avant.

– Nous vous avons entendu monter l'escalier, mais nous n'avons pas imaginé que vous forceriez la serrure. Vous étiez censé continuer à me suivre en passant par la porte de service et je suppose que vous ne m'avez pas vue. J'ignorais qu'il allait vous agresser. Il considère que c'est de la légitime défense. Mais bon, vous n'avez rien de grave.

– Vous parlez de Felix ?

– Il était parti à mon retour, continua-t-elle, la voix monocorde et lasse, le visage fatigué, apparaissant tout entière à la lumière du cabinet. Elle portait les mêmes vêtements que plus tôt dans la journée, ce long manteau noir et ces chaussures également noires, montantes et lacées jusqu'aux chevilles.

– Où est-il ?

– Je ne sais pas.

– Vous mentez, répondit Flovent en s'ébrouant pour se réveiller.

– Rien ne vous oblige à me croire. Je m'inquiète pour lui. Felix est très mal. Il est terrifié et désemparé. Il dit qu'il ne peut se fier à personne.

– Quelle raison aurais-je de croire ce que vous me racontez ?

– C'est comme vous voulez. À vous de décider ce que vous croyez, mais puisque vous êtes ici, autant vous expliquer les choses. Felix n'aurait pas dû vous frapper. Je tiens à ce que vous sachiez que je condamne de telles violences. Je savais que vous n'auriez pas de difficultés à… enfin, ce que je veux dire, c'est que je ne suis pas douée pour semer quelqu'un qui me suit. Il vaut mieux que nous discutions maintenant. Ça va ? Comment vous sentez-vous ?

– Vous êtes sa complice, éluda Flovent, vous le savez.

– Sa complice ?
– Il a tué Eyvindur.
– C'est faux. Il m'a juré que non.
– Et vous le croyez ?
– Oui, je le crois. Je n'ai aucune raison de mettre sa parole en doute. Je ne comprends pas que les autres en aient. Moi, je n'en vois aucune.
– Pourquoi ne se rend-il pas ? S'il est innocent. Pourquoi ce jeu de cache-cache ? Ce meurtre doit tout de même lui peser sur la conscience.
– Je n'arrive pas à comprendre pourquoi il a peur. Il refuse de me le dire. Je suppose qu'il ne veut pas que son père l'apprenne. Il imagine que j'irai immédiatement tout lui répéter. Leur relation est plutôt étrange.
Flovent pointa son index vers la sacoche de médecin.
– Vous avez assuré son ravitaillement.
– J'étais désemparée. Il m'a demandé de l'aider. Je ne pouvais pas lui tourner le dos. Il y en a assez comme ça qui l'ont fait. J'ai eu pitié de lui. Et même s'il ne m'a pas expliqué pourquoi il a peur, je sens qu'il est terrorisé et qu'il ne fait confiance à personne.
– Vous m'excuserez, mais je ne suis pas sûr de devoir croire ce que vous me racontez.
– Il m'a appelée, complètement bouleversé, en me demandant de l'aider. Il disait n'avoir personne d'autre à qui s'adresser. Une chose affreuse était arrivée, mais il a d'abord refusé de me dire laquelle. Puis, il m'a parlé du meurtre. J'ai essayé de l'amener à m'expliquer ce qui le terrifiait à ce point, mais il refuse catégoriquement. Il me dit qu'il vaut mieux que j'en sache le moins possible. Je ne comprends pas ce qu'il entend par là. En tout cas, il est dans cet état depuis le soir du meurtre.
– Je sais que lui et Eyvindur fréquentaient la même école et qu'ils étaient bons camarades, peut-être même amis, répondit Flovent. La fin tragique d'Eyvindur aurait-elle un rapport avec leurs relations passées ?
Brynhildur le regarda longuement sans rien dire.

– Écoutez-moi, reprit-elle, patiente. Il m'a juré qu'il n'a pas tué Eyvindur.

– Vous me l'avez déjà dit.

– Je lui ai bien sûr conseillé d'aller voir la police, je le fais depuis le début. Il me dit qu'il n'en a pas la force et qu'il doit encore attendre. Attendre quoi ? Je l'ignore. Il m'est très difficile de communiquer avec lui. Il ne veut rien me dire. Il a téléphoné à la maison et, quand j'ai décroché, je l'ai tout de suite senti désemparé et terrifié.

Brynhildur n'avait aucune nouvelle de Felix depuis plusieurs mois quand, tard dans la soirée, la sonnerie du téléphone avait troublé le silence de la maison à façade recouverte de crépi en sable de mer. Rudolf était couché, elle était la seule à être encore debout. Elle avait immédiatement compris que quelque chose de grave était arrivé à Felix, tellement bouleversé qu'il parvenait à peine à prononcer une phrase entière sans suffoquer. Quand elle était parvenue à le calmer, il lui avait raconté d'une traite ce qu'il avait découvert en rentrant chez lui. Il avait trouvé Eyvindur gisant dans son sang et s'était affolé. Il ne pouvait pas décrire ça autrement. Il avait immédiatement refusé de contacter la police, certain qu'elle ne le croirait pas mais qu'elle l'arrêterait et que quelque chose lui arriverait pendant sa garde à vue. Il avait supplié Brynhildur de ne rien dire à son père tant qu'il ne serait pas parvenu à découvrir ce qui se passait. Brynhildur avait perçu sa panique, elle l'avait cru. Et quand il avait demandé à la voir, elle lui avait donné rendez-vous à l'ancien cabinet de Rudolf. Elle savait où étaient rangées les clefs et lui avait répondu qu'elle le retrouverait devant cet immeuble où il s'était caché depuis lors. Elle avait tenté de lui faire comprendre qu'il ne pourrait pas y rester très longtemps, que la police se lancerait à ses trousses et que ce jeu de cache-cache ne pouvait que le desservir. Au début, quand il avait appris que les enquêteurs pensaient qu'il était la victime, il s'était dit que ça lui permettrait de gagner un peu de temps et de trouver des solutions. Elles n'étaient malheureusement pas très nombreuses. Brynhildur pensait qu'il n'avait contacté personne et qu'il n'avait même pas osé sortir du cabinet.

– C'est à vous de décider si vous me croyez, reprit-elle après avoir achevé son récit, mais je suis persuadée que Felix n'a tué personne, je ne crois pas qu'il ait ça en lui.

– Et qui donc aurait tué Eyvindur, d'après lui ?

– Il ne sait pas.

– Un soldat ?

– Felix était paniqué, il s'est enfui de chez lui à toute allure mais il est sûr que le meurtre était prémédité et qu'il a été commis avec beaucoup d'aplomb, peut-être en effet par un soldat ou un professionnel. L'assassin n'a pas hésité. C'est pour ça qu'il pense que le coupable est un étranger plutôt qu'un Islandais, même s'il reconnaît qu'il ne peut pas le prouver.

– Pourquoi craint-il qu'il lui arrive quelque chose ? demanda Flovent. De quoi a-t-il peur ? Pourquoi réagit-il comme ça ?

– Enfin, c'est évident, non ?

– Quoi donc ?

– Il est convaincu qu'Eyvindur a été tué par erreur et que c'était lui qui était visé. Il pense que les assassins sont toujours à ses trousses et qu'ils veulent l'abattre. C'est bien le problème. C'est pour ça que c'est si difficile. Ils le cherchent encore et il est persuadé qu'ils veulent le tuer !

31

Brynhildur avait tenu parole. Elle n'avait dévoilé à personne la cachette de Felix, pas même à son père. Elle voulait annoncer à Rudolf ce qui était arrivé avant qu'il ne l'apprenne par la police, mais n'en avait pas eu le temps. Elle n'avait pas trouvé le bon moment. Après la visite de Flovent, elle avait tout raconté à Rudolf, elle lui avait dit que Felix se cachait dans son ancien cabinet et lui avait expliqué pourquoi il refusait de se livrer à la police. Rudolf s'était alors retourné contre elle en lui reprochant de ne pas lui avoir tout raconté immédiatement et en exigeant que Felix se rende sur-le-champ.

Tout cela avait beaucoup affecté le médecin, malade du cœur, et pour noircir encore le tableau on l'avait emmené de force pour l'interroger au commissariat. La nuit suivante, pris de violentes douleurs à la poitrine, il avait été hospitalisé. Quand Flovent avait suivi Brynhildur, elle allait voir Felix pour lui dire que ce manège avait assez duré.

– Et vous imaginez que je vais vous croire? rétorqua Flovent.

– Bien sûr, je ne vous mens pas.

– Mais Felix? Il ne vous est pas venu à l'esprit qu'il ait pu inventer ce tissu de mensonges, qu'il ait affirmé qu'il était en danger juste pour vous convaincre de l'aider? Vous n'avez pas l'impression d'être trop naïve en le percevant comme une victime?

– Évidemment. Je lui ai fait part de mes réserves. Je lui ai bien dit que j'avais du mal à le croire. Je l'ai menacé de le dénoncer à la police s'il ne me disait pas toute la vérité. Je n'ai pas envie d'être accusée de complicité ou de connivence, comme vous dites, ni avec lui ni avec d'autres.

Flovent se remettait peu à peu et n'avait plus besoin de se tenir à la table d'examen. Encore engourdi par les coups qu'il avait reçus, il alla s'asseoir dans le fauteuil derrière le bureau. Brynhildur restait immobile, butée et inébranlable, prête à maintenir son témoignage quelle que soit l'issue de leur échange.

– Où est Felix en ce moment ? demanda le policier.

– Je l'ignore. Il était parti quand je suis revenue ici et il ne s'est pas manifesté depuis. Je n'ai aucune idée de l'endroit où il est.

Flovent ne put s'empêcher de sourire.

– Vous avez tort de le protéger ainsi.

– Je… j'ai décidé de croire ce qu'il m'a dit. J'ai décidé de le croire quand il m'a dit qu'il craignait pour sa vie. Je pense qu'à ma place vous auriez fait la même chose. Un homme a été abattu à son domicile et c'est lui qui était visé.

– Et vous avez continué à le croire même quand il vous a parlé de cette capsule de cyanure que nous avons trouvée dans sa valise ?

– Comment ça, cette capsule de cyanure ?

– Rudolf ne l'a pas mentionnée non plus ?

– De quoi parlez-vous ?

– J'ai dit à Rudolf que nous l'avions trouvée dans la valise de Felix. Le contre-espionnage des troupes d'occupation dont le quartier général est à la léproserie affirme qu'il s'agit d'une capsule-suicide de fabrication allemande. Vous n'êtes donc pas au courant de son existence ? Ni le père ni le fils ne vous en ont parlé ?

Brynhildur garda le silence.

– Quel usage Felix voulait-il en faire ? reprit Flovent. Pourquoi l'emmenait-il pendant ses tournées ? Quand comptait-il s'en servir ?

– Je ne sais rien de cette histoire, assura Brynhildur. Felix ne m'a pas tout dit. J'en suis consciente. Je vous ai déjà expliqué qu'il ne voulait pas m'attirer d'ennuis.

– Combien d'autres détails a-t-il omis ? Qu'est-ce que Rudolf préfère encore que vous ignoriez ? Qu'est-ce que vous refusez de me dire ? Je vous conseille d'arrêter de me sortir ces histoires à dormir debout et de passer aux choses sérieuses.

Où est Felix ? Arrêtez d'essayer de me faire croire que vous ne le savez pas. Il se précipite vers vous pour vous demander de l'aide au moindre problème. Vous êtes comme… comme sa mère. Où le cachez-vous en ce moment ? Où ?!

– J'ignore où il est, s'entêta Brynhildur. Et je n'étais pas au courant de l'existence de cette capsule.

– Ce sont les agents allemands qui utilisent ce genre de produit. Felix leur fournit des renseignements ?

Brynhildur ne répondit pas.

– Il attend de pouvoir quitter le pays ?! C'est pour ça qu'il ne se livre pas ? Ils vont venir le chercher en Islande ?

– Je ne comprends pas où vous voulez en venir. Quitter le pays ? Mais où voulez-vous qu'il aille ?

– En Allemagne ?

Immobile et muette, Brynhildur dévisagea Flovent qui essayait en vain de deviner ses pensées en scrutant son visage. Ses forces revenaient peu à peu. Il sortit de sa poche la brochure avec la photo prise dans la cour de l'école.

– Qu'est-ce que c'est ? s'enquit Brynhildur en prenant le livret.

– À vous de me le dire.

Elle s'approcha d'une des fenêtres pour mieux y voir. Un long moment s'écoula avant qu'elle lève les yeux sur Flovent.

– Où avez-vous trouvé ça ?

– Eyvindur conservait cette brochure chez lui, répondit Flovent. Ebeneser nous a confirmé que la photo a été prise à l'école. Je sais qu'il s'est récemment disputé avec Rudolf au sujet d'un groupe de garçons. De quels garçons s'agit-il ? Et que faites-vous sur cette photo avec Felix et Eyvindur ?

– Vous avez interrogé Ebeneser ?

– En effet.

– Et qu'a-t-il répondu ?

– Rien. Rudolf refuse également de répondre à cette question. L'oncle d'Eyvindur m'a dit qu'ils étaient amis, enfants. Ils venaient pourtant de familles que tout séparait. Le père d'Eyvindur était très… c'était un homme violent et une crapule, il a fait de la prison. Quant à sa mère, elle buvait. J'aurais cru que Felix avait interdiction de fréquenter un garçon issu d'une telle famille. Tout ce que j'ai réussi à arracher à Rudolf, c'est cette histoire de conservatoire. Il m'a dit que l'Islande était un conservatoire. Vous comprenez ce qu'il veut dire ? Vous pouvez me l'expliquer ?

Brynhildur fixait la photo.

– Pour quelle raison se sont-ils disputés au sujet de ces garçons ? répéta Flovent. De quels garçons s'agit-il ?

L'infirmière leva les yeux, s'approcha de lui et lui rendit la brochure. Cette femme était indéchiffrable.

– Qui vous a raconté ça ? Qui vous a parlé de cette dispute ?

– Ce n'est pas le problème. Êtes-vous au courant du motif de leur querelle ?

– C'est à eux qu'il faut poser la question, répondit Brynhildur. Cette photo a été prise dans la cour de l'école à l'occasion de l'anniversaire de l'établissement. Eyvindur et Felix allaient en classe ensemble, comme vous venez de le dire. Je n'en sais pas plus. Tout ça est loin, et on oublie vite.

– On voit aussi deux autres garçons sur cette photo.

– Oui, mais je ne me rappelle plus leurs noms.

– Et l'homme qui est avec vous et Ebeneser ?

– Je ne le connais pas, je suppose que c'était un des enseignants, répondit Brynhildur.

– D'accord, nous examinerons tout ça ultérieurement et plus en détail. C'est une chose dont ni vous, ni Rudolf, ni Ebeneser ne voulez discuter. Vous vous dérobez tous les trois en jouant les amnésiques.

– Eh bien, croyez ce que vous voulez.

– C'est pour ça que l'assassin a dessiné une croix gammée sur le front d'Eyvindur ?

– Une croix gammée ? Comment ça ?!

– Vous n'êtes pas au courant ? Felix, ou d'après lui quelqu'un d'autre a trempé son doigt dans le sang d'Eyvindur pour tracer une croix gammée sur son front. Savez-vous pourquoi ? Avez-vous une idée du sens de ce geste ?

Brynhildur était manifestement choquée.

– C'est abominable. Je l'ignorais.

– Felix ne vous en a pas parlé ? C'est pourtant le genre de chose qu'on n'oublie pas facilement.

– Peut-être qu'il ne l'a pas remarqué, répondit Brynhildur. Je suppose qu'il n'a pas eu la force de regarder le corps. Enfin, je ne sais pas, il ne m'a rien dit.

– Pourquoi marquer Eyvindur d'une croix gammée ? Quel message faut-il lire dans ce geste ?

– Je ne pense vraiment pas que Felix ait pu faire ça, affirma Brynhildur.

– Il doit bien y avoir un lien avec les nazis, vous ne croyez pas ?

– Je ne sais pas… enfin, oui, sans doute.

– Parlez-moi de Hans Lunden.

– De Hans ?

– Oui, du docteur Hans Lunden. Comment l'avez-vous rencontré ? Quel était le motif de votre visite chez Werner Gerlach, au consulat, juste avant la guerre ?

– Le motif ? Je n'y suis allée qu'une seule fois pour un dîner ! Je n'étais pas une habituée. Hans Lunden est le frère de Rudolf. C'était… oui, avant que la guerre n'éclate et… mais, si je puis me permettre, d'où tenez-vous tous ces renseignements ?

– Pour quelle raison Hans Lunden est-il venu en Islande ? Et qu'alliez-vous faire au consulat ? éluda Flovent.

– Il venait voir son frère, enfin, je suppose. Rudolf saura vous dire ça mieux que moi. Interrogez-le. Ce dîner était organisé en l'honneur de Hans Lunden. C'est un médecin célèbre en Allemagne. Ou disons plutôt un scientifique, et j'ai pu les accompagner.

– Qu'est-ce qu'il y a entre vous et Rudolf ?

– Entre Rudolf et moi, c'est-à-dire ?

– Quelle est la nature de vos relations ?

– Elles… elles sont excellentes. Si vous suggérez qu'elles dépassent le cadre des rapports habituels entre une gouvernante et son employeur, vous vous trompez.

– Donc, vous travaillez pour lui et ça ne va pas plus loin ?
– Oui.
– Rien de plus ?
– Non. Enfin, qu'est-ce que ça signifie ?! Vos questions ne me plaisent pas du tout, permettez-moi de vous dire qu'elles me déplaisent même beaucoup.
– Qu'entendez-vous par là quand vous dites que Felix détestait son père ? reprit Flovent, ayant compris qu'il n'obtiendrait rien de plus d'elle pour l'instant. Il savait qu'il devrait plus amplement l'interroger sur Felix et la placer en garde à vue.
– Comment ça ?
– Tout à l'heure, quand je suis revenu à moi, vous avez déclaré qu'il détestait son père. Vous parliez bien de Felix, n'est-ce pas ?
– Leurs relations sont glaciales et cela dure depuis longtemps, répondit Brynhildur. Je suppose que le mot détester est approprié.
– Comment cela se fait-il ?
– C'est à eux qu'il faut poser la question, répondit Brynhildur. Flovent avait l'impression qu'elle se dérobait. Elle ne voulait parler ni du père ni de son fils.
– Vous ignorez où Felix est allé ?
– Oui.
Flovent se leva, bien qu'encore un peu chancelant.
– Je ne peux malheureusement pas vous permettre de vous en aller, déclara-t-il. Vous le comprenez, je suppose. Vous devez me suivre.
Brynhildur le toisa avec insistance.
– C'est nécessaire ?
– Felix a selon toute probabilité commis un meurtre. Vous l'avez caché. Vous avez décidé de le protéger. Je crains de ne pas avoir le choix.
– Vous ne croyez pas à sa version.
– Non. Je n'ai aucune raison de croire un homme qui ne se rend pas immédiatement à la police quand des événements aussi graves se produisent chez lui.

Plus tard dans la soirée, Flovent retourna au cabinet du médecin.

Il avait placé Brynhildur en garde à vue, s'était nettoyé avec les moyens du bord et avait décidé de fouiller un peu mieux le cabinet de Rudolf avant de rentrer chez lui. Brynhildur n'avait opposé aucune résistance. Le suivant sans un mot au commissariat de la rue Posthusstraeti d'où on l'avait transférée à la prison de Hegningarhus, elle s'était uniquement inquiétée de savoir combien de temps elle allait devoir rester là. Flovent était incapable de lui répondre.

Équipé d'une lampe de poche empruntée au commissariat, il ouvrait les tiroirs et les placards sans savoir exactement ce qu'il cherchait sinon des indices permettant de découvrir où Felix avait pu aller se cacher.

Alors qu'il était presque entièrement entré dans le placard à vêtements d'où le fugitif avait bondi, il décida qu'il reviendrait le lendemain fouiller les lieux de manière plus méthodique. Le meuble était vide. Sa lampe de poche heurta la porte. Cela fit un bruit creux. Il tapota le fond du placard. Il n'y avait aucun doute. Il se mit à quatre pattes et repéra une irrégularité à la surface du bois en y passant ses doigts. Il parvint à desceller la planche à l'aide du canif qu'il gardait toujours dans sa poche. En dessous, on apercevait un petit tas de feuilles, des enveloppes contenant des prélèvements, des fiches sur lesquelles on avait noté des mesures anthropométriques et des questionnaires. Il les feuilleta rapidement. Certaines questions concernaient les conditions de vie de la famille, les habitudes de sommeil, le régime alimentaire et d'autres étaient surtout censées mesurer le degré de maturité psychologique et l'intelligence.

Flovent scruta longuement la cachette dans le double fond du placard. Les paroles de la jeune fille sur l'altercation entre Ebeneser et Rudolf concernant ce groupe de garçons résonnèrent de plus belle dans sa tête.

32

Encore furieuse après avoir déversé sa colère sur sa cadette, la jeune femme dévisagea Thorson comme si elle n'avait pas entendu sa question.

– Vera, répéta-t-il. C'est bien le nom que vous avez prononcé ? Pouvez-vous me dire de qui il s'agit ? Qui est cette femme ?

– Vera ? répéta la sœur de la gamine qu'il avait ramenée du destroyer sans recevoir le moindre remerciement. Debout derrière son aînée, la cadette frottait sa joue rougie par la gifle qu'elle venait de recevoir tout en lui lançant un regard hostile, comme s'il était responsable, comme si elle lui reprochait de s'être mêlé de ce qui ne le regardait pas.

– Oui.

– Qu'est-ce que vous lui voulez ?

– Elle… elle connaît un de mes amis, rusa Thorson. Je voulais juste savoir s'il s'agit de la même femme. Ce n'est pas un prénom très commun.

– Un de vos amis dans l'armée ?

– C'est ça.

– Elle lave leur linge, c'est Billy qui l'a aidée à démarrer son activité. Votre ami, il s'appelle Billy ?

Thorson hocha la tête.

– Donc, elle tient une blanchisserie pour l'armée ?

– On ne peut pas vraiment parler de blanchisserie, mais elle a une machine à laver offerte par Billy, et aussi une essoreuse et des cordes à linge. Elle a pas mal de travail. Ma sœur va parfois l'aider, poursuivit la jeune femme en fronçant les sourcils à l'intention de sa cadette, et Vera a en tout cas les moyens de lui donner quelques pièces pour sa peine.

Thorson interrogea longuement l'aînée jusqu'au moment où, alertée par sa curiosité, elle lui demanda ce qu'il lui voulait exactement. Elle lui avait alors déjà raconté comment Vera avait rencontré Billy, lieutenant dans l'armée de terre britannique, qui l'avait aidée à mettre sur pied son activité, si Thorson avait bien compris. Vera avait quitté son petit ami, un fainéant, et s'était construit une nouvelle vie. Elle avait gagné son indépendance et s'était débarrassée de ce pauvre type. Billy lui avait apporté sur un plateau de toutes nouvelles opportunités ou plutôt de nouveaux univers qu'elle n'allait pas se priver d'explorer.

La jeune femme confirma que l'ex-compagnon de Vera s'appelait bien Eyvindur, mais elle n'avait aucune idée de ce qu'il lui était arrivé. Elle avait entendu parler du meurtre commis en ville, mais ne connaissait pas l'identité de la victime, pas plus qu'elle ne savait si la police avait un suspect. À son avis, Eyvindur était en tournée, c'était Vera elle-même qui le lui avait dit. Vera avait d'ailleurs ajouté qu'elle comptait annoncer à ce pauvre type sa relation avec Billy dès qu'elle le pourrait. Elle avait attendu trop longtemps pour le quitter. Puis, tout à coup, la sœur aînée avait demandé à Thorson pourquoi il lui posait toutes ces questions et pourquoi il s'intéressait autant à son amie.

– Ils prévoient de se marier ? avait-il poursuivi au lieu de lui répondre.

– Oui, je crois.

– Sa voisi… euh, on m'a dit qu'elle recevait des soldats chez elle.

– Que… enfin, pourquoi toutes ces questions sur elle ? rétorqua la sœur, prenant la défense de son amie. Vous l'espionnez ? Qui êtes-vous ? Où avez-vous rencontré Billy ? Vous m'avez bien dit que vous le connaissiez, non ?

Considérant qu'il avait obtenu les informations qui lui manquaient, Thorson lui demanda de l'excuser. Il prétexta devoir se remettre au travail, une affaire urgente l'attendait. Il prit rapidement congé, remonta dans sa jeep et s'en alla. Malgré l'heure tardive, il ne pouvait se résoudre à attendre le lendemain. Il fallait qu'il aille immédiatement voir Vera. Elle avait le droit de savoir ce qui était arrivé à Eyvindur.

Il alla vérifier si Flovent était à son bureau rue Frikirkjuvegur, puis passa à Posthusstraeti au cas où il l'y trouverait et l'aperçut alors rue Hafnarstraeti, le pas lourd, plongé dans ses pensées, marchant vers le commissariat, une pile de documents sous le bras.

Thorson lui annonça qu'il avait découvert où était Vera et ajouta qu'il aimerait bien qu'il l'accompagne pour l'interroger. Flovent lui demanda de l'attendre le temps d'aller mettre les papiers en lieu sûr. Quelques instants plus tard, les deux hommes se dirigeaient en voiture vers le quartier ouest où Vera tenait sa petite blanchisserie. En route, Flovent relata ses aventures à son équipier. Felix soutenait qu'Eyvindur avait été assassiné par erreur, que c'était lui la vraie cible et qu'il n'avait rien à voir avec ce meurtre.

– Brynhildur est certaine qu'il dit la vérité. Elle affirme ignorer où il est en ce moment, mais j'ai du mal à la croire.

– Qui donc le poursuivrait comme ça? Pourquoi se cache-t-il?

– Elle dit qu'elle ne le sait pas non plus, Felix refuse de le lui dire. Elle va passer la nuit à la prison de Hegningarhus. Peut-être qu'elle nous en dira un peu plus demain matin.

Un peu à l'écart d'un groupe d'habitations à l'ouest du camp militaire de Camp Knox, la vieille maison en pierre consistait en un petit rez-de-chaussée surmonté d'un grenier. La pelouse, à l'arrière, était pleine d'innombrables cordes à linge sur lesquelles flottaient des draps blancs, des pantalons militaires, des vestes et des maillots de corps. Des volutes de vapeur et une odeur de savon envahissaient l'air, montant des lessiveuses posées sur l'herbe. La blanchisserie occupait apparemment la moitié du rez-de-chaussée. Les deux policiers supposèrent que Vera vivait dans le grenier.

La lumière qui brillait aux fenêtres vacillait dans la nuit. Ils virent à l'intérieur une silhouette qui vidait un lave-linge, plaçait le contenu dans une essoreuse, prenait une bassine, puis l'emmenait dans le jardin pour l'étendre, à la lumière de la porte ouverte. La femme, vêtue d'un grand tablier et chaussée de bottes militaires, avait du mal à transporter la lourde bassine. Elle ne voyait pas grand-chose dans l'obscurité mais semblait d'humeur joyeuse et chantonnait un air à la mode.

Ils approchèrent et la saluèrent. Elle les regarda tour à tour, puis se remit au travail.

– Vous m'apportez du linge ?

– Je vois que vous avez fort à faire, répondit Flovent.

– Ça n'arrête pas. Que voulez-vous ?

– Vous êtes bien Vera ? demanda Thorson. Nous recherchons une blanchisseuse de ce nom.

– C'est bien moi, répondit-elle en étendant un grand drap sur un fil. Que voulez-vous ? Je ne peux vraiment pas prendre plus de travail. Vous le voyez bien, je dois trimer jusqu'à la nuit noire même si j'emploie deux jeunes filles pour m'aider.

– C'est au sujet d'Eyvindur, annonça Flovent. Eyvindur Ragnarsson. Vous avez vécu ensemble, n'est-ce pas ?

Elle avait pris dans la bassine le drap suivant qu'elle lâcha pour se tourner vers eux. Bien faite, mais sans trop en jouer, elle avait le teint hâlé au sortir de l'été, ses épais cheveux blonds retombaient librement sur ses épaules et une petite cicatrice se devinait à peine sur sa lèvre, qui déformait légèrement sa bouche et la rendait sensuelle. Ses yeux bleus fixaient les deux hommes d'un air inquisiteur.

– Qu'est-ce qui lui arrive ?

– Vous n'avez pas appris la nouvelle ?

– Quoi donc ? Quelle nouvelle ?

– Il est mort, annonça Flovent.

– Quoi ?!

– Je suis désolé de vous annoncer ça d'une manière aussi brutale, mais nous venons seulement de découvrir où vous habitez. Nous avons voulu venir vous voir sans attendre. Ça n'a pas été facile de vous trouver.

– Mort ? Eyvindur ?

– Oui, mais ce n'est pas tout, ajouta Thorson. Il a été tué par balle ici, à Reykjavik. Vous n'en avez pas entendu parler ?

– Comment ça, tué par balle ? Qu'est-ce que vous racontez ?

Vera les dévisagea, stupéfaite.

– La vérité, j'en suis navré, reprit Flovent. C'est nous qui sommes chargés de l'enquête. Thorson travaille pour la police militaire. Le meurtre a très probablement été commis avec une arme appartenant à un soldat. Nous n'avons pas réussi à la retrouver, pas plus d'ailleurs que l'assassin.

Vera plongea sa main sous son tablier pour prendre ses cigarettes dans la poche de sa robe. Elle en alluma une en silence, l'air absent, tandis qu'elle prenait la mesure de la nouvelle.

– Vous n'étiez pas au courant ? demanda Flovent.

– Je… non, je suis partie, répondit Vera. Je voulais lui parler, mais… il était en province quand je… quand j'ai déménagé, je voulais aller le voir… mais j'ai été tellement occupée, ajouta-t-elle l'index pointé sur sa lessive en guise d'excuse. Tout ce que je sais, c'est qu'on a trouvé un homme mort dans un appartement en sous-sol. Je n'avais pas imaginé… qu'il puisse s'agir d'Eyvindur. Ça ne m'a pas effleurée. Je le croyais en province. Qu'est-ce que… vous êtes sûrs que c'est bien vrai ?

– Hélas, regretta Flovent. Son corps a été découvert dans l'appartement d'un de ses anciens camarades d'école, un certain Felix Lunden. Nous ignorons ce qu'il était venu y faire. Vous le savez peut-être ?

– Pas du tout, répondit Vera, mais son nom me dit quelque chose. Eyvindur me parlait parfois de Felix. Il est aussi représentant. Ils se connaissent depuis longtemps. Je ne comprends pas… est-ce que c'est ce Felix qui a fait ça ? Vous êtes à sa recherche ?

– Il est malheureusement impossible de se prononcer à ce sujet, répondit Flovent. Il se cache et nous n'avons pas encore réussi à le trouver.

– Mais pourquoi ? Pourquoi aurait-il tué Eyvindur ? C'est… c'est ridicule. Il était totalement inoffensif… il n'aurait pas fait de mal à une mouche. Jamais il n'aurait nui à personne. Il était… il était tellement gentil, il disait toujours qu'il n'était pas à la hauteur. Tout lui semblait insurmontable. Et maintenant on le tue ? Dieu tout-puissant, je ne savais pas. Je n'arrive pas à y croire. Je ne peux vraiment pas y croire !

Vera les dévisageait, stupéfaite.

– Ah ça non, je n'arrive pas à y croire, répéta-t-elle. C'est absurde ! Vous ne pouvez pas arriver ici comme ça et me raconter une chose pareille !

– C'est toujours difficile d'annoncer ce genre de nouvelle, surtout dans ces conditions, plaida Flovent. Mais hélas… c'est la vérité.

– Vous viviez quand même avec lui, glissa Thorson.

– Comment ça ?

– Il n'avait pas l'air très énergique. Qu'est-ce que vous lui trouviez ?

– Il était… j'en ai eu juste assez de lui, répondit-elle. Je n'ai réellement fait sa connaissance que lorsque nous avons commencé à vivre ensemble. J'arrivais de la campagne et j'étais nouvelle en ville. Lui, il connaissait Reykjavik comme sa poche et je le trouvais sympathique. Il m'a proposé d'emménager chez lui. Je n'avais pas de logement, alors…

Vera s'interrompit, pensive.

– On nous a raconté que la manière dont vous l'avez quitté n'est pas des plus glorieuses, reprit Flovent.

– C'est-à-dire ?

– Vous êtes partie en pleine nuit avec un soldat, vous avez mis vos affaires dans la voiture avant de vous en aller à toute vitesse sans jeter un regard en arrière.

– Vous avez discuté avec la mégère du premier ? rétorqua Vera. Elle me déteste. Tout ce qu'elle raconte sur moi est un tissu de mensonges. Vous ne devriez pas la croire.

– Elle affirme vous avoir vue avec un certain nombre de soldats en l'absence d'Eyvindur. Des hommes qui venaient chez vous, ajouta Thorson.

– Oui, ça ne m'étonne pas d'elle.

– D'autres nous ont répété la même chose.

– Quoi ? Vous faites mon procès ? s'emporta Vera en écrasant sa cigarette sous sa chaussure. Vous croyez peut-être que je suis la seule en ville à fréquenter des soldats ?

– Eyvindur était au courant ? demanda Flovent.

– Pourquoi cette question ? Vous croyez que je lui ai fait du mal ?

– Nous ne faisons que rassembler des informations, précisa Flovent.

– Il avait entendu des racontars en ville, répondit Vera. Il me l'avait reproché à sa manière personnelle, en hésitant et en bégayant, il en disait à la fois trop et pas assez. Je ne sais pas pourquoi je ne lui ai pas simplement dit ce qu'il en était. Je suppose que j'ai eu pitié de lui, que j'ai voulu le protéger. J'aurais dû lui expliquer que notre histoire était finie. Pour le peu qu'elle avait duré. J'ai fait semblant d'être terriblement vexée et consternée qu'il puisse ajouter foi à de telles rumeurs. Je suppose que je n'étais pas encore prête à lui dire la vérité. À lui annoncer que j'allais le quitter. J'aurais dû le lui dire tout de suite. Ça aurait été plus honnête, mais je n'y arrivais pas. Je ne suis d'ailleurs pas sûre qu'il ait voulu entendre la vérité. Il m'a dit que nous reparlerions de tout ça à son retour. Je n'ai pas répondu. Je savais que c'était fini. J'ai profité de son absence pour déménager ici, travailler pour l'armée et subvenir moi-même à mes besoins. Ce n'est sans doute pas très élégant de ma part. Mais ça n'aurait rien changé si je m'y étais prise autrement. Je l'aurais quand même quitté. Je sais que c'est assez cynique de dire ce genre de choses maintenant qu'il… qu'il est mort, mais c'est comme ça.

– Et vous ne l'avez pas revu depuis ? demanda Thorson.

– Si, une fois. Il est venu ici, il m'a retrouvée. Il m'a montré qu'il avait de l'argent et m'a demandé de revenir.

– Où avait-il eu cet argent ?

– Je l'ignore. Il n'y avait presque rien, il n'avait pas vendu grand-chose et je ne lui ai pas posé de questions. Ensuite, il est parti.

– Vous n'êtes pas très tendre avec lui, observa Flovent.

– Justement, si, répondit-elle, je n'ai rien à lui reprocher. Je tiens seulement à ce que vous soyez au courant de la situation. Eyvindur n'est… n'était pas un méchant garçon, pas du tout, mais j'avais compris que notre histoire arrivait à sa fin. Il n'était pas prêt à le reconnaître. J'avais essayé d'en discuter avec lui, mais il refusait d'en parler.

– C'est Billy qui vous a aidée à déménager ? glissa Thorson.

– Oui.

– En pleine nuit ?

– Je n'avais pas envie d'affronter les reproches des voisins. J'ai simplement disparu. Je n'avais presque rien à emporter à part mes vêtements. C'est tout. Eyvindur et moi n'avions pas grand-chose et je lui ai tout laissé.

– Et les autres soldats ?

– Les autres ? Comment ça, les autres ?

– Vos anciens voisins disent que d'autres aussi venaient vous voir la nuit. D'après eux, vous étiez entourée par un certain nombre de militaires.

– Ils peuvent raconter ce qu'ils veulent. Il n'y avait que Billy et… oui, parfois, il venait me voir avec ses copains.

– Et ils s'amusaient jusqu'au petit matin ?

– C'est interdit ?! Et jamais ils ne restaient jusqu'au petit matin ! Quelle sale bonne femme ! Ne croyez pas ce qu'elle vous dit. Je suppose qu'elle vous a raconté que je suis une pute. Elle peut parler ! Ça m'arrive régulièrement de croiser sa fille qui traîne ici, autour du camp militaire, et je peux vous assurer qu'elle s'occupe de bien d'autres choses que de la lessive des soldats ! Franchement, quelle fichue mégère ! Ce n'est qu'une faiseuse d'histoires !

33

Ils lui demandèrent si elle vivait dans la maison où elle lavait le linge. Elle occupait une petite pièce sous les combles et les invita à l'intérieur. Ils entrèrent dans la blanchisserie en s'excusant et en promettant de ne pas trop s'attarder pour cette fois, ils avaient juste quelques questions à lui poser et voulaient surtout savoir si elle était au courant de ce qu'Eyvindur était allé faire chez Felix. Elle continuait de travailler tout en leur répondant. Elle ignorait la raison de cette visite, mais se souvenait qu'Eyvindur avait été très surpris de rencontrer Felix à bord du *Sudin* et de découvrir que, comme lui, il était représentant. Il y avait des années qu'ils ne s'étaient pas revus, depuis qu'ils avaient quitté l'école. Issus de familles et de milieux sociaux très différents, ils n'étaient pas dans la même classe, ce qui ne les avait pas empêchés d'être amis pendant un moment. Puis cette relation avait pris fin : tout à coup, Felix s'était détourné d'Eyvindur.

Vera avait compris qu'Eyvindur avait peu d'amis et qu'il avait souffert dans cette école même s'il n'en parlait pas beaucoup. L'amitié de Felix comptait beaucoup pour lui. Eyvindur n'évoquait jamais sa mère, il faisait comme si elle n'existait pas, et il parlait rarement de son père depuis qu'il s'était vu forcé de se réfugier chez son oncle quand la famille avait été expulsée de l'appartement qu'elle louait. C'est à cette époque qu'il avait appris que son père avait fait de la prison pour diverses entorses à la loi, notamment pour violences, ce qui avait beaucoup surpris Vera car Eyvindur était le type d'homme qui n'aurait jamais fait de mal à personne.

Aux dires d'Eyvindur, les retrouvailles à bord du *Sudin* n'avaient pas été spécialement chaleureuses. Felix et lui n'avaient pas grand-chose à se dire. Eyvindur voulait l'interroger sur leur ancienne amitié et lui demander pourquoi il avait si subitement disparu de sa vie. Il avait confié à Vera qu'il était souvent allé frapper à la porte du médecin pour demander à voir son ami. Chaque fois, on lui avait répondu qu'il n'était pas là, puis un jour Felix lui avait déclaré qu'il ne voulait plus avoir aucun contact avec lui et demandé de ne plus venir les importuner par ses visites répétées.

Eyvindur était toutefois plutôt réticent à évoquer ces souvenirs. Il se dérobait chaque fois que Vera l'interrogeait et préférait ne pas trop parler de sa jeunesse. Il se montrait nettement plus bavard sur ses tournées même si, le plus souvent, il lui rapportait ses échecs professionnels. Il avait conscience que Felix était bien meilleur vendeur que lui. Il lui rappelait un autre représentant, un certain Runki, extrêmement doué et capable d'accomplir des prouesses dont Eyvindur rêvait.

Il avait confié à Vera un détail qui l'avait étonné. Felix s'était employé à étendre le périmètre de ses tournées. Il ne craignait pas de se rendre dans les lieux les plus reculés où ne vivaient que quelques pauvres gens et où les représentants risquaient de perdre leur temps et leur énergie. Felix affectionnait particulièrement ces endroits et les visitait infatigablement. Eyvindur supposait qu'il n'en tirait pas grand-chose, même s'il était un représentant hors pair.

– Ma question va peut-être vous sembler étrange, mais vous a-t-il parlé de lieux précis ? s'enquit Thorson. Est-ce qu'Eyvindur a dit des noms ? Y aurait-il des installations militaires dans certains de ces endroits ?

Vera secoua la tête. Il lui semblait que non, en tout cas elle ne s'en souvenait pas. Sympathique et diserte, elle ne manifestait ni impatience ni agacement en dépit de l'heure tardive. Au contraire, elle avait répondu à leurs questions de manière réfléchie et posée, s'efforçant avec leur aide de se rappeler des détails qu'elle avait oubliés. Malgré tout, Flovent ne pouvait s'empêcher de penser à son ex-voisine qui l'accusait d'être une fille à soldats et d'avoir le feu aux fesses. Il pensait aussi à l'enveloppe brune trouvée dans son salon. Elle avait tout de même trompé Eyvindur, puis l'avait quitté pour se jeter au cou d'un soldat britannique. Flovent s'efforçait de déceler chez elle des signes de regrets, de tristesse, de remords, de mauvaise conscience ou d'un violent trouble émotionnel engendré par ce qui était arrivé à Eyvindur, mais il n'en trouva aucune trace. La mort d'Eyvindur semblait ne pas l'atteindre si l'on excluait la surprise qu'elle avait manifestée en l'apprenant. Soit elle était plus cynique qu'elle en avait l'air, soit elle n'avait pas encore bien réalisé. En tout cas, sa réaction se faisait attendre.

– Pourquoi cette question sur les installations militaires ? s'étonna-t-elle. Est-ce que Felix s'y intéressait particulièrement ?

– Nous l'ignorons, répondit Thorson.

– Vous pensez qu'il faisait de l'espionnage ? Eyvindur m'a dit que son père était nazi.

– Rien ne nous permet d'affirmer que c'est un espion, assura Flovent. Est-ce qu'Eyvindur vous aurait laissé entendre ce genre de choses ? Essayez de vous souvenir. Il vous a parlé de Felix dans ce contexte ? Est-ce qu'il l'aurait vu prendre des photos pendant ses tournées ? Il posait des questions sur les déplacements des troupes ? Il s'intéressait à la construction des installations militaires ?

– Non, ça ne me dit rien, pourtant…

– Oui ?

– C'est étrange que vous parliez d'espionnage parce que, justement, ce Felix… eh bien, Eyvindur m'a dit un jour qu'il avait l'impression qu'il n'était devenu ami avec lui que pour le surveiller. Autrement dit pour l'espionner.

– Comment ça ?

– Felix passait son temps à lui poser des questions sur son père et préférait aller chez lui quand ils jouaient ensemble, il était très curieux de la manière dont vivait sa famille. Eyvindur trouvait ça bizarre.

On frappa à la porte de la blanchisserie. Un soldat britannique apparut dans l'embrasure, adressa un sourire à

Vera et lança un regard méfiant à Flovent et Thorson. Vera posa sa lessive et lui retourna son sourire en lui expliquant que les deux hommes étaient policiers. Elle se retrouva bientôt en difficulté, gênée par son anglais approximatif. Thorson l'interrompit, exposa la raison de leur présence au visiteur et lui fit part du décès d'Eyvindur. Trapu, le teint rougeaud, Billy Wiggins, le petit ami de Vera, lieutenant âgé d'une trentaine d'années, n'appréciait manifestement pas de voir d'autres hommes discuter avec sa dulcinée à une heure aussi tardive.

– *You okay, love*? s'enquit-il. Vera hocha la tête.

Il s'avança vers elle et l'étreignit, puis l'embrassa. La mort d'Eyvindur ne l'atteignait pas le moins du monde. Flovent consulta Thorson du regard, puis demanda à Vera de l'accompagner à l'extérieur. Billy s'apprêtait à les suivre, mais Thorson lui barra la route en disant qu'il devait l'interroger, il n'en avait pas pour longtemps. Billy commença par renâcler. Thorson était déterminé, il ne voulait pas lui causer d'ennuis mais avait juste besoin de lui poser quelques questions. Billy s'entêta à refuser mais céda quand le policier lui annonça que, s'il préférait, il pouvait aussi le faire emmener au commissariat, c'était simple comme bonjour. Il l'interrogea sur sa relation avec Vera, lui demanda comment ils s'étaient rencontrés et s'il connaissait Eyvindur.

– Pourquoi cette question ? rétorqua Billy Wiggins tout en observant d'un air inquiet Flovent et Vera qui discutaient dehors. Pourquoi vous ne me laissez pas tranquille ?

– Est-ce que vous le connaissiez ? répéta Thorson.

– Non, je ne l'ai jamais vu. Jamais vu ce type.

– Vous en êtes sûr ?

– Sûr ? Évidemment que j'en suis sûr. Vous me prenez pour un… pour un crétin, ou quoi ? Vous ne croyez quand même pas que j'ai quelque chose à voir avec sa… avec sa mort ?!

– Je n'ai jamais dit ça. Est-ce que ça vous inquiète ?

– Quoi donc ?

– L'idée de vous retrouver mêlé à cette affaire.

– Non, ça ne m'inquiète pas. Je n'ai fait aucun mal à cet homme. Vera est une chic fille et… et nous nous entendons bien. Il y a longtemps qu'elle avait décidé de le quitter. Elle attendait seulement le bon moment.

– Comment l'avez-vous rencontrée ?

– Comment ? À l'hôtel Islande. Elle était sortie s'amuser.

– Avec Eyvindur ?

– Non ! répondit Billy en éclatant de rire, comme s'il trouvait la remarque de Thorson d'une puérilité consternante. Non, elle n'était pas avec lui !

Dehors, Flovent regardait le linge flotter au gré de la brise nocturne. Vera avait allumé une autre cigarette dont elle inspirait la fumée tout en regardant Thorson discuter avec Billy par la porte ouverte de la blanchisserie.

– Vous n'avez aucune idée de la raison pour laquelle Eyvindur est allé voir Felix après toutes ces années ? demanda Flovent.

– Non, je… absolument aucune.

– Peut-être pour aborder une question de tournées ? Ou pour parler de leur enfance ? Quelque chose qu'il aurait voulu lui demander ? Est-ce qu'ils se revoyaient ? Ils avaient repris le fil de leur ancienne amitié ?

– Je ne peux pas vous aider là-dessus, répondit Vera en soufflant sur la braise de sa cigarette. Eyvindur parlait parfois de Felix, mais généralement en termes négatifs, comme quand il m'a raconté la manière dont il lui a tout à coup tourné le dos pour couper toute forme de relation. Eyvindur avait l'impression que Felix s'était servi de lui. En tout cas, il laissait entendre que leur amitié n'était en fin de compte pas authentique.

– On peut imaginer que Felix ait eu interdiction de le fréquenter, suggéra Flovent. Étant donné le milieu dont il venait. Je suppose que son père se montrait très sévère, en plus d'être snob.

– Oui. Eyvindur se posait encore la question. Il se demandait ce qui s'était passé.

– Vous a-t-il dit qu'il avait participé à des recherches dans son école ?

– Des recherches ? De quel type ?

– Je ne sais pas exactement, avoua Flovent. J'avais pensé que vous seriez peut-être au courant. Des recherches médicales sur la croissance et l'adolescence ?

– Non, je ne me rappelle pas qu'il ait mentionné ça. Un jour, il m'a parlé de l'infirmière scolaire dont j'ai oublié le nom et il m'a montré une photo d'elle où on voyait aussi Felix.

Flovent sortit la brochure qu'il avait trouvée chez Eyvindur. Vera lui confirma que c'était bien la photo en question. Elle s'approcha de la porte de la blanchisserie pour l'examiner à la lumière.

– Je me demande si ce n'était pas lui, murmura-t-elle, comme en aparté.

– Lui ?

– Celui-là, répondit-elle, l'index pointé sur le garçon entre Felix et Eyvindur. Il me semble qu'il m'a parlé de lui. J'ai oublié son nom, mais il racontait la même histoire à propos de Felix.

– La même histoire ? C'est-à-dire ?

– Eyvindur et lui ont vécu le même genre d'expérience, précisa Vera. Eyvindur l'avait croisé, ils avaient discuté de Felix et s'étaient rendu compte qu'ils avaient vécu une histoire très semblable. Felix avait tout fait pour connaître ce garçon à l'époque, il s'était lié d'amitié avec lui et l'avait beaucoup fréquenté, puis tout à coup il avait arrêté de le voir et ne lui avait plus jamais adressé la parole.

– Vous croyez que c'est pour cette raison qu'Eyvindur est allé voir Felix ? demanda Flovent. Vous croyez qu'il est allé chez lui pour lui demander des explications ?

– C'est possible, répondit Vera. Mais je n'en sais rien. Je n'en ai aucune idée. Il passait son temps à… à essayer de trouver je ne sais quelles combines en me promettant que tout s'arrangerait bientôt. Il me disait qu'il s'attendait très prochainement à une grosse rentrée d'argent. J'ai fini par le laisser tomber. Je n'en pouvais plus.

– De quel argent parlait-il ?
– Ça, il ne me l’a jamais dit. Je crois qu’il avait inventé ces bobards, comme d’habitude.

34

Brynhildur Holm se plaignait d'avoir passé une mauvaise nuit, c'était la première fois qu'elle dormait en cellule. Flovent sentait à quel point elle était choquée. Elle lui reprochait de l'avoir placée en détention, arguant qu'il s'agissait là d'une brutalité inutile. Elle avait été coopérative, s'était employée à l'aider dans son enquête et il n'y avait aucune raison de la garder en garde à vue. Flovent répéta ce qu'il lui avait déjà expliqué la veille au soir. Elle avait elle-même reconnu avoir aidé et abrité le suspect d'un crime odieux. La police aurait été irresponsable de la laisser en liberté. Elle risquait de détruire des pièces à conviction et rien ne permettait d'affirmer qu'elle ne prêterait pas une nouvelle fois assistance au suspect.

L'objectif de Flovent était d'isoler Felix afin de le forcer à se rendre ou, tout du moins, à sortir de sa cachette. On avait lancé un mandat d'arrêt contre lui et encouragé à se manifester tous ceux qui pensaient l'avoir aperçu les jours derniers. Les journaux avaient publié son portrait, qu'on avait également placardé dans les commissariats et au quartier général de la police militaire.

Vers midi, Flovent alla s'installer dans la salle d'interrogatoire de la prison de Hegningarhus avec Brynhildur dont la garde à vue avait été prolongée de quelques jours. Il avait apporté les documents trouvés dans le double fond du placard à vêtements, dans l'ancien cabinet de Rudolf. Quand il les posa sur la table pour les lui soumettre, Brynhildur demeura impassible. Il lui expliqua que, de son point de vue, toutes les personnes impliquées dans cette affaire ne lui avaient dévoilé que quelques fragments de vérité et ce qu'elles lui avaient dit jusque-là était dans le meilleur des cas sujet à caution. Chacun s'employait à maquiller le réel à sa manière pour d'étranges motifs, sans doute afin d'induire la police en erreur.

– Je me demande à quoi vous jouez, observa-t-il, mais vos dérobades ne me plaisent pas du tout. Il est impossible de se fier à ce que vous me racontez et c'est comme ça depuis le début. Vous ne pensez pas qu'il serait temps de coopérer ?

– C'est quoi, ces papiers ? s'enquit Brynhildur en jetant un œil rapide sur les feuilles.

– Des documents que j'ai découverts au cabinet médical après votre départ. J'ai demandé à un médecin de les examiner ce matin et il les a trouvés très intéressants pour diverses raisons dont j'aimerais discuter avec vous.

– Rudolf m'attend à l'hôpital et il s'inquiétera si je ne viens pas le voir.

– Eh bien, il attendra. Revenons à cette histoire du groupe de garçons. Eyvindur et Felix étaient amis à l'école. Felix a brusquement cessé de le fréquenter. On nous a parlé d'un autre cas très semblable. Celui d'un adolescent présent sur la photo que je vous ai montrée hier, déclara Flovent en prenant sous la pile de documents la brochure éditée à l'occasion de l'anniversaire de l'école. Il s'agit de ce jeune homme, celui qu'on voit entre Felix et Eyvindur. Nous sommes à sa recherche. Pouvez-vous m'en dire un peu plus à son sujet ?

Silencieuse et pensive, Brynhildur fixa longuement les documents et la photo posés sur la table. Flovent avait l'impression qu'elle comprenait qu'elle était arrivée au bout du chemin et se demandait si le moment n'était pas venu de tout lui raconter.

– Vous avez eu le temps de réfléchir, fit-il remarquer. Votre situation ne pourrait pas être pire. Je suppose que vous en avez conscience. Si vous continuez de résister, cela ne fera qu'empirer encore les choses et nous conforter dans notre position.

– Je croyais qu'il s'était débarrassé de tout ça, répondit-elle, les yeux fixés sur les documents. Je ne pensais pas qu'il avait gardé ces choses-là. Il... ses idées n'ont plus rien à voir avec celles qu'il avait à l'époque. Rudolf a changé. Contrairement à son frère.

– Ses idées ? Concernant qui ? Vous voulez parler des Allemands ? Des nazis ?

– Il a renié son ancienne foi, précisa Brynhildur. Je ne vois pas comment le dire autrement. Il a cessé de croire à la propagande extravagante des nazis.

– Et Felix ? Il s'est aussi détourné de cette doctrine ?

– Vous pensez que c'est un agent allemand, reprit Brynhildur après un long silence, les yeux toujours fixés sur les documents. Flovent discerna dans sa voix comme un changement de ton.

– Ce n'est qu'une hypothèse.

– En tout cas, il faut avouer qu'il a l'habitude de surveiller les gens de près. Il l'a fait pour son père, quand il était gamin. À l'époque où cette photo a été prise. Dans un sens, on peut parler d'espionnage, tout dépend de la manière dont on l'envisage. C'était très différent, mais bon… surveiller ou épier quelqu'un revient à l'espionner, n'est-ce pas ?

– Comment ça ? s'enquit Flovent. À quelle sorte d'espionnage s'est-il livré à l'époque ?

– L'autre jour, Rudolf a reçu une lettre de menaces, déclara Brynhildur. Quelqu'un a dû la glisser dans notre boîte à lettres. En tout cas, elle n'est pas arrivée par la poste. L'enveloppe ne portait ni timbre, ni tampon, ni adresse. Elle renfermait une page écrite à la machine. On ignore l'identité de l'expéditeur, mais nous pensons qu'il s'agit d'Eyvindur. Elle n'était pas signée et truffée de fautes d'orthographe. L'expéditeur reprochait violemment à Rudolf et à Ebeneser quelque chose à quoi j'ai moi aussi participé. Cette lettre les mentionnait tous les deux. Celui qui l'a écrite a découvert la vérité. J'ignore comment. Je pensais que nous pourrions garder cette chose secrète, mais en fin de compte je me trompais. Il était au courant de ces recherches, il disait que nous avions enfreint la loi, que nous l'avions trompé, et menaçait de tout raconter si nous refusions de nous plier à ses exigences.

– Ces recherches ?

– Oui.

– De quelles recherches parlez-vous ?

Brynhildur hésita.

– Ces documents en font partie ?

– Je crois, répondit Brynhildur. Je pensais que Rudolf jetterait tout ça, mais…

– Quand avez-vous reçu cette lettre de menaces ?

– Quelques jours avant l'assassinat d'Eyvindur. Nous n'avons rien dit à Felix. Il n'a plus aucune relation avec son père. De plus, ces menaces ne le concernaient pas et nous ignorions s'il fallait prendre cette lettre au sérieux. Vous imaginez combien j'ai été bouleversée le soir où Felix m'a appelée pour m'apprendre qu'Eyvindur avait été tué. Quand Rudolf a su la nouvelle, il a tout de suite été persuadé que son fils était l'auteur du meurtre et que c'était Eyvindur qui avait envoyé cette lettre. Qu'il avait voulu se venger de son ancien ami. Et c'était parfaitement… disons que l'hypothèse ne semblait pas tout à fait absurde. Felix avait aidé son père dans ses recherches. Eyvindur était justement un de ses sujets d'étude.

– Rudolf croit son fils capable de commettre un tel crime ?

– Je ne sais pas. Il y a si longtemps qu'ils ne se parlent plus.

– Pourquoi ?

– Felix nie catégoriquement avoir tué Eyvindur, et il dit également ignorer la raison de sa présence chez lui, éluda Brynhildur. Il ne démord pas de sa version initiale, qu'il l'a trouvé mort dans son appartement. Or Eyvindur a pris part à ces recherches… il était l'un des sujets d'étude, un simple cobaye.

– Vous êtes en train de me dire que vous ne croyez pas Felix non plus ?

– J'ai envie de le croire. Sa version est… tout de même plus facile à accepter, bien que tout cela soit affreusement tragique. C'est tout simplement une tragédie.

– Pourquoi ne pas avoir transmis cette lettre à la police ? s'enquit Flovent.

– Nous aurions été forcés de parler de ces recherches et ça… Rudolf s'y refusait obstinément. Il pensait pouvoir taire à jamais cette histoire. Il ne supporte pas l'idée que les gens puissent apprendre ce que nous avons fait, surtout maintenant que la guerre a éclaté et que les nazis envahissent l'Europe. Il s'est détourné d'eux et a catégoriquement refusé de travailler avec son frère quand il est venu en Islande dans l'idée d'engager de nouvelles recherches avec la collaboration des autorités islandaises et des financements du Reich. Il n'était plus alors question de faire les choses en cachette.

Brynhildur poussa un profond soupir.

– À mon avis, c'est Eyvindur qui a envoyé cette lettre, il est allé voir Felix chez lui et leur entrevue s'est achevée de cette manière atroce. Felix refuse de le reconnaître. Je crois que, pour ne pas y penser, il invente toutes ces histoires d'espionnage et de gens qui lui veulent du mal.

– Vous m'avez pourtant dit hier qu'il était incapable de tuer.

– En effet. Je n'ai pas réussi à lui faire avouer quoi que ce soit et j'ai effectivement du mal à l'imaginer se livrer à ce genre de choses mais… après tout, on ne sait jamais.

– C'est pour ça que vous dites qu'il déteste son père ? À cause de ces recherches ?

– C'est une longue histoire et ce passé pèse sur leurs relations, bien entendu, répondit Brynhildur.

– Dans ce cas, l'hypothèse selon laquelle l'assassin d'Eyvindur se serait trompé de cible et aurait visé Felix lui-même serait pure affabulation ?

– Je n'en sais rien. Il maintient sa version. Je crois que, tout comme nous, Felix essaie de comprendre ce qui s'est passé. Il est désemparé et il a manifestement envisagé plusieurs possibilités, dont celle d'un complot contre lui. Hier, il m'a affirmé qu'en fin de compte Eyvindur était bien la cible. Il m'a même dit que le tueur avait été envoyé par son ex-petite amie. Quelqu'un lui a dit qu'elle fréquentait beaucoup les soldats. Vera ? C'est son nom, n'est-ce pas ? Elle s'appelle bien Vera ? On a rapporté à Felix qu'elle était, comme on dit, dans la situation et qu'elle avait voulu se débarrasser d'Eyvindur. Il pense qu'elle a demandé à un soldat de lui régler son compte.

– Et tout ça, chez Felix ? Ce n'est pas un peu… qu'est-ce qu'Eyvindur allait faire chez lui ?

– Felix n'en a aucune idée, répondit Brynhildur. Il soutient qu'avant, il ne lui avait jamais rendu visite. Jamais.

– Eyvindur ne comprenait pas pourquoi il avait cessé de le fréquenter quand ils étaient enfants, répondit Flovent.

– Eh bien, Felix avait découvert ce que son père voulait savoir. Eyvindur ne leur servait donc plus à rien, répondit Brynhildur, hésitante. Il a parfois tendance à ressembler un peu trop à son oncle Hans. Cet homme odieux. Le pauvre garçon !

35

Thorson descendit de sa jeep et regarda la ferme. Une construction récente s'élevait à côté de l'ancienne maison en tourbe qui servait désormais de bergerie et de grange. Avec ses murs à l'état brut, la maison d'habitation à un étage, percée de petites fenêtres, n'avait rien d'un palais. L'ancienne ferme menaçant ruine comportait les trois pignons traditionnels. Deux d'entre eux penchaient dangereusement vers l'avant et l'herbe avait envahi le bâti en tourbe au point de le rendre presque invisible. Le toit s'était effondré par endroits. Thorson se rappela cette histoire de taureau en furie que son père lui avait racontée un jour. L'animal mugissant avait réussi à monter sur le toit couvert d'herbe, il l'avait traversé avec ses pattes qui s'agitaient dans le vide au plafond de la pièce commune. Son père avait lui-même été témoin de la scène pendant son enfance dans le nord de l'Islande. Le spectacle improbable de cette imposante bête coincée dans une position aussi ridicule s'était gravé dans sa mémoire.

Thorson était assez fatigué après avoir été secoué dans sa jeep sur les chemins cahoteux. Il avait roulé pendant six heures en direction de l'est et s'était accordé une halte au relais de Tryggvaskali, à Selfoss, pour déjeuner. Il avait regardé un avion atterrir et un autre décoller de l'aérodrome militaire à l'orée de la ville. Ces derniers faisaient partie de la flotte assurant la surveillance du pays. Quelques avions allemands d'espionnage ou de combat avaient été aperçus près des côtes islandaises depuis le début de la guerre sans poser des problèmes. Venus de Norvège, ils étaient équipés de réservoirs spécialement prévus pour contenir la quantité de carburant nécessaire au vol aller-retour dans l'Atlantique Nord. Thorson savait que de nombreuses troupes anglaises ayant pour mission de surveiller le pont sur la rivière Ölfusa stationnaient aux environs de Selfoss. Le génie civil l'intéressait, il se passionnait surtout pour les ponts. Il regarda sous toutes les coutures celui qui enjambait l'Ölfusa et en fit un croquis dans le carnet de dessins qu'il emportait toujours avec lui. Ce pont traversait joliment la rivière à l'endroit où elle se rétrécissait entre deux falaises.

Il frappa à la porte ouverte de la ferme, puis entra d'un pas hésitant et appela pour voir s'il y avait quelqu'un. Dehors, le soleil brillait, il faisait chaud, le sol sec craquait sous les pieds. Il regarda en direction du champ et comprit que toute la maisonnée était partie aux foins. En arrivant dans la cuisine, il découvrit une très vieille femme assise dans un coin, et un petit garçon âgé d'environ deux ans attaché à une laisse fixée au pied de sa chaise afin qu'il ne s'éloigne pas trop et ne risque pas de se faire mal. L'enfant jouait juste à côté d'elle. Occupée à réparer les dents d'un râteau de bois, la vieille femme ne l'avait pas entendu arriver. Le petit avait levé les yeux et lui avait souri, il s'était mis debout pour s'avancer, mais sa laisse étant trop courte, il était immédiatement retombé sur les fesses. Levant également les yeux, la femme découvrit Thorson, elle enleva ses lunettes rondes usées et le salua. Comme elle était un peu sourde, il devait parler fort. Il lui expliqua qu'il arrivait de Reykjavik et souhaitait voir le maître de maison. Il supposait que ce dernier était parti aux foins en cette journée si clémente. Elle le lui confirma avant de demander ce qui l'amenait. Thorson s'était habillé en civil, il avait préféré mettre sa veste de moleskine marron plutôt que son uniforme, désireux de ne pas trop attirer l'attention sur sa fonction de représentant de l'armée. Les gens n'étaient pas habitués à recevoir la visite de militaires et il craignait que l'uniforme ne les effarouche inutilement. Il répondit qu'il s'intéressait à une jeune femme de la région prénommée Vera, lui demanda si elle était bien originaire de cette ferme et si ses parents vivaient toujours là.

– Vera ?

– Oui.

– Que lui arrive-t-il ? Elle s'est attiré des ennuis ?
– Qu'est-ce qui vous fait penser ça ? demanda Thorson.
– Je ne sais pas où elle est, répondit la vieille femme. La gamine est partie à Reykjavik il y a des années et n'a jamais remis les pieds ici. D'ailleurs, ses parents ont déménagé. Ils ont quitté leur ferme depuis plusieurs années, ils sont allés s'installer à l'est du grand désert de sable de Skeidararsandur, tout là-bas, à Höfn.
– Ah, dans ce cas…
– Oui, et aujourd'hui c'est mon fils qui habite ici. Il a construit cette maison. On occupait la ferme voisine et nos terres étaient attenantes, vous voyez. La petite Vera a vécu dans cette ferme, ah ça oui, et toute sa famille a quitté la région.

Thorson balaya la cuisine du regard. Une cafetière était posée sur une plaque, l'évier débordait de vaisselle sale, la cuisinière était encombrée de casseroles et de poêles que personne n'avait eu le temps de laver. Par ce temps sec et ensoleillé, tous ceux qui le pouvaient étaient aux champs et il n'y avait de place pour aucune autre activité. Il pouvait voir par la fenêtre la ferme que la famille de Vera occupait naguère. C'était sans doute sous ce toit de tourbe qu'elle était venue au monde.

Quand ils étaient allés l'interroger avec Flovent à la blanchisserie, elle leur avait dit qu'étant originaire de la campagne, elle ne connaissait pas du tout Reykjavik et qu'elle avait rapidement rencontré Eyvindur. Thorson lui avait posé des questions sur l'endroit d'où elle venait mais, réticente, elle s'était dérobée. Il avait eu l'impression que, pour une raison qui lui échappait, elle préférait ne pas évoquer la question. Billy Wiggins avait perdu patience à ce moment-là et s'était emporté en disant qu'il en avait sa claque de cet interrogatoire.

Tôt le lendemain matin, Thorson avait appelé l'ancienne voisine du couple pour lui demander si elle savait d'où venait Vera. Tout comme la fois précédente, il n'avait pas eu besoin de lui tirer les vers du nez. Eyvindur lui avait un jour parlé d'une ferme, à l'est, au pied du massif d'Eyjafjöll, en ajoutant qu'il n'y était jamais allé. Il n'avait rien contre l'idée, c'était Vera elle-même qui n'en avait pas envie. D'ailleurs, elle avait très peu de contact avec sa famille, ce qui avait semblé très étrange à son interlocutrice, mais évidemment cette traînée de Vera voulait dissimuler son petit manège avec les soldats, qui durait sans doute depuis qu'ils avaient posé le pied en Islande. Quelle saleté !

– Donc, vous ne l'avez jamais revue ? demanda Thorson, debout au milieu de la cuisine.

– Jamais, ni revue ni entendu parler d'elle depuis qu'elle est partie, répondit la vieille femme. Le gamin attaché à sa laisse était monté sur ses genoux et fixait Thorson.

– C'étaient de bons voisins, je veux dire, sa famille ?

– Mais, au fait, qui êtes-vous ? s'enquit-elle en plissant les yeux. Je vous connais ? C'est que je n'y vois plus très clair.

– Non, on ne se connaît pas, répondit Thorson. Mais je connais un peu Vera et je passais dans les parages. Je connaissais aussi un gars avec qui elle a vécu. Eyvindur. Je ne sais pas si vous…

– Ah bon ? Donc la gamine s'est mariée ?

– Non, ils n'étaient pas mariés.

– Je ne vois pas pourquoi j'aurais des nouvelles d'elle. Nous n'avons aucun contact avec ces gens. L'homme avec qui elle vivait, c'était un soldat ?

– Non, répondit Thorson. Il s'appelait Eyvindur. Il est mort il n'y a pas longtemps.

– Eh bien, la pauvre, enfin, elle ne tardera pas à le remplacer. Elle est faite comme ça et… mais, vous prendrez bien un petit café ? Vous avez fait toute cette route depuis Reykjavik juste pour me poser des questions sur cette fille ?

– Je ne refuserais pas un café, répondit Thorson, mais ne vous dérangez pas pour moi, je peux le faire moi-même.

La vieille femme reposa le râteau et le guida, assise, l'enfant blotti contre sa poitrine. Elle lui montra la boîte contenant le café, lui indiqua où se trouvait la chicorée, la manière dont il fallait rincer la cafetière et la dose qu'il fallait y mettre. La ferme était alimentée en électricité grâce à un groupe électrogène fonctionnant au diesel et une cuisinière électrique avait délogé le vieux fourneau à charbon que Thorson avait vu devant la maison, comme une antiquité abandonnée. Bientôt, une odeur de café flotta dans l'air. La vieille femme lui demanda de donner une *flatkaka** au petit en lui indiquant où elles étaient rangées. L'enfant s'installa sur le sol et grignota, satisfait. La femme buvait son café noir et Thorson l'imita. Il n'avait besoin de rien pour l'accompagner, précisa-t-il. Elle lui demanda de cesser de la vouvoyer, ce n'était qu'une manie héritée des commerçants danois, elle tutoyait tout le monde depuis toujours et ça ne l'avait pas empêchée d'atteindre ce grand âge. En revanche, elle aimait beaucoup priser. Elle sortit une petite blague à tabac, en offrit à Thorson qui renifla quelques grains et éternua aussitôt, ce qui amusa beaucoup l'ancêtre. Elle prit une pincée de tabac entre deux doigts, la mit dans ses narines d'un geste précis, puis s'essuya le nez avec son mouchoir rouge.

Ils passèrent un moment à parler du temps. Ils avaient eu un bel été dans la région et les paysans avaient engrangé du foin en abondance. Depuis plusieurs jours, tous passaient leurs journées aux champs, il n'y avait de place pour rien d'autre. Elle lui demanda de lui parler de Reykjavik, et plus précisément de ce que tout le monde appelait la situation. Elle l'interrogea sur ces femmes qui fréquentaient les soldats. Ce n'était pas trop voyant ? Ça se passait comment, exactement ? Les autorités allaient enfin se décider à prendre des mesures ? Thorson s'efforça de lui expliquer qu'en effet, certaines Islandaises fréquentaient des militaires, mais la plupart du temps tout se passait bien. Bien sûr, il y avait

---

* Les *flatkökur* (singulier : *flatkaka*) sont d'épaisses galettes de farine sans levure, cuites à même la plaque. On les consomme souvent beurrées et agrémentées de mets typiquement islandais comme le *hangikjöt*, le mouton fumé.

quelques débordements. On avait créé une brigade de surveillance des mineurs chargée de veiller sur les filles encore trop jeunes. La vieille femme avait plus d'une fois interrompu Thorson par des "Eh bien, dis donc!" Elle avait entendu dire que c'était le chaos et que ça ne risquait pas de s'arranger maintenant que les Américains déferlaient sur le pays.

Puis elle avait repris un peu de tabac. La vieille pipe posée dans le cendrier à côté d'elle devait aussi lui appartenir. Elle avait perdu presque toutes ses dents et un léger sifflement se faisait entendre chaque fois qu'elle parlait. Ses longs cheveux gris retenus en deux tresses, le visage aussi ridé qu'un sac en papier chiffonné, les doigts déformés, le dos voûté, elle portait la marque des travaux manuels qui avaient constitué son lot quotidien.

– Et Vera ? Elle est aussi jusqu'au cou dans la situation ? demanda-t-elle.

Préférant ne pas colporter de ragots, Thorson se contenta de répéter que son compagnon était décédé récemment.

– Eh bien, puisque tu me posais des questions sur Vera… oui, laisse-moi te dire que c'est le genre de fille qui s'attire toujours des ennuis. Je veux dire des ennuis avec les garçons. Évidemment, son physique joue en sa faveur, c'est le moins qu'on puisse dire, et elle a toujours su en profiter. Les jeunots d'ici lui tournaient autour comme des mouches. Ils se laissaient embobiner et elle ne se gênait pas pour les utiliser. Il y a eu toute une histoire ici à cause d'elle, elle a fait quelque chose et…

– Oui ?

– … c'est peut-être bien pour ça qu'elle est partie.

36

Brynhildur Holm toussota et demanda à boire. Flovent réclama de l'eau au gardien, à la porte, avant de revenir s'asseoir en face d'elle, et lui demanda de préciser en quoi Felix ressemblait plus à son oncle Hans Lunden, cet homme odieux, qu'à son père. Elle refusa de lui en dire plus, Flovent pouvait interpréter ses paroles à sa guise. Le gardien entra avec une carafe d'eau et deux verres.

– Quelle était la nature exacte de ces recherches? interrogea le policier en poussant les feuilles vers elle. De quel type de travaux parlez-vous?

Brynhildur fixait les feuilles.

– Si je vous raconte tout ce que je sais, est-ce que vous me promettez d'aider Felix? J'aurais mieux fait de ne pas vous dire qu'il lui arrive d'être odieux parce que en fin de compte je le plains. Felix ne va vraiment pas bien. Il a peur et je crains qu'il ne se fasse du mal si tout cela ne s'arrête pas rapidement. Je crains qu'il ne commette l'irréparable.

– Je ne comprends pas le sens de votre demande, répondit Flovent. Évidemment, je ferai tout ce que je pourrai pour l'aider, mais il faut d'abord qu'il se livre.

– Je ne suis pas sûre qu'il le fasse.

– Vous croyez qu'il est en danger?

– En tout cas, il en est persuadé. Je voudrais tant l'aider, mais je ne vois pas comment m'y prendre.

– Commencez par m'expliquer la nature des travaux que nous avons sous les yeux, conseilla Flovent, poussant à nouveau les documents vers elle.

Brynhildur resta un long moment silencieuse, réfléchissant sans doute aux options qui s'offraient à elle avant de conclure qu'aucune n'était satisfaisante.

– Il s'intéressait aux criminels, c'est comme ça que tout a commencé, déclara-t-elle. Rudolf savait qu'il n'obtiendrait jamais l'aval des autorités pour mener de telles recherches. Son frère Hans l'a encouragé à les mener sans rien demander à personne. À cette époque, Rudolf et Ebeneser étaient des nazis convaincus et pensaient que tout ça pouvait fonctionner. J'étais moi-même très séduite par leurs théories et, en réalité…

Elle avala une gorgée d'eau.

– Ça m'est difficile d'en parler, reprit-elle. Nous n'en avons plus jamais discuté. Jusqu'au moment où…

– Où vous avez reçu cette lettre ?

Brynhildur hocha la tête.

– Et ça ? Expliquez-moi en quoi consistaient ces recherches, s'entêta Flovent, l'index posé sur les documents.

– C'est le frère de Rudolf qui a eu l'idée. Hans Lunden menait des recherches comparables en Allemagne. Il a publié un fascicule exposant ses théories, quand il était professeur à Iéna. Rudolf pensait qu'il pouvait mener le même type de travaux sans que cela s'ébruite. L'Islande était l'endroit idéal. Loin au nord. Isolé. Les deux frères étaient parfaitement d'accord. Ils s'entendaient encore très bien à ce moment-là.

– Isolé ?

– Oui, confirma Brynhildur. Le nazisme se développait en Allemagne. Diverses théories étaient mises en avant, parmi lesquelles celle concernant la manière dont les tendances criminelles, ou disons amorales, se transmettent de génération en génération. Rudolf m'a confié que tout cela passionnait Hans Lunden. Il avait étudié la transmission des anomalies génétiques chez l'être humain : l'alcoolisme, les déviances sexuelles, les prédispositions à la violence, l'inceste et ce genre de choses. Mais il s'intéressait surtout à ce qu'on pourrait appeler les tendances criminelles. Il était persuadé qu'on pouvait à terme les éradiquer totalement en usant de solutions radicales comme la stérilisation, qui permettrait de les faire diminuer d'une génération à l'autre. Ce sont en résumé les théories soutenues par Hans.

– Et ?

– Rudolf a été séduit par ces idées, il y adhérait sans réserve. Il a demandé à Ebeneser de l'aider, ce qui n'a pas été bien difficile. Ebeneser aurait fait n'importe quoi pour lui, il vénérait tout ce qui venait d'Allemagne. En ce qui me concerne… Rudolf et moi avions… disons…

– Quoi donc ?

– Après le décès de sa femme, il m'a prise à son service comme gouvernante. Je venais d'achever mes études d'infirmière et j'exerçais ce métier en parallèle. Le temps passant, nous sommes devenus, comment dire, plus proches.

– Amoureux ? Vous m'avez pourtant affirmé le contraire.

– Je… aborder ces sujets me met mal à l'aise… je n'aime pas trop parler de mes sentiments. Après son accident, il avait encore plus besoin de moi. Plus que jamais.

– Qu'est-ce qui lui est arrivé ?

– Il a fait une chute de cheval. Là-bas, au cap de Laugarnes. L'animal a pris peur, il s'est emballé et l'a traîné derrière lui. Rudolf est devenu paraplégique, ce qui l'a beaucoup perturbé. On le serait à moins. Il dit que je lui ai sauvé la vie. Si je n'avais pas été à ses côtés pour affronter ce drame, il dit qu'il n'aurait eu aucune raison de continuer.

– Revenons à cette étude.

– Ebeneser était directeur d'école. Il connaissait l'origine de ses élèves, pouvait se renseigner sur l'histoire de leur famille, et il en a sélectionné quelques-uns. C'est un passionné de généalogie, il était donc capable de remonter l'arbre généalogique des criminels. Je travaillais alors comme infirmière scolaire. Je m'occupais des questionnaires, des mesures et des prélèvements. On recherchait les signes de puberté et de maturation, aussi bien d'un point de vue physiologique que psychologique, mais on s'intéressait aussi à certaines particularités physiques. C'est Rudolf qui a mis au point la procédure. On agissait en toute discrétion. Je rajoutais ça aux visites médicales habituelles. J'examinais certains élèves de manière plus fréquente. Il n'y avait rien d'anormal à ce que je surveille d'un peu plus près des garçons de parents séparés, issus de familles à problèmes ou fils de criminels. Ça semblait même logique.

– Des garçons comme Eyvindur ?

Brynhildur hocha la tête.

– Je crois qu'ils n'ont jamais compris ce qu'on faisait. Rudolf passait de temps en temps à l'école pour les examiner, puis il traitait les données que l'on rassemblait et les communiquait à son frère. Il était très fier de cette initiative. Vous imaginez, le nazisme était en train de s'installer en Allemagne et ces recherches feraient figure de travaux pionniers dans le domaine des études aryennes que Hans rêvait de mener en Islande sur l'origine des Islandais et le caractère viking.

– J'ai demandé à un médecin d'examiner tout ça, reprit Flovent, l'index posé sur les documents. Il a trouvé que c'étaient des mesures anthropométriques d'une grande précision. Mains. Pieds. Forme de la boîte crânienne. Structure osseuse. Et même espacement interoculaire.

– Les deux frères connaissaient les travaux de Cesare Lombroso, mais Rudolf souhaitait les prolonger. Je ne sais pas si vous... Enfin, disons qu'il souhaitait conjuguer deux aspects, l'individu et son environnement. Il considérait que les conclusions de Lombroso n'allaient pas assez loin et qu'il fallait aussi essayer de comprendre l'influence exercée sur un individu par son environnement.

– Les conclusions de Lombroso ?

– Sur le rapport entre apparence physique et prédisposition au crime, précisa Brynhildur. Fondées sur la génétique, elles établissent un rapport entre constitution physique et tendances criminelles. En se basant sur les caractéristiques anthropométriques et un ensemble d'autres paramètres, on pense pouvoir dire si le sujet risque d'adopter des comportements déviants plus tard dans sa vie.

– Que voulez-vous dire exactement par constitution physique ?

– Par exemple, Rudolf s'intéressait aux individus présentant une constitution frêle ou au contraire exceptionnellement robuste. À des individus ayant un faciès particulier. À l'espacement des yeux. À la taille et à la forme du crâne. Il y a un ensemble de caractéristiques précises qu'il est possible de mesurer. Certains s'attachent uniquement au versant anthropométrique alors que Rudolf souhaitait y ajouter d'autres considérations relevant de l'influence exercée sur la progéniture des criminels par l'environnement familial et l'éducation. Il voulait réunir toutes ces données dans une seule et même étude. Même si ces recherches étaient menées à petite échelle, il était persuadé qu'elles fourniraient un certain nombre d'indices. Si nous grandissons dans un environnement précis et dans des conditions particulières, n'y a-t-il pas de fortes chances pour que nous agissions en fonction de ces paramètres ?

– Autrement dit, nous imitons ce que nous voyons, vous parlez de mimétisme ?

– Oui, on peut dire ça comme ça. Rudolf se posait ces questions tout en réfléchissant aux théories de Lombroso. C'est ce que Felix… ce que Felix…

– Quoi donc ? Il a été impliqué dans tout ça ?

– Oui, je crains que…

Brynhildur s'interrompit.

– En quoi consistait son rôle ? Qu'est-ce qu'il faisait ?

– Rudolf lui a demandé de fréquenter certains de ces garçons, répondit Brynhildur. Pour la première fois depuis le début de cet interrogatoire, elle semblait avoir honte. Felix rapportait à son père toutes sortes d'informations sur eux : leurs conditions de vie, la composition de leurs familles, leurs conversations, la manière dont des garçons comme Eyvindur voyaient leurs parents, celle dont ils envisageaient leur avenir, leur conception du bien et du mal, l'alcoolisme et même la sexualité. Certains d'entre eux avaient déjà commencé à fumer et à boire de l'alcool. Ils allaient tous bientôt faire leur communion, ils avaient environ quatorze ans. Nous en avions sélectionné quinze en tout.

– On nous a dit qu'Eyvindur appréciait beaucoup Felix. Apparemment, il avait peu d'amis, Felix comptait donc beaucoup pour lui et il n'a jamais compris pourquoi il lui avait subitement tourné le dos, expliqua Flovent. Pourquoi il a tout à coup cessé de le fréquenter et de lui parler. Il pensait que leur amitié n'était en fin de compte que du vent et que Felix s'était contenté de jouer un rôle. Il a certainement fini par croire qu'il s'était juste servi de lui. Apparemment, leur amitié était à sens unique. Felix a joué avec ses sentiments et abusé de sa confiance.

Brynhildur baissait les yeux sur les documents. Flovent comprenait qu'elle n'avait pas envie d'aborder ce sujet.

– Comme je vous l'ai dit, Felix est parfois odieux. Il n'a pas tardé à acquérir un certain ascendant sur ces garçons qui lui obéissaient dans tous les domaines. Il profitait de cette supériorité pour les commander. Il savait parfaitement que son père les avait pris comme cobayes parce qu'ils venaient de familles à problèmes et il s'en prenait aux plus faibles. Aux plus malheureux. Ce qui ne l'empêchait pas d'imposer aussi sa volonté aux plus forts.

– Il les commandait, vous dites, comment ça ?

– De tas de manières. L'objectif était de voir jusqu'où il pouvait aller. De tester les limites de leur obéissance. La manière dont ils réagissaient face à son pouvoir, à quel point il pouvait les manipuler… Rudolf était… Felix devait…

– Quoi ?

– Rien.

– Rudolf était quoi ? Qui avait défini ces objectifs ?

Brynhildur hésitait.

– On était plongés dans cette étude et, tout à coup, Rudolf s'est posé la question du rôle que jouait Felix au sein du groupe. Le rôle du chef. Il en était beaucoup question en Allemagne à l'époque. Rudolf avait l'impression que Felix dominait ces adolescents et il, enfin, il l'encourageait sur cette voie. Il lui donnait des conseils. Il allait jusqu'à lui suggérer ce qu'il devait leur dire. Rudolf est un homme très méticuleux.

– Et ensuite ?

– Ça s'est terminé de manière catastrophique, évidemment.

– Comment ça ? Vous voulez dire, entre eux ?

– Oui, entre Rudolf et son fils… je préfère ne pas m'étendre sur la question. Rudolf a mis fin à ses recherches, il a tout arrêté et interdit que quiconque en parle à l'avenir.

– Et vous pensiez que tout le monde les avait oubliées.

– En effet. Jusqu'à ce que cette lettre nous parvienne, réveillant les fantômes endormis depuis si longtemps.

– L'expéditeur vous menaçait de tout raconter sur Felix et de dévoiler vos recherches si vous n'acceptiez pas ses conditions, dites-vous. Quelles étaient ces conditions ?

– Il voulait qu'on le paie en échange de son silence, il demandait une sacrée somme.

– Et vous pensez que c'est Eyvindur qui a écrit cette lettre ?

– Nous n'excluons pas l'hypothèse. Felix…

– Oui ?

– Il n'est pas impossible que certains propos aient échappé à Felix pendant ses tournées, reprit Brynhildur. Il m'a confié qu'un jour il avait bu et raconté pas mal de choses qu'il aurait mieux fait de taire. Sur Eyvindur et cette étude. Il m'a dit qu'Eyvindur était en colère. D'une certaine manière, ça se comprend.

37

Thorson roulait depuis environ cinq minutes quand il atteignit le chemin permettant d'accéder à la ferme que la vieille femme lui avait indiquée. Il descendit de sa jeep pour aller ouvrir la barrière, la franchit en voiture et alla la refermer derrière lui. Deux bâtards noirs, comme ceux qu'on trouve à la campagne, vinrent l'accueillir en le reniflant et en remuant la queue, contents de cette visite.

Il se gara devant la maison et ôta sa veste qu'il posa sur la banquette arrière. La chaleur s'était encore accentuée au fil de la journée et il étouffait. Une petite maison en pierre était accolée à l'ancienne ferme en tourbe et, sur la droite, un bâtiment récent abritait une étable et une grange qui débordait de foin frais et odorant. Il observa les champs alentour. Apparemment, la fenaison était terminée.

Il n'y avait personne dans la maison. Un filet de fumée bleutée montait de la ferme en tourbe. En approchant, il remarqua la présence d'un troisième chien qui l'observait, immobile, à deux mètres de la porte. L'imposant animal semblait tout en puissance. Le pelage roux, rehaussé par une bande de poils noirs qui courait le long de son dos, il portait une laisse autour du cou, contrairement à ses deux congénères. Voyant le visiteur approcher, l'animal grogna et montra les crocs. Surpris par cet accueil, Thorson s'arrêta et avança précautionneusement la main. Les grognements augmentèrent en intensité et le chien retroussa à nouveau les babines. Les deux autres se contentaient d'observer la scène et avaient cessé de remuer la queue. Le roux montait la garde pour son maître et faisait clairement savoir au visiteur qu'il ne fallait pas le déranger. Le cadavre d'un agneau reposait au pied du mur en tourbe, très endommagé, sans doute par les corbeaux.

Thorson se méfiait des chiens. Il balaya les alentours du regard, mais ne vit personne capable de le tirer d'embarras, et il n'avait rien sur lui pour amadouer l'animal. Il ne voulait toutefois pas renoncer et décida de voir ce qui arriverait s'il le contournait. Le chien se contenta de grogner en le suivant des yeux, mais le laissa entrer sans opposer plus de résistance. Thorson était soulagé, il se demandait ce qu'il aurait pu faire si la bête avait bondi sur lui.

Il fut accueilli par une forte odeur de terre émanant des murs et du sol, mêlée à une autre qui ressemblait à celle de la tourbe en combustion. Il entendant de la musique classique à l'intérieur. En avançant dans le passage couvert qui conduisait vers l'intérieur de l'ancienne ferme, tandis que ses yeux s'habituaient à la pénombre, il se demanda si elle n'avait pas été transformée en forge. Il obtint confirmation dès qu'il déboucha dans l'ancienne pièce commune où il découvrit un homme occupé à fabriquer la lame d'une faux qu'il frappait à l'aide d'un gros marteau avant de la plonger dans un baquet d'eau d'où montait alors de la vapeur brûlante. Une ampoule solitaire pendouillait au plafond et un gros poste de radio posé sur un vieil établi diffusait de la musique. Des filets de saumon, de la viande de mouton et quelque chose qui ressemblait à des macareux dépiautés étaient accrochés par des ficelles à la poutre maîtresse de la charpente.

Absorbé par sa tâche, le fermier lui tournait le dos et ne remarqua sa présence que lorsqu'il se manifesta par un toussotement avant de le saluer. Il n'avait pourtant pas voulu le surprendre. L'homme sursauta et fit volte-face. Thorson découvrit alors le détail dont la vieille femme lui avait parlé, il portait un bandeau sur un œil.

– Excusez-moi, je ne voulais pas vous effrayer, s'excusa-t-il.

– Qui êtes-vous ? s'enquit le fermier, tendant le bras vers la radio pour l'éteindre.

– Je m'appelle Thorson. J'arrive de Reykjavik et je voulais savoir si je pouvais discuter un peu avec vous. Je ne vous dérangerai pas longtemps.

– Thorson ? répondit l'homme au bandeau. Quel drôle de nom ! Et vous venez de Reykjavik pour me voir ?

– En effet.

– Vous êtes député ? Employé aux impôts ? Si c'est le cas, je vous conseille de passer votre chemin. Je n'ai rien à vous dire.

– Non, je ne suis ni l'un ni l'autre. Je suis policier, répondit Thorson. En fait, je travaille pour la police militaire.

L'homme le fixait de son œil unique sans comprendre. La vieille femme avait prévenu Thorson qu'il vivait seul avec ses chiens et quelques vaches, et qu'il élevait aussi un grand nombre de moutons. C'était un paysan courageux, mais qui fuyait la compagnie de ses semblables, s'intéressait très peu à ce qui se passait dans la région et encore moins aux guerres mondiales. Elle lui avait également confié que plusieurs jeunes filles des environs avaient tenté de l'arracher à sa solitude, en vain. Selon elle, c'était Vera qui était responsable de cet état de fait. Elle semblait avoir ensorcelé le pauvre homme.

Thorson s'excusa à nouveau et se présenta en lui débitant le couplet habituel. Il était né au Canada de parents islandais, ce qui expliquait qu'il maîtrisait correctement la langue. Arrivé en Islande avec les premiers contingents de soldats, il assurait en ce moment la liaison entre la police militaire et la police locale dans le cadre d'un événement qui avait eu lieu récemment à Reykjavik, et dont le fermier avait peut-être entendu parler à la radio.

– Je n'écoute que de la musique, objecta-t-il, toujours sans comprendre la raison de cette visite inattendue. Je ne suis quasiment pas les actualités.

Thorson lui parla de l'homme assassiné d'une balle dans la tête dans un appartement en sous-sol à Reykjavik avec une arme de fabrication américaine. Il ajouta que la victime s'appelait Eyvindur et avait vécu un certain temps avec une femme originaire de la région. Cette dernière ne vivait plus ici, mais on avait dit à Thorson que le fermier l'avait bien connue.

Un long silence s'installa quand il eut achevé ses explications. Le fermier le regardait, son marteau de forgeron à la main, et même si la question flottait dans l'air, il semblait hésiter à la formuler. Comme s'il redoutait la réponse. Thorson attendit, l'homme reposa son marteau et remit en place le bandeau qui couvrait son œil.

– De quelle femme parlez-vous ? finit-il par s'enquérir. Mais il ne le faisait que pour la forme, Thorson savait qu'il connaissait déjà la réponse.

– Elle s'appelle Vera.

Le fermier considéra longuement son hôte inattendu sans un mot. Thorson crut discerner dans son regard un mélange de surprise et de dégoût. Il était tout à coup apparu dans sa ferme au sol en terre battue et lui parlait d'un crime commis à Reykjavik. Il avait fait toute cette route et venait de prononcer un prénom que cet homme pensait ne plus jamais entendre. Thorson comprenait parfaitement qu'il soit interloqué. Il aurait sans doute lui-même mal accueilli une aussi étrange visite.

– Pourquoi… ? Qu'est-ce que vous me voulez ? Qu'est-ce que vous venez faire ici ?

– On m'a dit que vous la connaissiez mieux que personne dans la région, répondit Thorson.

– Elle est responsable de ça ? demanda-t-il. De ce qui est arrivé à ce… à ce…

– À Eyvindur. Ce n'est pas exclu.

– Pourquoi venir m'interroger ?

– Parce que je voudrais en savoir plus sur elle, répondit Thorson. J'ai posé des questions aux gens d'ici et ils m'ont conseillé de passer vous voir car vous êtes celui qui la connaîtrait le mieux, et pas vraiment pour votre bien. Souscrivez-vous à cette façon de présenter les choses ?

– Vous feriez mieux de partir, répondit le fermier, la main serrée sur son marteau de forgeron. Je n'ai rien à vous dire. Sortez !

– Vous ne voulez pas réfléchir ? suggéra Thorson. J'aimerais vraiment beaucoup vous poser quelques questions.

– Vous ne devriez pas écouter ce que racontent les gens d'ici, ils croient savoir bien des choses alors qu'ils ne savent rien. Au revoir.

– C'est vrai qu'elle a…

– Je vous conseille de partir immédiatement, menaça le fermier. Je refuse de discuter avec vous. Je ne veux plus jamais entendre parler de… de cette femme. Laissez-moi tranquille. C'est compris ? Fichez-moi la paix !

– D'accord, je comprends. Je ne vous dérangerai plus. Je tenais juste à vous dire quelque chose avant de m'en aller. Elle est en couple avec un Britannique. Un soldat. Elle le fréquentait déjà alors qu'elle vivait encore avec l'homme qu'on a retrouvé tué d'une balle dans la tête. Est-ce que son infidélité vous surprend ?

– Sortez d'ici ! éructa le fermier en s'avançant vers lui, son marteau à la main. Ce que vous me racontez ne m'intéresse pas ! Dehors ! Allez, dehors !

Thorson recula dans le passage couvert et ressortit à l'air libre. Le fermier le regardait de son œil unique depuis l'embrasure de la forge, l'air revêche, solidement bâti, avec sa barbe et ses cheveux noirs, sa chemise de travail et ses bretelles usées, le visage maculé de suie.

En sortant de la vieille ferme en tourbe, il tomba nez à nez avec le chien roux et noir qui grogna en montrant les crocs. Thorson recula vers sa jeep. Les deux autres chiens, ceux qui lui avaient fait la fête à son arrivée, observaient la scène à distance et se mirent tout à coup à aboyer, comme pris de folie. Alors qu'il n'était plus qu'à quelques mètres de son véhicule, le gros chien écumait de rage et ses grognements s'étaient transformés en aboiements hostiles. Tout à coup, l'animal bondit sur lui et le renversa. Thorson avait emporté son revolver. Il n'aurait pas hésité une seconde à l'utiliser, mais il l'avait laissé dans son étui à bord de la jeep et le regrettait amèrement alors qu'il se débattait au sol en tentant d'éviter que le chien ne le prenne à la gorge. Il sentit sa mâchoire se refermer sur son avant-bras et lui asséna un coup de poing sur le museau, ce qui n'eut guère d'effet étant donné la force du molosse. Hurlant de douleur, il tenta d'attraper une pierre pour se défendre. À ce moment-là, il distingua une silhouette en surplomb et sentit la mâchoire se desserrer autour de son bras tandis que l'animal prenait son envol en hurlant à la mort avant d'atterrir sur le dos, quelques mètres plus loin, puis de s'en aller à l'arrière de la vieille ferme, la queue entre les jambes.

– Ça va ? s'inquiéta le fermier en l'aidant à se relever de ses bras puissants. Ce chien devient hargneux avec l'âge. Je vais devoir l'abattre. Il s'attaque à tout ce qui passe à côté de lui. Il ne vous en veut pas particulièrement, ajouta-t-il, manifestement navré. Thorson fit mine de remonter dans sa jeep, mais il avait le bras en sang et le fermier lui demanda de patienter, arguant qu'il ne pouvait pas le laisser partir comme ça.

– Laissez-moi vous faire un bandage, proposa-t-il. Je ne crois pas que la blessure risque de s'infecter, mais on ne sait jamais. J'ai de l'antiseptique à la maison et, si vous voulez, je peux vous prêter une autre chemise.

Thorson regarda son bras, scruta la morsure et jugea préférable d'accepter sa proposition. Sa chemise était en lambeaux. Le chien avait arraché une des manches.

– Cette carcasse d'agneau, c'est son œuvre ? demanda Thorson en montrant le cadavre qui gisait au pied du mur.

– Je suppose, répondit l'homme, nettement mieux disposé qu'auparavant. Il y a aussi des renards dans les parages, mais j'imagine que c'est lui qui a fait ça. J'avais prévu de m'en débarrasser lorsque vous êtes arrivé. J'essaie de ne pas laisser traîner trop de saletés aux abords de ma ferme.

Thorson le suivit dans la maison en pierre. L'homme l'invita à s'asseoir dans la cuisine et se mit à ouvrir les placards et les tiroirs, cherchant de quoi le panser. Il trouva de la teinture d'iode et une pommade antiseptique, déchira quelques torchons et nettoya la plaie à l'eau.

– Je pourrais vous recoudre si ça ne vous fait pas peur, proposa-t-il en inspectant les deux plus grosses morsures. Mais je n'ai rien pour vous anesthésier, à part un peu de gnôle.

– C'est inutile, ne serrez pas trop fort, je verrais bien comment ça aura évolué à mon retour à Reykjavik, répondit Thorson.

– En tout cas, nous pouvons arrêter le saignement. Excusez-moi pour ce chien. Il est vieux et je n'ai pas eu le courage de l'abattre. Je suis un peu sentimental et c'était une brave bête.

– On dit qu'ils sont très fidèles, observa Thorson, celui-là l'est peut-être un peu trop. C'est la première fois qu'un chien m'attaque comme ça. Et j'espère bien que ce sera la dernière.

– Oui, il m'a toujours été très fidèle, c'est sûr.

– Plus que certains autres ?

Le fermier le regarda de son œil unique en penchant la tête, comme si cela lui permettait de mieux le voir.

– Je ne veux rien savoir d'elle. J'espère que vous le comprenez. Je me fiche royalement de ce qu'elle fait chez vous, à Reykjavik. Royalement.

– D'accord, je comprends, répondit Thorson. Restons-en là. Je voulais juste en savoir davantage sur elle. Si elle a fait des bêtises, je suppose que je le découvrirai ailleurs. Je comprends que vous n'ayez pas envie d'en parler. Le pire, c'est qu'elle parviendra sans doute à ses fins, puisque vous la protégez.

Le fermier interrompit sa tâche. Il avait nettoyé les plaies et enveloppé l'avant-bras de Thorson d'un torchon propre qu'il s'apprêtait à attacher à l'aide de deux épingles à nourrice qu'il était allé chercher dans sa chambre. Il avait aussi rapporté une chemise propre pour remplacer celle que son chien avait déchirée. C'était le soir. Le soleil projetait ses rougeoiements sur les murs de la cuisine. L'air sentait le café recuit, la pommade antiseptique et les mains fatiguées par une longue journée de travail. Malgré l'attaque du molosse et les blessures qui entaillaient son bras, Thorson se sentait bien. Le comportement de cet homme n'avait plus rien à voir avec la manière dont il l'avait accueilli dans la ferme en tourbe. Il semblait véritablement inquiet pour lui, il avait honte du comportement de son chien et voulait essayer de faire oublier à ce jeune homme venu du Canada le mauvais accueil qu'on lui avait réservé dans une ferme islandaise.

– Puisque je la protège ? s'étonna-t-il. Mais je ne la protège pas.

– J'aurais plus de moyens de pression sur elle si vous me disiez ce qui s'est passé entre vous. Je n'ai quasiment aucun élément en main. En réalité, j'ignore tout d'elle et je ne peux pas interroger grand monde. Tout ce que je sais, c'est qu'elle n'était pas appréciée par ses anciens voisins.

– Malheureusement, je ne peux pas vous aider.

– Que s'est-il passé entre vous ? demanda Thorson.

– Ce qui s'est passé entre nous ? J'ai perdu un œil, voilà tout, répondit le fermier, manifestement toujours en colère.

– D'accord, je ne voulais pas…

Son hôte acheva de bander son avant-bras.

– Peut-être… je me dis parfois que c'est une punition bien méritée pour avoir été à ce point aveugle. Je refusais de voir la femme qu'elle était réellement.

– La femme qu'elle était ?

– Je pensais la connaître. Puis j'ai compris que je m'étais trompé.

– Vous vous connaissiez depuis l'enfance ?

– Plus ou moins. Je viens d'ailleurs. On m'a envoyé ici à la mort de ma mère et j'ai été élevé par de lointains parents, un couple merveilleux, aujourd'hui décédé. Je me suis efforcé d'être en bons termes avec tout le monde et j'étais peut-être… oui, je la connais depuis longtemps.

– Que s'est-il passé ?

– Ses visites à la ferme sont devenues plus régulières…

– Et ?

– Je préfère ne pas en parler.

– D'accord.

Le regard du fermier se perdait dans le rougeoiement du soleil couchant reflété sur le mur de la cuisine.

– C'était un soir comme celui-là, en août, au terme d'un bel été, reprit-il après un silence. Je ne soupçonnais pas…

– Quoi donc ?

– Qu'elle puisse être… qu'elle puisse avoir un tel caractère. Elle s'est moquée de moi. Toute la région est au courant. Elle était… elle est complètement imprévisible…

38

Il se rappelait la première fois qu'elle lui avait rendu visite, seule, peu après ses fiançailles. Elle était déjà venue auparavant, accompagnée par son futur époux, mais cette fois-là il l'avait vue gravir le chemin menant à la ferme toute seule avant de venir frapper à sa porte. Il avait eu le temps de se laver les mains et le visage, couvert de suie après sa journée de labeur. Intéressé par le travail du fer, il avait installé cette forge dans l'ancienne ferme en tourbe et avait également appris le métier de tourneur dans une usine à l'occasion d'un séjour à Reykjavik. Il avait tout de suite demandé à Vera où était son petit ami, mais ce dernier était allé en ville et ne reviendrait que tard dans la nuit. Ils se connaissaient bien, tous avaient passé leur enfance dans la région, même si lui n'y était arrivé qu'à l'âge de neuf ans. Il reconnaissait l'avoir parfois regardée avec un certain désir, mais cela n'était jamais allé plus loin. Il était très peu entreprenant avec les femmes, pensait ne pas plaire à Vera, d'autant qu'elle n'avait jamais manifesté aucun intérêt pour lui. Maintenant, elle était fiancée et la date de son mariage approchait. Elle avait la réputation de faire tourner la tête aux hommes, mais ces rumeurs s'étaient tues après ses fiançailles. Il considérait son amoureux comme un ami. Leurs terres étaient attenantes.

– Tu ne m'invites pas à entrer ? lui avait-elle demandé, debout à la porte, en lui adressant un sourire un peu triste.

– Bien sûr que si, ça ne va pas ?

– J'avais juste envie de faire une promenade, avait-elle répondu. Je m'ennuie.

Le teint joliment hâlé par l'été, elle s'était assise à la table de la cuisine. Il avait préparé un café en s'efforçant de lui faire la conversation, mais avait bien senti qu'elle répondait avec peu d'entrain à ses commentaires sur le temps, la saison des foins ou la manière dont il avait installé une ligne électrique qui partait du groupe électrogène et rejoignait l'ancienne salle commune de la vieille ferme en tourbe, dans sa toute nouvelle forge éclairée grâce à une ampoule, et où il pouvait désormais écouter la radio.

– Il ne veut pas déménager, avait-elle déclaré, caressant de sa main hâlée la table de la cuisine quand il s'était enfin tu. Elle avait de belles mains et une bague ornait un de ses jolis doigts fins.

– Déménager ?

– Il me l'avait promis, puis il a commencé à inventer des tas d'excuses, qu'il ne tirerait pas un bon prix de ses terres et qu'il ne voyait pas ce qu'il irait faire ailleurs. Et maintenant il a complètement changé d'avis et il m'avoue qu'il ne peut pas imaginer partir d'ici. Il rêve de drainer les marais pour agrandir ses champs et veut construire de nouveaux bâtiments agricoles. Je doute qu'il fasse tout ça. Il m'avait promis qu'on partirait, qu'on irait à Reykjavik. Il me l'avait promis.

Elle s'exprimait d'un ton triste. Il se rappelait l'avoir entendue parler de Reykjavik comme d'un lointain mirage, soutenant qu'elle n'avait pas l'intention de passer toute une vie de chien dans cette campagne. Il se souvenait que son petit ami n'avait pas semblé opposé à l'idée et qu'il envisageait même de vendre ses terres s'il trouvait un acheteur à bon prix.

– Tu réussiras peut-être à le faire changer d'avis, avait-il répondu pour meubler.

– J'en doute. D'ailleurs, j'ai…

– Tu as ?

– J'ai menacé de le quitter, de partir seule à Reykjavik et de rompre nos fiançailles.

– Et qu'est-ce qu'il a répondu ?

– Qu'il n'en était pas question. Il m'a dit que je m'en remettrais et que je comprendrais plus tard qu'il avait raison. Selon lui, nous sommes des paysans et la ville n'est pas un endroit pour nous. Tu peux… tu as déjà entendu une chose pareille ? Avant, il ne parlait pas comme ça. J'ai l'impression qu'il… qu'il m'a trahie et que maintenant il veut me forcer à accepter une situation que je refuse. Je… je ne veux pas de ça. J'ai toujours rêvé de partir à Reykjavik.

Elle s'était mise à sangloter en silence. Il ne savait pas quoi faire. Finalement, il avait essayé de la consoler en venant s'asseoir à côté d'elle. Elle lui avait pris la main, puis s'était blottie contre lui et avait pleuré sur son épaule. Il sentait sa poitrine se presser contre son torse. Tout à coup, elle s'était détachée de lui en annonçant qu'elle devait partir. Elle l'avait remercié, puis s'était évanouie dans le crépuscule.

Quelques jours plus tard, il l'avait vue gravir à nouveau le chemin menant à sa ferme et il était sorti l'attendre sur le pas de la porte, craignant que quelqu'un ne la voie lui rendre visite seule à une heure si tardive. Il s'était hâté de l'inviter à entrer mais il n'avait pas la conscience tranquille. Il ne savait même pas ce qu'il avait à craindre. Il n'avait rien fait de mal. Il avait simplement pensé à elle depuis sa dernière visite, réfléchi à la relation apparemment difficile qu'elle avait avec son petit ami, pensé à ses jolies mains dorées par le soleil et à sa poitrine qu'il avait sentie contre lui. Peut-être éprouvait-il une certaine mauvaise conscience. C'étaient là des pensées concupiscentes et impures.

Au lieu d'entrer dans la maison, elle lui avait demandé de lui montrer sa forge. Il l'avait accompagnée dans l'ancienne ferme en tourbe et avait allumé l'ampoule au plafond. Elle l'avait immédiatement éteinte et ils avaient parlé à mi-voix, debout au centre de l'ancienne pièce commune sans qu'il se rende réellement compte de la détermination de Vera. Un chandail en laine par-dessus sa robe, elle était jambes nues. Elle lui avait dit qu'elle tenait à le remercier de son accueil de l'autre soir. Il avait répondu que c'était inutile, il n'avait fait que l'écouter, mais elle avait souri en lui demandant s'il lui arrivait de penser à elle avant d'ajouter que, pour sa part, elle pensait régulièrement à lui. Il avait avoué avoir songé à elle depuis leur dernière rencontre. Et jamais avant ça ? avait-elle insisté. Il avait gardé le silence. Elle s'était approchée, il n'avait pas bougé et, avant même qu'il ne s'en soit rendu compte, elle était tout près de lui et l'embrassait doucement sur la bouche. Il s'était laissé faire sans mesurer combien il désirait ce baiser, combien il désirait sentir ses lèvres sur les siennes, depuis bien plus longtemps peut-être qu'il ne l'imaginait. Elle l'avait à nouveau embrassé, il lui avait rendu son baiser, l'avait serrée dans ses bras et pressée contre lui. Elle lui avait pris la main pour la glisser sous sa robe. Il avait alors découvert qu'elle était nue en dessous et une vague de chaleur l'avait envahi. Elle l'avait embrassé avec fougue, l'avait entraîné vers le vieil établi, il l'avait soulevée pour l'y asseoir et avait senti le désir, la chaleur et la passion l'envahir quand elle avait ouvert la braguette de son pantalon en se blottissant contre lui et en le guidant de ses doigts délicats dorés par le soleil.

Après cela, ils s'étaient revus deux fois dans la forge et, chaque fois, elle l'avait entraîné vers l'établi, l'avait serré contre elle et lui avait donné un plaisir qu'il n'avait jamais éprouvé jusque-là.

Puis, un soir, il avait remarqué que la lumière était allumée dans la forge. Il ne l'avait pas vue depuis un certain temps et ne l'avait pas aperçue sur le chemin de sa ferme. Il s'était hâté d'entrer, impatient. Il voulait lui dire qu'il souhaitait arrêter ce jeu de cache-cache, qu'ils devaient parler à son petit ami et mettre les choses au clair. Elle n'avait qu'à rompre ses fiançailles et ils pourraient vivre ensemble. Il avait réfléchi et il était prêt à quitter la campagne pour aller avec elle à Reykjavik, il trouverait bien du travail en ville et elle serait libre d'exercer la profession qu'elle voudrait. Il brûlait de savoir comment elle accueillerait ses projets alors qu'il avançait dans le passage couvert en direction de la lumière qui brillait dans la forge.

Il avait suffoqué en découvrant son fiancé penché sur le foyer, remuant les braises avec un tisonnier.

– Alors, c'est ici que vous avez fait ça ? avait-il lancé en se redressant.

Il était muet de surprise.

– Tout de même pas par terre, hein ? Où ça ? Où ? Sur l'établi ?

– Je… je…

Comprenant immédiatement qu'il était inutile de nier, il avait tenté de bredouiller qu'ils avaient l'intention de lui parler, qu'elle n'était pas satisfaite de leur relation, qu'elle voulait le quitter et qu'ils pensaient même partir ensemble à Reykjavik. Il aurait voulu lui dire tout ça et faire preuve d'honnêteté mais ne parvenait pas à articuler le moindre mot.

– Elle a eu ce qu'elle voulait, avait repris le fiancé. Je ne peux pas vivre avec une femme comme elle. Nous allons rompre nos fiançailles. Je ne peux plus me marier avec elle. Pas depuis qu'elle est venue ici. Pas depuis qu'elle a couché avec *toi*.

– Je ne voulais pas… on avait prévu de te parler.

– Vous ?

– Oui.

L'autre avait éclaté de rire.

– Tu ne crois tout de même pas qu'elle s'intéresse à toi ?

– Nous…

– Oui, eh bien, ne rêve pas, avait rétorqué son rival, furieux d'avoir été trompé. Elle s'est juste servie de toi pour m'atteindre. Elle savait très bien ce qu'elle faisait. Je suppose que tu le savais également. Évidemment, ça t'a amusé et ça t'a plu de penser à moi pendant que tu la prenais. Je croyais qu'on était amis…

– Comment… as-tu appris que… ?

– On a encore eu une dispute, c'est elle qui l'a déclenchée. Elle m'a parlé de toi. De votre… nid d'amour. Elle m'a dit qu'elle t'avait baisé ici, dans la forge. Elle m'a dit en se moquant de moi que tu lui étais monté dessus ici même !

La colère de l'homme augmentait à chaque mot qu'il prononçait. Fou de rage, il avait attrapé le tisonnier chauffé à blanc dans les braises et l'avait frappé au visage. L'extrémité incandescente avait touché l'œil et y était restée assez longtemps pour le brûler irrémédiablement.

Thorson écoutait le fermier tandis que le soleil se couchait. Les ombres s'allongeaient et brunissaient dans la cuisine. Au terme de son récit, son hôte passa machinalement sa main sur le bandeau qui lui couvrait l'œil.

– J'ai hurlé de douleur et je me suis précipité dans le passage couvert. Puis je suis venu ici et j'ai essayé de me nettoyer à l'eau froide. C'était une douleur insoutenable et j'ai… j'ai tout de suite su que j'avais perdu mon œil. C'était impossible qu'il soit indemne.

– Il disait la vérité ? s'enquit Thorson après un long silence. Vous croyez qu'elle vous a utilisé pour se débarrasser de son fiancé ?

– Elle ne m'a plus jamais adressé la parole. Ensuite, j'ai appris qu'elle était partie à Reykjavik et que les fiançailles avaient été rompues. En y repensant, je me dis que j'étais une proie facile et qu'elle l'avait très bien compris. Elle a su qu'elle n'aurait aucun mal à me manipuler. Elle s'est servie de moi pour se venger de lui, puis elle m'a jeté comme une vieille chaussette.

– Et vous ne l'avez jamais revue depuis ?

– Jamais. Bien sûr, la perte de mon œil était très douloureuse, mais je me demande si le pire n'est pas d'avoir été ainsi tourné en ridicule. En fait, le pire c'est d'avoir succombé à ses ruses.

On discernait une grande souffrance dans la voix du fermier. Thorson ne pouvait que compatir.

– Elle a fait des siennes à Reykjavik ?

– On ne sait pas. Elle a rencontré un autre homme très rapidement et a emménagé avec lui. Comme je vous l'ai dit, ce dernier a été tué. Elle le trompait déjà avec un soldat britannique lorsque c'est arrivé.

– Et vous la croyez mêlée à cette histoire ?

Thorson haussa les épaules.

– Impossible à dire.

Le fermier regarda un long moment le crépuscule par la fenêtre de la cuisine, se demandant manifestement s'il en avait assez dit ou s'il devait ajouter quelque chose. Thorson attendit, patient, et après ce long silence son hôte se racla la gorge.

– Vous vouliez me dire autre chose ? s'enquit le policier.

– Non, enfin, peut-être bien. Un jour, elle m'a tenu des propos que j'avais oubliés mais que, à mon avis, il est souhaitable que vous connaissiez. Je viens de m'en souvenir. Ça ne m'a pas frappé à l'époque, d'autant plus qu'elle a dit ça sur le ton de la plaisanterie. J'en suis sûr. Je l'ai compris comme ça et je suis certain de ne pas m'être trompé. D'ailleurs, je me demande si je dois vraiment vous en parler parce que vous risquez d'attacher trop d'importance à ce qui n'est qu'un détail sorti de son contexte et d'en déduire des choses qui n'ont aucun fondement.

– De quoi s'agit-il ?

– D'un accident. Un homme s'est noyé dans un lac où on va pêcher la truite, là-haut, sur les landes. Elle m'a dit que le mieux serait que j'emmène son fiancé à la pêche et que j'en revienne seul. Les accidents arrivaient comme ça. Puis elle a éclaté de rire. Elle a dit ça en plaisantant et n'en pensait pas un mot. Il n'y avait aucune intention derrière ses paroles, mais quand même…

– Vous croyez que l'idée l'avait effleurée ? L'idée qu'il puisse arriver malheur à son fiancé ?

– Non, comme je viens de le dire, je n'ai pas pris ça au sérieux.

– Et voilà que cet homme est tué à Reykjavik.

– Je voulais juste que vous le sachiez. Je suis sûr qu'elle n'était pas sérieuse.

Quelques instants plus tard, le fermier raccompagna Thorson à sa jeep. Les chiens avaient disparu. Thorson lui demanda d'accepter sa veste en moleskine en échange de la chemise puisqu'ils avaient la même taille. L'homme refusa catégoriquement.

– Elle a quelque chose, une chose qui vous attire, mais que je suis incapable de définir. Une sorte de charme qui vous ensorcelle et vous conduit à faire ses quatre volontés.

À votre place, je ne croirais pas un mot de ce qu'elle dit, mais de là à imaginer qu'elle puisse aller aussi loin…

– En effet, convint Thorson. Nous verrons bien.

Les deux hommes se serrèrent la main.

– Elle a juste disparu, reprit le fermier. Elle avait très envie de s'en aller. On m'a dit qu'elle est partie en pleine nuit sans prendre la peine de dire au revoir.

Thorson prit place dans sa jeep.

– Ce qui est étrange… c'est peut-être ridicule de dire une chose pareille…

– Oui ? s'enquit Thorson.

– Ces soirées me manquent encore, conclut le fermier en regardant vers la forge. Elle était… il m'arrive parfois de penser à elle, malgré tout.

39

Flovent fit une pause dans l'interrogatoire de Brynhildur Holm et lui proposa d'appeler un avocat. Elle lui répondit qu'elle n'avait pas enfreint la loi. Il avait l'impression que, pour elle, franchir cette étape revenait à reconnaître sa culpabilité. Il s'efforça de la convaincre qu'il n'en était rien. Elle promit d'y réfléchir et lui demanda combien de temps elle devrait encore rester en prison. Flovent était incapable de répondre, mais il répéta que, si elle souhaitait être assistée d'un juriste pour la suite des interrogatoires, il y veillerait. Elle préférait en finir au plus vite. Elle avait la conscience tranquille et Flovent devait comprendre qu'il était tout à fait inutile de la maintenir en détention.

– Donc il est possible que Felix ait informé Eyvindur des recherches que vous meniez dans l'école ? reprit le policier dès qu'ils se furent réinstallés dans la salle. On peut envisager qu'il lui ait parlé de son rôle au sein du groupe des garçons et qu'ensuite Eyvindur ait écrit cette lettre pour vous soutirer de l'argent.

– Il agaçait Felix quand ils se croisaient pendant leurs tournées, répondit Brynhildur. Felix ne voulait pas le fréquenter, mais Eyvindur passait son temps à l'importuner. Peut-être à cause de la manière dont il s'était conduit avec lui autrefois. Je suppose qu'il lui en voulait. En quelque sorte, il se mêlait de ce qui ne le regardait pas, il lui demandait sans cesse pourquoi il allait en tournée à tel ou tel endroit qu'aucun autre représentant ne visitait et lui faisait des remarques déplaisantes sur ses origines allemandes ou sur le nazisme. Il disait que les nazis allaient se prendre une raclée et qu'ils le sentiraient passer en ajoutant qu'il n'avait qu'à retourner chez lui, en Allemagne. Et un jour, ivre, Felix en avait eu assez et ne s'était pas gêné pour lui dire qu'en réalité ils n'avaient jamais été amis et qu'il n'avait été qu'un cobaye. Il lui avait répondu d'un ton méprisant et sans l'épargner, ajoutant qu'il était prouvé qu'il ne valait pas mieux que son criminel de père. Je suppose qu'il en a trop dit et Eyvindur s'est renseigné…

– Comment ça ? Auprès de qui ?

– Il est allé poser des questions à Ebeneser. Ce dernier nous a raconté qu'Eyvindur l'avait appelé, puis qu'il était passé le voir à l'école en exigeant d'avoir des explications sur ce qui s'était passé la dernière année de sa scolarité. Étant donné les questions qu'il lui a posées, Felix a dû lui raconter en détail ce que nous faisions. Et je suppose qu'il a aussi interrogé d'autres anciens élèves de l'école.

– Eyvindur a dit à sa petite amie qu'il attendait une rentrée d'argent, mais elle ne l'a pas cru. Il avait souvent échafaudé des projets dont elle n'avait ensuite plus entendu parler. Où est la lettre que vous avez reçue ?

– Rudolf… était tellement choqué. Je crois qu'il l'a simplement brûlée. Il a beaucoup de mal à parler de tout ça. Il ne le supporte pas.

– Donc, cette lettre n'existe plus ?

– En effet. Elle était d'ailleurs très mal écrite et consistait avant tout en une série de reproches et d'accusations. L'auteur nous traitait de nazis et menaçait de nous dénoncer. Nous allions le sentir passer et ce genre de choses. Ensuite venaient les instructions concernant le montant exigé et l'endroit où Rudolf devait le déposer.

– C'était où ?

– À côté d'une des grilles du cimetière de Sudurgata.

– Rudolf a parlé de cette lettre à Felix ?

– Je ne crois pas. Par contre je pense que, voyant que sa lettre demeurait sans suite, Eyvindur a contacté Felix, et même si Felix refuse de l'avouer, qu'il a voulu lui extorquer de l'argent ou le forcer à faire pression sur son père. Cela expliquerait la présence d'Eyvindur chez lui.

– Et ?

– Et leur entrevue se serait achevée de cette manière désastreuse. Felix aurait alors laissé le corps d'Eyvindur dans l'état où vous l'avez trouvé. Je lui ai d'ailleurs parlé de cette hypothèse, mais il refuse de me dire quoi que ce soit. J'ai eu beau le cuisiner, il n'en démord pas : il a trouvé Eyvindur mort chez lui. Il est incapable de me dire qui s'en est pris à lui et pour quelle raison. Il pense que l'assaillant l'a confondu avec Eyvindur et que c'était lui qui était la vraie cible.

– Ce qui nous ramène à l'éternelle question : qui aurait des raisons de vouloir tuer Felix ?

– Il a quelques hypothèses, mais refuse de m'en faire part.

– Ce serait lié à une affaire d'espionnage ?

– Je l'ignore.

– À ces recherches ? À son comportement passé ?

– Il refuse d'en parler.

– S'il ne vous ment pas, cela implique que le meurtrier l'a confondu avec Eyvindur et qu'il a tué Eyvindur par erreur.

– Ça ne fait que le conforter dans l'idée qu'il était la vraie cible, ceux qui lui veulent du mal auraient recruté un élément extérieur pour accomplir la sale besogne. Je ne fais que citer ses paroles sans comprendre ce qu'elles signifient.

– Il a tendance à se contredire, vous ne trouvez pas ?

– Je crois surtout qu'il essaie de comprendre ce qui se passe. Felix ne sait plus quoi penser. Moi non plus, d'ailleurs. Je ne sais vraiment plus où j'en suis. Je suis incapable de vous le dire.

– À propos de ces recherches… vous savez ce que ces garçons sont devenus ? Vos prévisions se sont réalisées ? Ils ont eu des problèmes avec la justice ?

– J'ai plus ou moins essayé de suivre leur parcours, mais pas de manière très assidue. Rudolf et Ebeneser se sont complètement désintéressés de cette étude et ne veulent plus en entendre parler. Je garde en mémoire la plupart des noms et je vérifie où ils en sont quand j'en ai l'occasion.

– Et ?

– La plupart tirent assez bien leur épingle du jeu, répondit Brynhildur. Sur les quinze, l'un d'eux est aujourd'hui enseignant. Certes, deux sont devenus clochards et deux autres ont fait de brefs passages en prison pour vol avec effraction et violence.

– Et celui-là ? s'enquit Flovent en désignant le garçon à côté d'Eyvindur sur la photo.

– Je vous ai déjà dit que je ne connais pas ces deux autres enfants.

– On nous a raconté qu'il avait également été "ami" avec Felix.

– C'est possible, répondit Brynhildur.

– Felix l'aurait fréquenté pour espionner sa famille et transmettre ensuite les informations à son père ?

– Je ne sais pas.

– Vous voulez dire que vous ignorez s'il faisait partie des cobayes ? Je pensais que vous connaissiez leurs noms. En tout cas, la plupart.

Brynhildur scruta longuement la photo.

– Il me semble qu'il s'appelle Josep. Enfin, si je me souviens bien. Josep Ingvarsson.

– Et que savez-vous de lui aujourd'hui ?

– C'est un clochard, répondit Brynhildur. Je l'ai vu rue Hafnarstraeti ou en train de traîner en ville. Son père a fait plusieurs séjours en prison pour diverses infractions. C'était un homme très violent.

– Croyez-vous que Josep puisse être l'auteur de cette lettre ?

– Felix est persuadé que c'est Eyvindur.

Flovent rassembla les documents posés sur la table. L'interrogatoire touchait à sa fin.

– Vous dites vouloir l'aider. S'il est effectivement en danger, comme il le croit, nous pouvons le protéger.

Brynhildur se taisait.

– Pensez à lui et à ces menaces dont il parle. Vous n'avez pas le choix. Vous le comprenez, je pense. En plus, vous êtes vous-même impliquée dans cette affaire et vous bénéficierez de circonstances atténuantes si vous nous dites tout ce que vous savez. Je vous conseille de…

– Il vénérait son oncle, déclara Brynhildur. Felix est nazi jusqu'au bout des ongles. Il serait parti en Allemagne pour s'engager dans l'armée si Hans ne l'avait pas convaincu qu'il serait plus utile en Islande.

– Comment ça, plus utile ?

– Lorsque les Allemands envahiraient le pays. Et puisque ce n'est pas arrivé…

– Quoi donc ?

– Ce n'est pas impossible que Hans l'ait recruté comme espion pour les nazis et que Felix dise vrai quand il affirme qu'Eyvindur s'est retrouvé par erreur dans la ligne de mire.

– Que pouvez-vous me dire de Hans Lunden ? Que fait-il exactement ?

– Quand il est venu ici, juste avant la guerre, il a parlé des projets qu'il comptait mettre en œuvre dès que les nazis auraient occupé l'île. Rudolf avait alors tourné le dos au nazisme. Hans voulait que son frère dirige des recherches anthropologiques inspirées de l'expérience que nous avions menée. Ils n'étaient pas d'accord. Hans s'est mis en colère et a quitté l'Islande sans dire au revoir à son frère. Je crois qu'ils n'ont plus aucun contact depuis. Hans pense qu'une race nordique tout à fait exceptionnelle vit ici, une race plus robuste et meilleure, que les nazis pourraient prendre en exemple.

Brynhildur prit une autre gorgée d'eau, puis lui raconta que Hans Lunden s'intéressait aux sagas des Islandais qui mettaient en scène la combativité, le courage et de grandes prouesses. Il s'était plongé dans les écrits du Moyen Âge et avait lu l'*Edda poétique*. Selon lui, si les ancêtres des Islandais avaient vécu aujourd'hui, ils auraient été des surhommes doublés de génies militaires et il rêvait de les ressusciter. Il menait des études anthropologiques sur la race nordique dans un institut fondé par Himmler à Berlin. Cet institut s'appelle "Héritage ancestral". C'est pour cette raison que Hans est venu en Islande. Il était persuadé que, quand la guerre se propagerait, les Allemands occuperaient l'Islande. Il serait alors possible d'engager des recherches en génétique et en anthropologie sur les Islandais et leur lien avec l'héritage ancestral germanique et les prouesses des Vikings. Sur l'origine des Islandais. Il comptait les diriger en personne et voulait que Rudolf soit son bras droit.

– Mais les Allemands n'ont jamais envahi l'Islande, rappela Flovent.

– Hans a dû être très déçu, ironisa Brynhildur.

Rudolf avait découvert au cours de son étude que les théories de Hans et des autres nazis concernant l'Islande se fondaient sur un malentendu. Werner Gerlach avait tenu le même discours à Hans quand ils s'étaient rencontrés au consulat. D'après eux, les Islandais n'étaient qu'un tas de paysans qui n'avaient plus rien à voir avec le courage viking et les hauts faits des héros du Moyen Âge. Le sang des Islandais avait toujours été mêlé et ce, depuis l'époque où l'île avait été colonisée. Rudolf avait cité l'étude qu'il avait menée à l'école pour appuyer sa démonstration car elle pourrait servir de base de travail à des recherches ultérieures sur la dégénérescence de la race nordique. Elle montrait clairement que les descendants des Vikings n'étaient pas de bons Aryens. Hans Lunden avait refusé de l'écouter. Ils s'étaient violemment disputés. Puis les Britanniques avaient envahi l'Islande, réduisant ces projets à néant.

– Vous savez où se trouve Hans Lunden aujourd'hui ? demanda Flovent.

– Aux dernières nouvelles, il a quitté tout ça pour revenir à ses premières amours. Il mène des recherches en génétique sur les prisonniers des nazis. Les prisonniers de droit commun.

– Mais tout cela est arrivé bien après cette étude réalisée par Rudolf et son frère ? Je veux dire que ces documents sont nettement plus anciens.

– En effet, convint Brynhildur. Cette étude était d'une tout autre nature, mais c'est quand même elle qui est à l'origine de l'intérêt de Hans Lunden pour ce domaine.

– Et vous pensez qu'il a demandé à Felix de collecter des informations en Islande pour les Allemands.

– Oui, et Eyvindur a été tué à sa place.

40

Thorson dormit dans un baraquement militaire à Selfoss où il arriva bien après minuit. Il rentrait de chez le fermier et n'avait pas la force de continuer jusqu'à Reykjavik, épuisé par cette journée passée à conduire, par l'attaque du molosse et par ses visites dans les fermes. Il avait essayé de rencontrer l'ex-fiancé de Vera, mais on lui avait dit que ce dernier était en voyage dans le Nord. S'étant assoupi à deux reprises au volant sur le chemin du retour, il était angoissé à l'idée d'affronter les pentes abruptes des Kambar puis la lande de Hellisheidi dans cet état de fatigue. Il avait pu se reposer sur une paillasse dans ce baraquement de l'armée de l'air. Le chef d'escadrille qui fumait à l'entrée du bâtiment avait accédé sans difficulté à sa demande. Les deux hommes avaient discuté un moment à mi-voix, puis le gradé lui avait indiqué un couchage et il s'était endormi dès qu'il s'était allongé.

Au réveil, il avait pris son petit-déjeuner avec ses collègues de l'armée de l'air, les avait remerciés pour leur hospitalité, puis s'était remis en route et avait atteint Reykjavik vers midi. Dès son arrivée, il avait commencé à rassembler discrètement des informations sur Billy Wiggins et, après quelques vérifications et conversations téléphoniques, il avait découvert que ce dernier avait agressé un simple soldat des troupes d'artillerie. Il avait passé une nuit en cellule dans la prison militaire de Kirkjusandur, entre autres pour dessoûler car il était ivre mort. L'événement avait été considéré comme un simple incident, aucune plainte n'avait été déposée et les registres de l'armée ne mentionnaient pas le motif de la querelle.

Il s'apprêtait à partir interroger le soldat victime de l'agression quand son téléphone sonna. On l'informa que le sergent Graham voulait le voir immédiatement au quartier général du contre-espionnage à l'ancienne léproserie. Thorson avait conscience d'avoir évité le sergent et de ne l'avoir pour ainsi dire pas tenu informé, ignorant les ordres que ce dernier lui avait donnés. Il avait appelé deux fois le colonel Franklin Webster pour le tenir au courant de la progression de l'enquête et l'avait informé que Felix était peut-être un espion à la solde des Allemands. Jugeant l'information importante, son supérieur l'avait prié de contacter le contre-espionnage, mais, Thorson n'appréciant pas Graham, il avait tardé plus que de raison.

Il dut passer quelques appels avant de trouver Flovent à la prison de Hegningarhus. Son collègue lui résuma les interrogatoires de Brynhildur. Ceux-ci l'avaient conforté dans son opinion. Il y avait de fortes chances que Felix collecte des informations sur les mouvements de troupes et les activités de l'armée d'occupation en Islande pour son oncle, Hans Lunden. Thorson lui relata son voyage dans les campagnes loin vers l'est et lui résuma ce qu'il avait entendu là-bas concernant Vera. Il évoqua le fermier qu'elle avait séduit, l'accident qui en avait découlé et la réputation que la jeune femme avait dans la région.

– Elle a fait ça juste pour rompre ses fiançailles ? s'étonna Flovent quand Thorson eut achevé son bref récit. Pour se venger de son fiancé ?

– Apparemment, oui.

– Elle fréquentait les deux en même temps ?

– Et ne s'intéressait à aucun.

– Tu crois qu'elle aurait employé les grands moyens pour se débarrasser d'Eyvindur ?

– C'est possible. Je vais me renseigner sur ce Billy Wiggins et essayer d'en savoir davantage sur leur relation. Je te tiens au courant.

– Parfait, répondit Flovent, il faut qu'on se voie très bientôt. Je dois te raconter ce que Brynhildur m'a avoué concernant les recherches qu'elle a faites avec Rudolf, et qui impliquent Eyvindur, Felix et d'autres garçons. À plus tard.

Le sergent Ballantine était absent quand Graham reçut Thorson dans son bureau de l'ancienne léproserie. L'Américain commença par lui reprocher de ne pas l'avoir contacté plus régulièrement. Il argua qu'il avait été très pris par l'enquête, il avait même dû se rendre à la campagne, mais Graham était furieux. Il ne se calma que lorsque Thorson se permit de lui rappeler que son supérieur dans la police militaire était le colonel Franklin Webster et que, s'il avait à se plaindre, il devait s'adresser à lui.

– Pouvez-vous me dire si c'est une affaire d'espionnage ? grommela l'Américain.

– Nous ne pouvons pas affirmer pour l'instant que ce meurtre est directement lié à ça. En revanche, un certain nombre de détails indiquent que Felix Lunden, le locataire de l'appartement où le corps a été découvert, serait un agent allemand. Il a peut-être profité de son métier de représentant de commerce pour se rendre dans des lieux d'importance stratégique et collecter des informations. Mais, pour l'instant, nous n'avons aucune preuve. Il est possible que son oncle, un médecin demeurant en Allemagne, lui ait demandé d'espionner pour le Reich, à en croire le témoignage d'un proche de la famille.

– Et ce Felix court toujours ?

– Il se cachait dans l'ancien cabinet médical de son père. Mon équipier islandais l'avait repéré, mais il a réussi à lui échapper. Nous ne tarderons plus à l'arrêter. J'en ai la conviction. Il n'a nulle part où se réfugier.

– Sachez que je ne donne pas cher de vos convictions, gronda Graham. Cette enquête piétine. Je vous ai déjà dit que nous ferions mieux de prendre le relais de la police islandaise puisqu'elle est manifestement incapable de résoudre les affaires les plus simples.

– Je ne suis pas sûr que ce sera si facile, la victime est islandaise et…

– Eh bien, je m'en fiche, coupa Graham. Avez-vous des choses tangibles sur ce… ce Felix ? Les endroits où il est allé fouiner ? Qui sont ses contacts ? Ceux qui travaillent avec lui ? Avez-vous trouvé des choses importantes le concernant ? Le moyen qu'il utilise pour faire sortir les renseignements du pays ? Le type d'informations qui l'intéresse ?

– Nous avons découvert un certain nombre d'éléments, plaida Thorson, mais ils concernent plus sa famille que ses activités…

– C'est ça, je vois parfaitement que vous n'avancez pas, soupira Graham. Thorson était étonné de constater à quel point sa collaboration avec Flovent déplaisait à cet homme. Je vais m'arranger avec le colonel Webster pour que le contre-espionnage reprenne cette enquête. Vous aurez bientôt de nos nouvelles. C'est tout. Vous pouvez disposer.

– Mais il n'y a aucune rais…

– J'ai dit, vous pouvez disposer !

Le soldat qui s'était battu avec Billy Wiggins s'appelait Ira Burns. Il montait la garde avec deux de ses camarades à l'intérieur d'une casemate de projecteur bâtie dans un joli cadre à l'extrémité du cap de Seltjarnarnes. Depuis ce lieu, le regard embrassait tout le golfe de Faxafloi, en partant de Keflavik et du phare de Gardskagaviti, au sud, puis en remontant vers l'entrée du fjord de Hvalfjördur, au nord, et enfin vers la péninsule de Snaefellsnes, à l'ouest. Quand Thorson demanda à parler à Burns, un des trois hommes s'avança. Ce gamin maigrelet d'à peine vingt ans écarquillait les yeux, ébahi de recevoir la visite de la police militaire.

Thorson l'entraîna à l'écart et le pria de lui en dire un peu plus sur sa querelle avec Billy Wiggins. Il vérifia également qu'il ne voulait pas porter plainte. Son fusil à l'épaule, la grosse paire de jumelles avec laquelle il surveillait le trafic maritime attachée autour du cou, Burns hocha la tête. En effet, il ne s'agissait que d'une petite querelle. Wiggins avait un grade supérieur au sien et Burns tenait absolument à oublier l'événement. En réalité, il l'avait d'ailleurs fait jusqu'au moment où Thorson était venu lui rappeler ce souvenir déplaisant.

– Que s'est-il passé exactement ?

– J'ai réussi à le vexer, je ne sais pas bien comment, répondit le jeune homme. On m'a dit qu'il était soupe au lait et j'ai appris plus tard qu'il était maladivement jaloux.

– Jaloux ?

– Rapport à cette blanchisseuse, précisa Burn en sortant ses cigarettes et son briquet.

– Quelle blanchisseuse ?

– Celle qui tient la blanchisserie à côté de Camp Knox et qui travaille pour l'armée. J'ai oublié son nom… mais les gars m'ont dit que Billy l'a aidée à s'installer et qu'il lui a fourni des contacts chez nous de manière à ce qu'elle ne manque pas de travail. Ils m'ont aussi dit que c'est son mari, enfin, pas vraiment son mari, disons plutôt son fiancé.

– Cette femme, elle ne s'appellerait pas Vera ?

– C'est ça, confirma Burns.

– Racontez-moi ce qui s'est passé.

– Rien de particulier. J'ignorais que Wiggins était avec elle. Il m'a sauté dessus et s'est mis à me frapper comme un dingue. On parlait des Américains qui envahissent l'île et se croient chez eux. On était devant l'hôtel Islande et on est tombés sur Wiggins. Il était complètement soûl et très agressif. Il connaissait deux gars du camp de Tripolikamp qui étaient là avec nous. On a dit que ça nous inquiétait de voir que les femmes en pinçaient nettement plus pour les Amerloques que pour les Anglais. Enfin, on rigolait, même si c'est vrai que depuis leur arrivée… vous savez, ils… plaisent nettement plus que nous.

– Et Wiggins n'a pas apprécié ?

– Ça, non ! Il s'est jeté sur moi quand j'ai dit que la jolie blonde de la blanchisserie à côté de Camp Knox en avait déjà trouvé un. Ça nous arrivait de parler d'elle avec les copains. Elle est plutôt… elle a du chien. Je ne savais pas que Wiggins la connaissait, sinon je n'aurais jamais dit ça.

– La jolie blonde de la blanchisserie en avait trouvé un ? Comment ça ?

– Bah, il a tout à coup piqué une colère monstrueuse et m'a demandé ce que je voulais dire. J'ai répondu que je l'avais aperçue au bras d'un soldat américain. Ça l'a rendu fou. Il m'a traité de menteur. Tout à coup, je me suis retrouvé étalé dans la rue et ce connard me frappait comme un malade.

– Vous avez vu Vera au bras d'un Américain ?

– On passe régulièrement devant sa blanchisserie pour venir ici, tout au bout du cap de Seltjarnarnes, et un jour, au petit matin, j'ai vu un Américain la peloter devant sa porte. Je suppose qu'il sortait de chez elle. Je n'ai pas osé raconter ça à Wiggins. Il m'aurait tué. J'ai essayé de lui dire que je m'étais trompé, que j'avais mal vu, mais des policiers sont intervenus à ce moment-là et ça l'a rendu encore plus furieux. Il s'est même battu avec eux. Ce pauvre type était complètement hors de lui. Pour finir, ils l'ont embarqué.

– Vous êtes certain que c'était bien elle ? Il s'agissait bien de cette Vera ? s'assura Thorson.

– Absolument. On était justement en train d'en parler et on disait qu'elle était drôlement jolie. Mais je ne savais pas qu'elle était avec Wiggins. Ce n'est qu'après que les gars de Tripolikamp m'ont dit qu'il était fou de cette fille. Il lui tourne constamment autour et fait ses quatre volontés. Il l'a aidée à monter cette blanchisserie et s'arrange pour lui procurer des tas de choses.

– Et vous l'avez vue en compagnie d'un Américain ?

Le jeune soldat alluma sa cigarette et hocha la tête.

– En tout cas, il avait plus fière allure que Billy Wiggins, c'est le moins qu'on puisse dire.

41

Josep avait eu affaire à la police pour des infractions mineures : vagabondage, ivresse et trouble sur la voie publique, vols à l'étalage, mais également pour avoir volé des œufs et tué des *eiders*[*]. Flovent ignorait le nombre exact de ces infractions, toutes n'étant pas consignées dans les registres. Deux procès-verbaux laconiques le concernaient et l'un d'eux, assez récent, mentionnait le nom de sa sœur. Il avait déclaré habiter chez elle. Flovent se rendit à son domicile et apprit que Josep n'y avait jamais vécu. La sœur n'entretenait de relations avec son frère que de manière très irrégulière, mais savait qu'il dormait parfois à l'Armée du Salut. Curieuse de savoir ce que voulait le policier, elle tenait absolument à l'inviter chez elle et Flovent avait très vite accepté qu'elle lui offre un café. Malgré l'heure tardive, son mari était encore au bureau. Il travaillait pour la compagnie maritime Eimskip et s'inquiétait constamment pour ses navires en cette époque terrible où la guerre faisait rage.

– Mon frère a fait des siennes ? s'enquit-elle dès que Flovent se fut présenté. Elle semblait soucieuse et n'avait pas l'habitude de voir la police frapper à sa porte.

– Non, il n'a rien fait de mal, la rassura Flovent. Je souhaiterais simplement l'interroger dans le cadre d'une enquête qui le concerne indirectement. Je suis à la recherche d'un homme qu'il connaît ou qu'il aurait connu dans le passé. Ma question vous étonnera peut-être, mais lui est-il arrivé de vous parler de sa scolarité ?

– Non, ça ne m'a pas frappée. Nous n'avons pas beaucoup de contacts, nous n'avons jamais été proches et c'est à peine si nous nous connaissons.

---

* L'*eider* est une espèce d'oiseau protégée en Islande.

– Vous n'avez pas été élevés ensemble ?

– Non. J'ai cinq ans de plus que lui. On m'a placée chez une nourrice à Akureyri à l'âge de trois ans et, par la suite, mes parents nourriciers m'ont adoptée.

– Puis-je vous demander la raison de ce placement ?

– Ce n'est pas un secret.

Franche et ouverte, Albina, la sœur de Josep, n'hésitait pas à évoquer l'histoire de sa famille. On l'avait retirée à ses parents naturels, portés sur la boisson et jugés inaptes à l'éduquer. Elle n'en gardait quasiment aucun souvenir, mais on lui avait parlé d'eux quand elle avait été en âge de comprendre. Ses parents adoptifs n'avaient pas essayé de lui cacher la vérité mais n'avaient gardé aucun rapport avec ses parents naturels, restés à Reykjavik, précisant que ce n'était pas souhaitable et qu'il était préférable de couper tous les liens. Elle n'avait appris l'existence de son frère qu'en déménageant dans la grande ville avec son mari, quelques années avant la guerre. Elle avait vite compris que la vie de Josep n'avait pas été une partie de plaisir, mais elle n'avait pas envie de s'appesantir sur la question. En essayant de retrouver ses parents biologiques, elle avait découvert qu'ils étaient tous deux décédés et que Josep était leur seul enfant, à part elle.

– Par conséquent, j'étais déjà adulte la première fois que je l'ai rencontré, précisa-t-elle. Je l'ai contacté. J'étais désolée de découvrir à quel point il allait mal. Il était pris par le démon de l'alcool. Nos parents habitaient dans les Polarnir, c'est là qu'il a passé son enfance. Je suppose que j'ai eu de la chance, ajouta-t-elle après un instant de réflexion. Mon frère a eu une vie terrible. Je ne sais pas s'il l'a cherché ou non. Évidemment, il n'a pas eu la protection de ses parents, enfin, j'imagine, et il suit leurs traces. C'est souvent le cas, n'est-ce pas ?

– Oui, je suppose, convint Flovent.

– Vous disiez être à la recherche de ses anciens camarades d'école ? reprit Albina. Ils ont quelque chose à se reprocher ?

– On ne le sait pas encore, répondit Flovent, qui souhaitait lui exposer les choses clairement. Il a fréquenté le même établissement qu'un garçon du nom d'Eyvindur qu'on a retrouvé mort ici, à Reykjavik. Vous en avez peut-être entendu parler ?

– L'homme abattu d'une balle dans la tête ?

– Oui. Il y a un autre ex-camarade de Josep qui s'appelle Felix Lunden et que nous recherchons dans le cadre de l'enquête. Pas forcément parce que nous le soupçonnons d'être l'assassin, mais juste pour l'interroger. Est-ce que votre frère vous aurait parlé de ces deux hommes ?

– Vous ne croyez tout de même pas que Josep est mêlé à ce… à ce meurtre ? demanda-t-elle, ahurie.

– Non, nous n'avons aucun motif de penser qu'il le soit.

– C'est étrange que vous me posiez cette question. Josep est passé ici il y a à peu près deux semaines. Je lui ai offert un repas et donné quelques vêtements que mon mari ne porte plus. Il m'a confié qu'il était plutôt en veine ces temps-ci et qu'il n'avait pas à se plaindre, mais bon, évidemment, il était ivre. Je crois bien que je n'ai jamais vu ce pauvre gamin à jeun.

Tout à coup soucieuse de défendre son frère, elle regarda Flovent.

– Je peux vous assurer que Josep est un brave garçon même s'il a dû affronter des tas de difficultés. C'est un jeune homme adorable.

– Je n'en doute pas.

– Il m'a raconté qu'il avait croisé un de ses anciens camarades. Je ne crois pas qu'il ait mentionné son nom, je m'en souviendrais. En tout cas, il m'a dit qu'ils ont discuté de pas mal de choses qu'il avait complètement oubliées.

– Il n'a pas été plus précis ?

– Ils ont parlé de visites médicales et d'une infirmière. Une certaine Holm ou Holms qui les examinait.

– Brynhildur Holm ?

– C'est possible, il n'a pas précisé son prénom, il l'appelait simplement Mlle Holm. Il m'a dit qu'elle surveillait de très près la santé des élèves, surtout de ceux qui, comme lui, avaient des difficultés ou qui étaient délaissés par leurs parents. Elle leur posait des tas de questions et parfois un homme en blouse blanche l'accompagnait. Il les tripotait, les pinçait et les examinait sous toutes les coutures comme des bestiaux dans une foire. Mon frère se souvient qu'il avait même mesuré son périmètre crânien.

– Cet homme, il s'appelait Rudolf?

– Josep n'a pas précisé ce détail, mais tout ça lui paraissait étrange. Son ex-camarade lui a dit qu'ils effectuaient des recherches sans avoir obtenu les autorisations nécessaires. Il me semble qu'il a mentionné qu'elles avaient été commandées par un médecin allemand. C'est possible ? Par un de ces médecins nazis ? Je dois croire ce que mon frère raconte ?

– Et ce camarade est le premier à lui avoir parlé de ces recherches ? demanda Flovent.

– Oui. Ces visites médicales n'avaient pas spécialement marqué Josep, il les avait oubliées. Quant au médecin ou à l'homme en blouse blanche, il avait un fils également impliqué dans cette histoire et on ne peut pas dire que Josep l'apprécie. Enfin, il m'a raconté ça en venant s'asseoir à table. Je ne voyais pas vraiment de quoi il parlait.

– Le fils de cet homme, il s'appelait Felix ?

– Oui, c'est bien ça. Felix. Qu'est-ce que Josep m'en a dit exactement ? Ah oui, que c'était qu'un faux jeton ou quelque chose comme ça. En tout cas, j'ai bien compris qu'il ne l'aimait pas et que cette histoire l'énervait. Tout ça le mettait en colère. Puis il est parti et je ne l'ai pas revu depuis.

Les employés de l'accueil du Herkastali, le refuge de l'Armée du Salut, connaissaient bien Josep, même s'ils ne l'avaient pas vu depuis un moment. Il venait de temps en temps ici, disaient-ils, surtout quand il faisait très froid, en hiver. Ils lui offraient alors un peu de nourriture et un coin pour se réchauffer, ainsi Josep comprenait combien Dieu était bon avec tous les hommes, et il avait, lui aussi, droit à sa miséricorde. Flovent avait bien envie de leur répondre que le Créateur semblait avoir une dent contre lui étant donné les épreuves qu'il lui avait imposées, mais il préféra s'abstenir. Ils ajoutèrent que certes Josep ne reprenait pas les psaumes avec un grand enthousiasme, sauf quand il s'agissait de chanter *En avant, chrétiens, défenseurs de la Croix*. Il passait plus rarement au Palais du Seigneur dirigé par l'Armée du Salut pendant le printemps et l'été. De son propre aveu, il dormait alors le plus souvent à la belle étoile, dans des jardins, des abris à bateau ou des cabanes de pêcheurs.

Flovent les remercia. En quittant le refuge, il croisa un clochard dans l'entrée et lui demanda à tout hasard s'il connaissait Josep. Les haillons crasseux du vagabond dégageaient une odeur si forte qu'il dut se retenir de se boucher le nez pour ne pas le vexer. Cela dit, l'homme ne semblait pas s'offusquer facilement.

– Josep ?! cria-t-il de sa voix stridente. Qu'est-ce que tu lui veux ?

– J'aimerais le rencontrer, répondit Flovent. Vous savez où je peux le trouver ?

– Tu es son frère ?

– Non.

Le clochard fronça les sourcils et le toisa. La barbe hirsute, le cheveu gras, coiffé d'un chapeau éculé, il avait les mains noires de crasse.

– Tu me files cinq couronnes ?

Flovent en sortit trois de sa poche. L'homme les attrapa et les plongea dans la sienne.

– Je ne sais pas où il se trouve, répondit-il, sur le point d'entrer dans le refuge.

– Mais… ?

– Va donc voir dans l'arrière-cour de chez Munda, rue Gardastraeti. Elle lui donne parfois des restes.

La rue Gardastraeti n'étant qu'à quelques minutes de marche de l'Armée du Salut, Flovent monta à pied jusqu'à la cantine baptisée The Little Inn qu'une femme du nom de

Ingimunda, mais que tous appelaient simplement Munda, avait mise sur pied au début de la guerre. Elle proposait principalement du cabillaud frit et des boulettes de viande en sauce à la mode danoise, et ne manquait pas d'occupation. Petite et maigre, le geste vif, elle n'était plus de la première jeunesse et avait bien d'autres choses à faire que de discuter avec Flovent. Josep venait parfois frapper à la porte de sa cuisine pour lui demander à manger. Elle lui donnait parfois des restes. Elle avait elle-même traversé des moments difficiles et, maintenant que la guerre lui apportait la prospérité, elle prenait en pitié ces pauvres clochards.

– Il est passé ici il y a quelques jours, répondit-elle tout en malaxant les fricadelles en prévision du coup de feu de la soirée. Il m'a dit qu'il dormait en ce moment dans une cabane à Grandi. À l'en croire, il attend une rentrée d'argent très bientôt et tient à payer tout ce qu'il me doit. Ce pauvre garçon m'a tout l'air de dérailler. Je lui ai répondu qu'il ne me devait rien du tout. Pas même, comme on dit, une couronne à trou.

42

Thorson se gara devant la blanchisserie. Du linge immaculé flottait au vent à l'arrière de la maison et une bassine vide reposait sur l'herbe. Il descendit de voiture et s'approcha des étendoirs pour regarder le golfe de Faxafloi et les nuages blancs d'été sur l'océan, et se rappela combien il avait trouvé ce paysage et cette lumière magnifiques quand il était arrivé en Islande. Il aimait le silence et la sérénité qu'il procurait. Ce silence, il le percevait dès qu'il quittait la ville, mais aussi dans les quartiers les plus excentrés comme ce lieu où la lessive séchait sous un beau ciel bleu.

La maison semblait déserte. Il frappa à la porte, entra et appela, mais nul ne répondit. Il resta donc un moment au centre de la pièce à regarder les tas de linge sale, pensant que Vera avait décidément fort à faire et qu'elle avait dû s'absenter un peu. Puis il entendit du bruit à l'étage. Elle descendit l'escalier abrupt, s'arrêta à mi-chemin et baissa les yeux vers lui.

– Encore vous ?

– Excusez-moi. J'espère ne pas vous déranger.

– Non, je me suis tout à coup sentie tellement fatiguée que je suis montée m'allonger un moment.

– Excusez-moi, je ne voulais pas…

– Allons, ce n'est pas grave, répondit-elle en lançant un regard vers le haut de l'escalier avant de descendre les dernières marches. Qu'est-ce que vous me voulez ? Je croyais que vous m'aviez déjà interrogée. Je ne sais rien sur Eyvindur ni sur ce qui lui est arrivé. Inutile de me poser des questions.

– J'en ai bien conscience, avoua Thorson. Je venais juste vous prévenir que vous pouvez prendre vos dispositions pour l'enterrement si vous le souhaitez. Le médecin légiste a fini d'autopsier le corps. Je sais que vous l'aviez quitté mais…

– Je comprends. Je ne suis pas sûre de… peut-être que son oncle pourrait…

– Il vous contactera sans doute.

– Oui, je suppose.

– Quelles nouvelles de votre ami, Billy Wiggins ? s'enquit Thorson en balayant la pièce du regard.

– Billy ? Que se passe-t-il ? Il lui est arrivé quelque chose ?

– Je peux vous demander si vous êtes très proches ?

– Très proches ?

Vera le dévisageait comme pour percer à jour ses intentions, le véritable motif de sa visite et le sens de sa question concernant la nature de ses relations avec Billy. Qu'est-ce que ce jeune policier avait derrière la tête ?

– Nous sommes très bons amis, répondit-elle. Je ne vois pas ce que je pourrais vous dire d'autre. Pour l'instant, il n'est pas question de mariage. C'est ça que vous voulez savoir ? Pourquoi cette question ?

– Vous ne le connaissez pas depuis très longtemps, je me trompe ? Disons quelques mois tout au plus, n'est-ce pas ? Le moment n'est pas encore venu de parler mariage.

Vera prit ses cigarettes sur un tas de linge sale. Elle en alluma une et rejeta un nuage de fumée. C'étaient des Américaines, mais il fallait se garder de déductions hâtives.

– Bon, si vous arrêtiez de tourner autour du pot, s'agaça-t-elle. Que venez-vous faire ici ? Je vous ai dit tout ce que je sais.

– Ah bon ?

Elle le fixa longuement, tirant sur sa cigarette sans un mot.

– Savez-vous que Billy est parti pour le fjord de Hvalfjördur ? reprit Thorson.

Il avait appris que trois régiments, dont celui de Billy, avaient été envoyés dans le Hvalfjördur pour travailler à la construction de baraquements et d'installations portuaires. Il y resterait quelques jours. Thorson se demandait encore s'il devait envoyer chercher le lieutenant Wiggins.

– Oui, il me l'a dit, répondit Vera.

– Il vous a dit aussi qu'il s'était battu devant l'hôtel Islande à cause de vous ?

– À cause de moi ? Non, il ne m'a parlé d'aucune bagarre. Qu'est-ce qui s'est passé ?

– Il a croisé des jeunes soldats, certains venaient du camp militaire d'à côté, précisa Thorson, l'index pointé en direction de Camp Knox. Il s'est vexé quand ils lui ont dit que vous aviez rencontré un Américain.

– Mais c'est un mensonge, protesta Vera. On raconte tellement de choses. Je n'ai rencontré aucun Américain. Les gens d'ici passent leur temps à inventer des tas d'histoires. Vous n'allez quand même pas gober tous ces ragots ?

– La vérité, c'est qu'Eyvindur a été tué avec un revolver de l'armée américaine. Bien sûr, n'importe qui peut se procurer ce genre d'arme. On peut acheter et vendre toutes sortes d'objets au marché noir auprès des troupes d'occupation. Il n'empêche que je voudrais vous demander si ce sont juste des ragots ou s'il est vrai que vous avez une relation depuis un certain temps avec un des soldats qui viennent d'arriver en Islande.

– Pas du tout, protesta Vera. Enfin, qu'est-ce que ça signifie ?

Il comprit qu'elle avait besoin d'un peu de temps pour saisir toutes les implications de sa question. La réaction de Vera lui semblait logique et même normale. Pourtant, quand il avait parcouru les campagnes loin à l'est, il avait découvert qu'aucun des actes de cette femme n'obéissait aux règles habituelles. Ils se regardèrent longuement. L'expression de son visage changea brutalement quand elle comprit où il voulait en venir.

– Qu'est-ce que… Vous voulez dire que je connaîtrais un soldat américain et que celui-ci aurait tué Eyvindur ?!

Thorson ne répondit pas tout de suite. Il songeait à ces moments qu'elle avait passés dans la forge avec le fermier et, même si ses attirances étaient autres, il comprenait pourquoi cet homme lui avait succombé. Il voyait pourquoi

Billy faisait ses quatre volontés. Pourquoi elle ne mettrait pas longtemps à rencontrer ces nouveaux soldats venus d'Amérique, pour peu qu'ils l'intéressent. Dans tout ce qu'elle entreprenait, elle imposait ses propres règles. Pour Thorson, la seule question était de savoir jusqu'où elle était prête à aller pour obtenir ce qu'elle voulait.

– Ce n'est pas le cas ? demanda-t-il, rompant le silence.

– Non mais, vous êtes malade ? s'exclama-t-elle. Vous êtes complètement fou ou quoi ?!

– Et Eyvindur ?

– Comment ça, Eyvindur ?

– Il ne commençait pas à être gênant ?

– Je l'ai quitté. Il ne me gênait pas du tout. Je ne comprends pas votre question. J'en avais assez de lui. Il n'y avait rien à faire. Je l'ai quitté et il n'y a rien de plus à en dire.

– Comme une voleuse dans la nuit, rétorqua Thorson. Sans même un mot d'explication. Vous étiez déjà avec ce soldat britannique. Vous le voyiez pendant qu'Eyvindur partait en tournée. Ça n'aurait pas été plus honnête de tout lui raconter ?

– Sans doute. Je ne pouvais plus continuer à vivre avec lui, c'est tout. Et je ne suis pas… je ne voyais pas ce que je pouvais lui expliquer. Que vouliez-vous que je lui dise ? Qu'il n'était qu'un pauvre type et que je l'avais compris trop tard ? Que je m'étais trompée ? Que toute cette histoire entre lui et moi n'était qu'une erreur ? Que j'avais tout de suite regretté d'avoir emménagé avec lui ? Eyvindur ne supportait pas d'entendre la vérité. Et comme il n'a jamais voulu l'entendre, j'ai décidé de ne rien expliquer.

– Mais il vous a retrouvée ?

– Oui.

– Il est venu ici ?

– Effectivement, il est venu pleurnicher, mais il savait très bien que c'était fini Cette histoire n'a jamais été sérieuse. Je le lui ai dit clairement.

– Et il a refusé de vous laisser tranquille ?

– Comment ça ?

– Vous avez voulu vous débarrasser de lui ?

– Me débarrasser de lui ? Non. J'étais débarrassée de lui. Je l'avais quitté.

– Comment Wiggins a-t-il pris ça ?

– Quoi donc ?

– Le fait qu'il vienne vous importuner ici et exiger que vous reveniez.

– Billy ne l'a pas su.

– Peut-être que l'idée vient de Wiggins, suggéra Thorson.

– Quelle idée ?

– À moins que vous n'ayez demandé vous-même à votre lieutenant de s'en prendre à Eyvindur ?

– Qu'est-ce que vous racontez ?

– Ou peut-être qu'il l'a fait de sa propre initiative. On m'a dit qu'il était très jaloux et qu'il s'emportait facilement. Que lui avez-vous raconté au sujet d'Eyvindur ? Comment lui avez-vous présenté votre relation ? Lui avez-vous dit qu'il ne vous laisserait pas lui échapper aussi facilement ? Qu'il fallait d'abord qu'il s'occupe de lui s'il voulait que votre histoire aille plus loin ? Quelle description lui avez-vous faite d'Eyvindur ? Vous vous êtes débrouillée pour pousser Wiggins à le détester ?

– Qu'est-ce que c'est que ces histoires ? Qui vous a mis ces idées dans la tête ? Vous me prenez pour qui ? Tout à l'heure, vous m'accusiez d'avoir demandé à un Américain de lui régler son compte ! Il faudrait vous décider ! Non, mais ! C'est quoi, ça, de venir ici m'accuser comme ça ?

– Je connais un homme qui n'a pas encore fini de panser les blessures que vous lui avez infligées, répondit Thorson. Il vit dans les campagnes, loin à l'est de Reykjavik, seul avec ses chiens. Et il m'a mis en garde contre vous. Il m'a prévenu que vous tourniez la tête des hommes. Il m'a conseillé de ne pas croire un mot de ce que vous dites.

Vera le dévisageait.

– De qui parlez-vous ?

– Je crois que vous le savez. Je parle de cette petite forge.

– Vous êtes allé le voir ? interrogea Vera, abasourdie.

– Il reconnaît qu'il lui arrive de penser à vous, reprit Thorson. Malgré tout.

43

Vera se sentait manifestement prise au piège dans sa blanchisserie. Les propos de Thorson sur le fermier l'avaient mise hors d'elle. Elle avait pris une bassine de linge propre et s'était dirigée vers les étendoirs. Le jour commençait à décliner et les rayons du soleil prenaient une belle teinte dorée à l'ouest. Thorson lui emboita le pas. Elle s'était mise à étendre sa lessive.

– Comment va-t-il ? demanda-t-elle.

– Mal. Il va très mal.

– Que… qu'est-ce qu'il vous a raconté ?

– Il ne m'a pas dit beaucoup de bien sur vous.

– Répétez-moi juste ce qu'il vous a dit.

– Il m'a raconté que vous vous êtes servie de lui. Que vous rêviez de quitter la campagne et qu'il n'a été qu'un pion dans vos manigances. Que vous l'avez abusé et qu'il ne l'a compris que trop tard. Que vous n'avez pas bonne réputation dans la région…

– Franchement, qui s'intéresse à ce genre de choses ? interrompit Vera. Qui prête attention à ce que racontent ces sales paysans ?

– Pourquoi un tel mépris envers ces gens ?

– Parce qu'ils passent leur temps à vous débiner dans votre dos !

– Ce que vous me dites me surprend. J'ai plutôt eu l'impression qu'ils éprouvaient de la compassion à votre égard.

– À votre avis, pourquoi j'ai voulu partir ? rétorqua Vera. J'étouffais là-bas. Je n'avais pas envie de devenir paysanne et de passer ma vie à traire les vaches ou à frire des *kleinur**. Comme si c'était le seul avenir possible et qu'on

* Les *kleinur* sont des beignets islandais qui ressemblent à des bugnes.

ne pouvait rien envisager d'autre. C'est ridicule. Comme si la seule chose qu'une femme puisse espérer, c'est travailler comme une esclave. Servir les hommes. Élever les gamins sans jamais rêver à rien d'autre.

– Vous étiez pourtant fiancée à un fermier.

– Il était d'accord. Lui aussi, il voulait partir. On n'arrêtait pas d'en parler. J'ai fini par comprendre qu'il n'était pas sérieux. Il tardait à mettre ses terres en vente. Il trouvait des tas d'excuses. On s'est disputés. On n'a pas arrêté de nous disputer. Quand j'ai compris qu'il ne quitterait jamais sa campagne, je lui ai dit que moi, je le quittais. Eh bien, bon courage, a-t-il rétorqué. Non, tu ne me quitteras pas ! Je ne le permettrai pas. C'était sa phrase à lui : je ne le permettrai pas. *Je* ne le permettrai pas ! Comme si c'était à lui de décider de ma vie.

– Et vous avez agi en conséquence ?

– C'était pour… je voulais…

– Lui montrer que vous décidiez de votre vie ?

Vera interrompit sa tâche, reposa sa bassine et se tourna vers Thorson, debout derrière elle à la porte de la blanchisserie.

– Je ne sais pas ce qu'il vous a dit, mais je n'ai jamais voulu lui faire de mal, assura-t-elle. Jamais. Je sais bien que je l'ai pourtant fait, je sais ce qu'il pense de moi et je sais ce que tout le monde là-bas pense de moi, mais je ne voulais pas que ça finisse comme ça. Il n'a pas le droit de me faire porter la responsabilité de toute cette histoire. Il est largement aussi responsable que moi !

– Il dit que vous avez joué avec lui. Que vous avez joué avec ses sentiments. Que vous l'avez utilisé pour vous venger de votre fiancé et qu'ensuite vous vous êtes débarrassée de lui comme d'une vieille chaussette.

– Ce sont ses propres mots ?

– Il prétend que vous l'avez abusé.

– Peut-être parce qu'il avait envie de se laisser abuser, répondit Vera. Et puisque les choses ne se sont pas passées comme il le souhaitait, ce serait ma faute ? Je serais l'unique coupable ? Il savait que j'étais fiancée à un autre. Il savait qu'en couchant avec lui, j'étais infidèle, mais ça ne l'a pas arrêté. Ça ne l'a pas fait reculer. Je ne dis pas que ma conduite dans cette histoire est exemplaire. Je ne suis pas… j'étais en colère. Oui, je voulais me venger de mon fiancé. Je le reconnais. Je reconnais aussi que je ne suis pas toute blanche et que j'aurais pu m'y prendre autrement. Mais qui donc a été trompé ? Qu'est-ce que ça signifie, cette histoire ? Il savait très bien dans quoi il s'engageait. Comment savez-vous qu'il n'a pas désiré être abusé ? Qu'il n'a pas rêvé de l'être ? J'imagine que vous ne lui avez pas posé la question !

Vera se tenait face à Thorson. Quand il la regardait dans les yeux, il discernait toute la puissance de sa volonté et se demandait si c'était à cette force-là que l'homme de la forge avait succombé. Il avait l'impression qu'au fil de la discussion, elle se mettait de plus en plus en colère contre lui, mais l'idée de la calmer ne lui venait pas à l'esprit.

– Selon lui, vous avez fui parce que c'est ce que vous aviez l'intention de faire dès le début, reprit-il. Dès que vous auriez obtenu ce que vous vouliez et qu'il ne vous serait plus utile. Tout à coup, vous n'étiez plus là, exactement de la même manière que vous avez quitté Eyvindur. De la même manière que vous quitterez Billy Wiggins.

Vera en avait assez entendu. Elle s'était contenue jusque-là mais, perdant brusquement son sang-froid, elle cracha à la figure de Thorson.

– Taisez-vous ! hurla-t-elle.

Thorson avait conscience de l'avoir provoquée, mais il ne s'attendait pas à cette réaction. Il s'essuya le visage du revers de la manche.

– Vous croyez que je ne le sais pas ?!

– Que vous ne savez pas quoi ?

– Ce que vous essayez de faire ? Ce que vous essayez d'obtenir ? Vous croyez que je ne le vois pas ?

– Quoi donc ? Qu'est-ce que j'essaie d'obtenir ?

– Je vous conseille de me laisser tranquille.

– Sinon quoi ?

– Je n'ai rien à me reprocher. Rien du tout.

– Qu'avez-vous raconté à Wiggins ? s'entêta Thorson. Comment lui avez-vous présenté les choses ? Vous lui avez dit qu'Eyvindur vous gênait ? Que vous aviez du mal à le quitter ? Qu'il ne vous laisserait jamais tranquille ? Que lui avez-vous dit ? Lui avez-vous conseillé de l'emmener à la pêche et de s'arranger pour rentrer tout seul, car les accidents arrivent comme ça ? C'est ce que vous lui avez dit ?

Vera secoua la tête.

– Mon ami de la campagne n'y est pas allé de main morte !

– Non, convint Thorson. Il ne m'a pas dit grand bien de vous.

– Vous racontez n'importe quoi, rétorqua-t-elle. C'est qu'un tas de conneries !

– Wiggins a accueilli tout cela avec bienveillance ? poursuivit Thorson. Avez-vous évoqué les diverses manières de vous débarrasser d'Eyvindur ? C'est vous qui avez eu l'idée ? C'est lui ? Vous saviez comment Wiggins comptait s'y prendre ? À moins qu'il ne vous l'ait pas précisé ? Qu'il n'en ait fait son affaire ? Que vous vous soyez contentée de jouer cartes sur la table et qu'il se soit occupé du reste.

– N'importe quoi !

– Ah bon ?

– Vous croyez que je ne sais pas le type d'homme que vous êtes ? Vous croyez que je ne le vois pas ?

Thorson ne comprenait pas où elle voulait en venir.

– Les femmes comme moi… nous le sentons, reprit-elle en affichant son joli sourire en coin. Nous le percevons immédiatement. J'ai raison, n'est-ce pas ?

– Sur quoi ?

– Le type d'homme que vous êtes. Ce que vous êtes. Qui vous êtes. Vous ne vous intéressez pas aux femmes, hein ? Elles ne vous ont jamais intéressé.

Thorson ne comprenait toujours pas ce qu'elle cherchait et ne voyait pas quoi lui répondre.

– C'est pour cette raison que vous faites tout ça ? s'enquit-elle en s'approchant d'un pas. Est-ce qu'il vous aurait coincé dans la forge ? Il est plutôt bel homme pour un garçon comme vous.

Thorson comprit enfin le sens de ses propos. Elle le vit sursauter même s'il avait fait de son mieux pour dissimuler sa réaction. Elle avait touché son point sensible.

– Ne lui avez-vous pas laissé entendre que, pour vous débarrasser de votre fiancé, il suffisait de l'emmener à la pêche, de s'arranger pour qu'il ait un accident et ensuite de revenir tout seul ?

– Pourquoi vous ne répondez pas à ma question ? s'entêta Vera. Vous ne voulez pas en parler ? Vous trouvez ça gênant ?

– Les femmes comme vous, répondit Thorson, ne créent que des problèmes. Je comprends que vous ayez voulu quitter la campagne. Je comprends que les militaires vous plaisent, que vous les voyiez comme de simples moyens de vous arracher à la pauvreté et à la routine. Je comprends votre désir d'indépendance. Beaucoup de femmes vivent les mêmes choses que vous. En revanche, elles n'agissent pas toutes de la même manière. Elles n'ont pas forcément besoin de recourir à la ruse et à la duplicité. Il leur suffit d'être elles-mêmes. Les femmes comme vous...

Thorson n'acheva pas sa phrase, comprenant qu'il était allé trop loin. Il avait obtenu ce qu'il voulait. Ce n'était pas à lui de juger Vera et il regrettait ses paroles, même si elle les avait méritées et même s'il les avait prononcées seulement pour la mettre en colère. Il était venu ici pour mieux la connaître et comprendre qui elle était, pour voir de quel bois elle était faite. Et il avait obtenu les réponses à ses questions.

– Si Wiggins et vous, vous êtes responsables de la mort d'Eyvindur, nous le découvrirons, conclut-il.

– Nous n'avons rien à voir avec ça ! Allez-vous finir par le comprendre ?! N'essayez pas de me faire porter le chapeau ! N'essayez surtout pas !

– D’accord, répondit Thorson. Attendons de voir ce que Wiggins nous dira, ensuite nous en rediscuterons.

– C’est ça ! Allez, dégagez ! vociféra Vera en retournant à ses cordes à linge.

44

Un des soudeurs du tout nouveau chantier naval de Danielsslipp reconnut enfin Josep grâce à la description que Flovent en avait donné. L'ouvrier lui indiqua où le chercher. Flovent prit la direction de l'ouest et du port de Grandi. Ses lunettes de protection remontées sur le front, le soudeur avait précisé que Josep, ce jeune homme poli mais pas très bavard, passait parfois les voir au chantier pour profiter du café. Heureux de pouvoir s'offrir cette petite pause, l'homme avait parlé un moment avec Flovent et lui avait confié qu'il trouvait dommage de voir un si jeune homme gâcher sa vie comme ça. Ce gamin n'aurait pas fait de mal à une mouche, il venait parfois traîner ici en remontant du centre ou en y descendant. Il passait son temps à errer comme une âme en peine. Puis le soudeur avait remis ses lunettes et repris son travail.

Les employés du chantier naval étaient débordés, les bateaux à réparer, aussi bien islandais qu'étrangers, affluaient. Flovent regarda les vaisseaux de guerre britanniques et américains totalement gris au mouillage dans le port, aux côtés des navires de commerce et de pêche islandais, des barques et des chalutiers amarrés à la jetée. La flotte islandaise n'avait pas été épargnée par la guerre. Les attaques de sous-marins étaient de plus en plus fréquentes et des dizaines de marins islandais avaient péri depuis le printemps. Récemment, le cargo *Hekla* avait essuyé une de ces attaques sous-marines à la pointe sud du Groenland alors qu'il faisait route vers l'Amérique. Les quatorze membres d'équipage y avaient laissé la vie. Chaque fois qu'un bateau quittait le port, on craignait le pire. Flovent avait appris que, depuis le drame du *Hekla*, les marins exigeaient que les navires se déplacent en flottille et sous la protection des Alliés.

Alors qu'il longeait le chantier naval en direction de l'ouest, il croisa une troupe de militaires britanniques qui descendaient vers le centre en faisant rugir leurs motos. Quelques instants plus tard, il atteignit une cabane de pêcheur déglinguée et aperçut un jeune homme de petite taille, barbe et tête nue, vêtu d'un imperméable rapiécé, qui scrutait la couverture élimée qu'il venait de taper contre la paroi de la cabane pour la dépoussiérer. Flovent lui demanda s'il s'appelait bien Josep. Surpris de recevoir de la visite, le jeune homme avait des réticences à lui répondre. Il n'avait manifestement pas envie de lui parler, croyant sans doute qu'il était le propriétaire des lieux et qu'il venait lui demander de déguerpir. Il se détendit dès qu'il comprit que ce n'était pas le cas et que Flovent voulait juste discuter avec lui. Ils parlèrent des bateaux au mouillage dans le port, des dangers de la navigation et du chantier naval. Josep précisa qu'il avait des amis là-bas. Flovent lui demanda s'il n'avait pas envie d'y travailler. Le jeune homme répondit qu'il ne l'avait jamais envisagé.

– Mais pourquoi… comment se fait-il que vous sachiez comment je m'appelle? s'enquit-il, constatant que son interlocuteur connaissait son prénom.

Flovent lui expliqua le plus simplement possible la raison de sa visite. Il était policier. Il souhaitait l'interroger dans le cadre de son enquête sur le décès d'un homme du nom d'Eyvindur, dont Josep se rappelait peut-être puisqu'ils avaient fréquenté la même école. Le clochard sursauta en entendant le mot police. Flovent expliqua qu'il voulait juste savoir si Josep pouvait l'aider à trouver le meurtrier d'Eyvindur.

– Non, non, c'est impossible. Je ne sais rien. Rien du tout.

– Vous savez qu'il est mort, n'est-ce pas?

– Oui, mais je ne sais rien d'autre, absolument rien d'autre.

– Quand avez-vous vu Eyvindur pour la dernière fois?

– Je ne m'en souviens pas, répondit Josep. Je ne peux pas vous aider, laissez-moi tranquille. Je ne fais que dormir ici sans déranger personne et…

– Ne vous inquiétez pas, Josep, je ne veux pas vous faire de mal, le rassura Flovent, voyant le jeune homme s'affoler. Je veux juste vous parler. Je ne pense pas que vous ayez fait quoi que ce soit et vous n'avez rien à craindre de moi. J'ai discuté avec Munda, qui vous donne parfois à manger. Elle m'a dit que vous alliez bientôt la payer pour tous les services qu'elle vous a rendus. Vous pouvez me dire comment vous allez faire ? Vous avez trouvé du travail ? L'argent que vous comptez lui donner, d'où viendrait-il ?

– Munda vous a dit ça ?

– Oui.

– Je n'ai pas d'argent, répondit Josep d'un ton ferme. Je n'en ai jamais eu. Je ne vois pas de quoi vous parlez. Allez, partez et laissez-moi tranquille.

– Eyvindur disait aussi qu'il attendait une rentrée d'argent, mais personne ne sait d'où devait venir cette somme, poursuivit Flovent. Vous pouvez me le dire ?

– Je ne sais pas.

– La dernière fois que vous l'avez rencontré, vous a-t-il parlé des recherches auxquelles vous avez participé à votre insu quand vous étiez à l'école ? Vous vous en souvenez ?

– Non, ça ne me dit rien.

– Mais vous vous rappelez ces recherches ?

– Non, assura Josep.

– Vous en êtes sûr ?

– Oui.

– Vous ne voyez pas du tout de quelles recherches je veux parler ?

– Je ne me souviens pas de ces… de ces recherches. Ça ne me dit rien du tout.

Flovent comprit qu'il n'arriverait à rien en continuant comme ça. Il décida de s'y prendre autrement même si cela lui déplaisait. Il voulait absolument que Josep coopère.

– Vous n'avez pas l'intention de me faciliter la tâche, n'est-ce pas ? Je pensais qu'on pourrait discuter sans que personne ne soit au courant, mais je constate que je risque maintenant d'être forcé de vous emmener au commissariat de Posthusstraeti, de vous mettre en cellule et de vous interroger.

Josep demeurait impassible.

– C'est sans doute Felix Lunden, un autre de vos camarades d'école, qui a parlé de ces recherches à Eyvindur. Vous vous souvenez de lui ?

Effrayé par les menaces de Flovent concernant un passage en prison, Josep avait cessé de répondre à ses questions.

– C'est son père, Rudolf Lunden, qui menait ces recherches en collaboration avec l'infirmière scolaire. Vous vous souvenez peut-être d'elle, elle s'appelle Brynhildur Holm. Le directeur de l'école était aussi impliqué dans cette affaire. Eyvindur ne vous en a pas parlé ?

Josep secoua la tête.

– Eyvindur a sans doute découvert tout ça et il a voulu en savoir plus.

Josep fuyait le regard de Flovent.

– Dites-moi, Josep, que faisait votre père ? continua le policier en sortant de la poche de sa veste la brochure avec la photo prise autrefois à l'école.

Josep baissait les yeux.

– J'ai vérifié. Votre père et celui d'Eyvindur se connaissaient. Ils ont été un moment ensemble à la prison de Hegningarhus. Je me trompe, Josep ?

– Non, répondit le jeune, si bas que Flovent l'entendait à peine.

– Ce n'était pas son premier séjour derrière les barreaux, n'est-ce pas ?

– Non, murmura Josep. C'était… une ordure.

– Est-ce qu'Eyvindur vous a dit que Felix et Rudolf Lunden ont enfreint la loi en se livrant à ces recherches à votre insu ? Vous a-t-il dit que vous pouviez essayer de leur extorquer de l'argent en les menaçant ?

Josep fit non de la tête.

– Josep, cette affaire est très sérieuse !

Le jeune homme se tortillait, déstabilisé par cette pluie de questions, mais Flovent n'avait pas le choix, il devait continuer.

– Avez-vous écrit une lettre à Rudolf Lunden où vous le menaciez de dévoiler ses recherches s'il ne vous payait pas une certaine somme ? Lui avez-vous dit de déposer l'argent aux abords du cimetière de Sudurgata ?

– Non… Ce n'était pas…

– Josep ! Avez-vous écrit cette lettre ?

– Oui, c'est Eyvindur qui m'a dit de le faire, murmura le jeune homme. Il n'osait pas le faire lui-même, il a toujours été tellement lâche. Il m'a dit d'aller la porter, d'aller chercher l'argent et de m'occuper de tout. Il a promis de m'en donner la moitié. Mais cet argent n'est jamais arrivé. Puis… puis il est mort. Je n'y suis pour rien.

– Josep, qu'est-ce qu'il vous a dit ? Qu'est-ce qu'Eyvindur vous a dit exactement ?

– Il avait besoin d'argent à cause de… de cette femme, répondit-il, les yeux toujours baissés. Il croyait qu'il pourrait la faire revenir comme ça. Elle l'avait quitté. Il m'a dit qu'on pouvait extorquer du fric à ces gens-là. J'ai porté cette lettre là-bas et… rien n'est arrivé.

– Il avait prévu d'aller voir Felix ? Savez-vous comment il s'est procuré la clef de son appartement ?

– Il l'a volée dans les fjords de l'Ouest. Felix était complètement soûl.

– Qu'est-ce qu'il voulait en faire ?

– Il voulait entrer dans son appartement et…

Josep s'interrompit.

– Et ?

– Il pensait que Felix avait de l'argent chez lui.

– Pour quelle raison ?

– Parce qu'il travaillait pour les Allemands. Enfin, c'est ce qu'Eyvindur m'a dit, et il avait l'intention de le prouver.

– Et alors, il voulait le faire chanter ? Le dénoncer ? Qu'est-ce qu'il comptait faire ?

– Je n'en sais rien. Il était persuadé que Felix était un espion. Il nous avait espionnés pendant notre enfance et, maintenant, il espionnait pour les nazis. Eyvindur disait que Felix n'était qu'une ordure de nazi.

– Et il a pénétré chez lui pour vérifier son hypothèse ?
– Oui.
– Qu'est-ce qu'il vous a dit sur ces recherches menées sur le groupe de garçons dont vous faisiez partie ?
– Qu'elles étaient illégales, qu'elles avaient été faites en secret et que ces gens ne voulaient surtout pas qu'on l'apprenne. C'est Felix qui lui a raconté ce qu'ils ont fait. Eyvindur m'a dit qu'il nous espionnait sur ordre de son père et qu'il lui répétait tout ce qu'il découvrait. Il m'a dit qu'il n'avait jamais été notre ami. Qu'il avait seulement fait semblant et qu'on avait bien raison de leur demander un dédommagement. Ils nous devaient bien ça. Ils nous devaient un tas de fric, à nous, mais surtout…
– Surtout quoi ?
– Surtout à la mère de Rikki. Eyvindur m'a dit de bien le préciser dans la lettre.
– Rikki ? Qui c'est, Rikki ?
Josep se mura à nouveau dans le silence. Flovent attendit sa réponse, puis, constatant qu'elle n'arrivait pas, lui montra la photo en lui demandant s'il reconnaissait les visages. Josep ne lui accorda d'abord aucune attention, mais quand le policier lui tendit la brochure et la posa au creux de sa paume, le jeune homme consentit à baisser les yeux sur le cliché. Il ne tarda pas à les lever à nouveau, puis, prenant manifestement son courage à deux mains, se mit la brochure sous le nez pour l'examiner avec plus d'attention.
– Dites-moi, Josep, qu'est-ce qui est arrivé à Rikki ?
Le jeune homme hésita encore un instant, puis lui montra le quatrième garçon sur la photo.
– C'est lui. Felix passait son temps à l'embêter, à se moquer de sa maigreur, à lui dire qu'il avait une petite tête et qu'il était idiot et… enfin, rien d'inhabituel. Il passait son temps à nous dire ce genre de choses à nous aussi.
– À vous dire que vous étiez idiots ?
Josep hocha la tête.
– Felix essayait toujours d'impressionner son père. On en a parlé avec Eyvindur, quand il a découvert l'existence

de ces recherches. Il m'a dit que c'était le père de Felix qui avait poussé son fils à faire ça. Il voulait voir jusqu'où il pouvait nous entraîner.

– Qu'est-ce qui s'est passé ?

– Felix a donné un cachet à Rikki. Il prétendait l'avoir eu chez le médecin. Il lui a dit que c'était la dernière trouvaille des savants et que cette pilule permettait de voler. Elle marchait surtout avec les gamins petits et légers comme lui.

– Et ?

– Et Rikki l'a cru.

45

Très calme, Billy Wiggins fumait cigarette sur cigarette en tapotant nonchalamment la table du bout des doigts. Thorson l'avait envoyé chercher dans le Hvalfjördur où il travaillait à la construction de la base navale du cap de Hvitanes. Il n'avait opposé aucune résistance mais s'était étonné, demandant pourquoi on le ramenait à Reykjavik. On lui avait répondu d'être patient, il ne tarderait pas à avoir des explications. Il avait donc suivi les deux hommes de la police militaire sans protester et s'était tenu tranquille à l'arrière de la jeep pendant tout le trajet.

À son arrivée, on l'avait installé dans la salle d'interrogatoire réservée à la police militaire dans la prison de Kirkjusandur. Il avait accepté le café qu'on lui avait offert et quelqu'un lui avait donné des cigarettes puisqu'il avait fini son paquet en route. Il en éteignait une lorsque Thorson pénétra dans la pièce et vint s'asseoir en face de lui. Wiggins se rappelait l'avoir vu à la blanchisserie et n'eut pas l'air très surpris de le revoir. Il esquissa un sourire et se redressa sur sa chaise tout en chassant d'un revers de la main le nuage de fumée bleue qui l'enveloppait.

– Je ne m'attendais pas à ça, déclara-t-il. C'est vous qui allez m'expliquer pourquoi je suis là ?

– Et à quoi vous attendiez-vous ? s'enquit Thorson.

– À ne pas vous revoir, répondit Wiggins. C'est urgent au point d'aller me chercher dans le Hvalfjördur ? Ou peut-être que vous essayez seulement d'attirer l'attention sur moi. De me causer des ennuis. Un certain nombre de témoins ont vu les flics m'embarquer.

– Je n'avais pas le choix. Nous voulons boucler cette enquête et nous pensons avoir pas mal avancé. Votre nom est apparu plus d'une fois aux côtés de celui de Vera et d'Eyvindur et je tiens à voir ça avec vous…

– Vous m'arrêtez ? coupa Wiggins. Vous allez me mettre en cellule ?

– Non, vous n'êtes pas aux arrêts. Pouvez-vous m'en dire davantage sur la nature de vos relations avec Vera ? Vous avez des projets ? Vous en avez discuté ?

– Je n'ai fait aucun mal à cet homme, je croyais vous l'avoir dit l'autre jour. Je ne le connaissais pas. Je ne l'ai jamais vu. Vera a décidé de le quitter. Ce sont des choses qui arrivent. J'ai bien voulu l'aider, mais nous n'avons rien à voir avec la mort de ce type. Les gens peuvent se séparer sans forcément s'entretuer.

– Certes, convint Thorson. Et le moins qu'on puisse dire c'est que Vera en a l'habitude. Vous a-t-elle parlé de sa relation précédente ? De l'homme avec qui elle vivait avant de rencontrer Eyvindur ?

– Ça ne me concerne pas, je me fiche du passé, rétorqua Wiggins.

– Donc, vous ignorez comment elle s'est vengée de lui quand elle a compris qu'il ne tiendrait jamais les promesses qu'il lui avait faites au moment de leurs fiançailles ?

Wiggins secoua la tête, faisant comme si la question de Thorson ne le concernait pas.

– Vous ne voulez pas que je vous raconte ce qu'elle a fait ?

– Je m'en fiche !

– Ce n'est pas la première fois qu'elle tourne la tête d'un homme, continua Thorson. D'un homme comme vous, Wiggins.

– Je n'en doute pas. Une femme comme elle, mon Dieu, je suppose qu'ils se bousculent au portillon !

Wiggins souriait de toutes ses dents.

– Elle compte vous suivre en Angleterre quand la guerre sera finie ?

– Vous avez de ces questions ! Et si vous en veniez au fait ? Nos projets présents ou futurs ne vous regardent pas. Fichez-nous la paix !

– Pouvez-vous me parler de votre…

Wiggins se pencha au-dessus de la table.

– Vous n'avez aucune preuve contre elle. Vous n'en avez aucune contre nous. C'est pour ça que vous nous posez toutes ces questions idiotes. Parce que vous ne comprenez rien, que vous êtes jusqu'au cou dans la merde et que vous faites tout pour vous en sortir. Et nous n'allons sûrement pas vous aider, permettez-moi de vous le dire. Vous feriez mieux de nous laisser tranquilles et de faire votre boulot un peu plus correctement.

– Pouvez-vous me parler de votre bagarre devant l'hôtel Islande ? s'entêta Thorson. On m'a raconté que certains soldats faisaient des commentaires sur Vera qui vous ont fâché. Pouvez-vous m'en dire plus ?

– Bon, je m'en vais, s'emporta Wiggins, j'ai autre chose à faire qu'écouter vos conneries !

Il se leva et attendit que Thorson proteste ou tente de l'arrêter. Immobile sur sa chaise, le policier le fixait. Wiggins secouait la tête, furieux, tout en s'avançant vers la porte.

– Ils n'auraient pas dit, par hasard, qu'ils l'avaient aperçue avec un Américain ? On m'a raconté que ça ne vous avait pas plu.

Wiggins se figea à la porte et se tourna vers lui.

– Ils mentaient. C'était un putain de mensonge !

– S'il s'agit d'un mensonge, je suppose qu'elle vous a dit la vérité, reprit Thorson. À moins qu'elle n'ait… mais non, elle n'oserait tout de même pas vous mentir. Il n'y a aucune raison de mettre en doute la parole de Vera. Vous êtes certain de ne pas vouloir savoir comme elle s'est débarrassée de son ex-fiancé ?

Wiggins hésitait à la porte. Il ne savait plus sur quel pied danser. Thorson essayait d'attiser sa jalousie et, manifestement, ça fonctionnait. Wiggins s'avança, posa les mains sur la table et se pencha vers lui.

– Il n'y a pas d'Américain. Je vois clair dans votre jeu. Il n'y a aucun Américain. C'est compris ?

– L'arme qui a servi à tuer son ex-petit ami est de fabrication américaine, c'est un Colt 45, très courant dans les rangs de l'US Army, poursuivit Thorson sans se laisser impressionner par l'attitude menaçante de Wiggins. Vous pensez qu'elle en a trouvé un autre que vous pour faire le sale boulot ? Un autre qu'elle aurait rencontré récemment ? Un Américain ?

Rouge de colère, Wiggins baissait les yeux sur Thorson.

– Je vous répète qu'il n'y a pas d'Américain ! gronda-t-il.

– Vous pouvez facilement vous procurer ce type d'arme, n'est-ce pas ? Peut-être en avez-vous une comme celle-là ? Vous n'avez pas envie de vous asseoir ?

– Je n'ai pas de Colt, répondit Wiggins.

– Mais vous pourriez en avoir un si vous le vouliez. On trouve à Reykjavik des tas de choses au marché noir.

– Et pourquoi j'aurais tué ce type ? Elle l'avait quitté. Il n'avait aucune importance pour nous. Pourquoi diable serais-je allé risquer ma vie pour un truc pareil ? Expliquez-moi !

– Elle vous a peut-être dit qu'il ne la laisserait jamais en paix, qu'elle ne réussirait jamais à se débarrasser de lui. Vous l'avez repéré, vous l'avez suivi, vous avez cru qu'il avait emménagé dans ce sous-sol dont il avait la clef, vous l'avez poussé à l'intérieur, puis vous l'avez forcé à se mettre à genoux et vous avez tiré. Sauf que cet appartement n'était pas le sien. Il rendait visite à une vieille connaissance. Naturellement, vous ne pouviez pas le savoir, mais ça tombait sacrément bien. Ainsi, c'est son ami qui était accusé du meurtre et vous n'étiez pas inquiété.

Wiggins se laissa retomber sur la chaise.

– Que le diable m'emporte ! Je n'ai rien fait à cet homme. Rien du tout. Vera s'est mise en couple avec lui juste parce qu'il pouvait lui offrir un toit alors qu'elle venait d'arriver à Reykjavik. C'est la seule raison. Il n'était pas question d'amour. Elle me l'a dit. Puis les choses ont évolué et elle est partie. Mais il n'y avait pas d'amour entre eux. Pas du tout.

– D'ailleurs, rien ne dit que vous avez commis ce crime vous-même. Par conséquent, le fait que vous ayez un alibi ne prouve rien, nous sommes du reste en train de vérifier ce détail.

– Qu'est-ce que vous voulez dire ?

– Vous connaissez peut-être des soldats américains. Un soldat qui aurait accepté de vous aider. Par exemple, moyennant paiement. Ou bien un de vos copains dans l'armée britannique qui vous devait un service. Les hypothèses sont inépuisables.

– Je ne comprends pas pourquoi vous ne nous laissez pas tranquilles. Nous n'avons rien fait !

– Nous verrons ça, répondit Thorson.

– Nous n'avons aucun secret. Notre relation est saine. Elle n'a rien à voir avec ce que tout le monde ici appelle la situation. C'est pour de vrai et ça me désole de vous entendre dire tout ce mal de Vera. Vous devriez avoir honte.

– Comment ça, vous n'avez aucun secret ? s'étonna Thorson.

– Je suis parfaitement au courant de cet ex-fiancé à la campagne, répondit Wiggins. Elle m'a parlé de lui. Vous n'avez pas besoin de m'en dire plus. Je sais pourquoi elle l'a quitté. Elle était tout à fait en droit de le faire !

– Ah bon ?

– Il la frappait. Il la frappait et la maltraitait. Il l'humiliait et la suivait à la trace. Elle faisait de son mieux, mais il était de plus en plus méchant. Elle a fini par le quitter pour venir à Reykjavik. Elle m'a tout raconté. Nous n'avons aucun secret. Et n'essayez pas de me dire du mal d'elle. Ça ne servira à rien. À rien.

– À votre avis, pourquoi la soupçonnons-nous d'être impliquée dans le décès d'Eyvindur ? Pour quelle raison sommes-nous allés vous chercher jusque dans le Hvalfjördur ?

– Vous vous trompez, c'est tout.

– Elle était fiancée. Elle trompait son futur mari et a suggéré à son amant de l'emmener à la pêche en barque et de s'arranger pour revenir tout seul. Vous voyez où je veux en venir ? Vous comprenez pourquoi vous suscitez notre curiosité ? Pourquoi nous nous intéressons de près à elle ?

– Ça crève pourtant les yeux, objecta Wiggins. Vous ne le voyez donc pas ?

– Quoi donc ?

– Elle cherchait de l'aide. C'était un appel au secours. Et ça ne m'étonne pas étant donné la manière dont ce gars la traitait. Je ne suis pas surpris. Je la comprends bien et j'aurais fait exactement pareil à sa place.

46

Les Polarnir étaient un quartier pauvre à la lisière de la ville, au sud du boulevard Snorrabraut. Bâtis durant la Première Guerre mondiale et destinés aux familles en difficulté, ces hébergements d'urgence avaient perduré et abritaient désormais trois cents personnes qui y vivaient dans des conditions misérables. Depuis quelques années, on avait installé l'électricité dans ces bàtiments en bois construits à la va-vite, mais ils n'avaient pas l'eau courante, ils étaient mal isolés et on y gelait en hiver. Le quartier était constitué de quatre rangées de maisons formant un carré autour d'une cour intérieure au milieu de laquelle on avait au départ installé les toilettes. Flovent était souvent intervenu dans les Polarnir quand il faisait des patrouilles. Des disputes et des bagarres y éclataient régulièrement le soir et en fin de semaine, le plus souvent dues à une consommation excessive d'alcool. Josep et Rikki y avaient passé leur enfance et, d'après Josep, la mère de Rikki y habitait encore.

Flovent se renseigna auprès d'un homme dans la cour intérieure. Ce dernier lui indiqua une femme assise sur le pas d'une porte, en train de plumer une poule en faisant voler les plumes de tous côtés. Planté devant elle, il l'observa un instant sans qu'elle lui accorde la moindre attention. Absorbée par sa tâche, elle ne s'accordait même pas le temps de lever les yeux. Flovent se résolut alors à l'interrompre en lui demandant son nom. Plutôt bien en chair, âgée d'une cinquantaine d'années, vêtue d'une combinaison de travail usée, de chaussures en caoutchouc par-dessus ses chaussettes en laine, elle avait couvert ses cheveux avec un foulard noué sous son menton. Flovent lui cachait le soleil déclinant du soir et elle avait du mal à distinguer ses traits. Elle plissa les yeux et lui demanda qui cela intéressait, le visage ridé, la bouche partiellement édentée, puis continua à plumer la volaille.

– Je vois que vous êtes occupée, je ne vous dérangerai pas longtemps. Je ne faisais que…

– Hein ? Allons, allons, ce n'est pas bien grave. Je vais cuire cette petite au pot, expliqua-t-elle. C'est mon cher Dussi qui me l'a donnée. Il en a de plus en plus. Vous connaissez Dussi ? Il élève un tas de poules dans la baie de Nautholsvik et il vend les œufs aux Anglais. Il s'en met plein les poches.

Flovent répondit qu'il ne connaissait aucun Dussi, mais qu'il venait de rencontrer Josep, un ex-camarade d'école de son fils. Il lui demanda si elle se souvenait de lui.

– Josep, oh que oui ! Je vois parfois ce petit gars traîner en ville.

– Il m'a dit qu'il avait connu votre fils, Rikhardur. Tout le monde l'appelait Rikki, n'est-ce pas ?

– Oui. Ils étaient bon amis, lui et mon Rikki, confirma la femme en balayant les plumes collées sur son vêtement. Elle tourna l'animal dans l'autre sens et reprit sa besogne, sans s'inquiéter de cet inconnu qui lui cachait le soleil du soir. Il n'avait pas l'air bien la dernière fois que je l'ai aperçu, ajouta-t-elle. On dirait que le pauvre gamin déraille complètement. Un si brave petit.

– Nous avons parlé de Rikki, glissa Flovent. Et aussi de ses camarades d'école.

– Ah bon ?

– Il m'a dit ce qui est arrivé à votre fils pendant sa dernière année là-bas.

La femme interrompit sa tâche.

– Pourquoi vous a-t-il parlé de mon Rikki ? s'étonna-t-elle. Pour quelle raison vous a-t-il raconté ça ?

Flovent expliqua qu'il venait la voir parce qu'un ancien camarade de son fils Rikhardur avait été découvert dans un sous-sol, tué d'une balle dans la tête. Cet homme s'appelait Eyvindur et Flovent enquêtait sur cette affaire. Il avait contacté un certain nombre de gens qui avaient connu

Eyvindur au fil du temps et, parmi eux, certains de ses anciens camarades d'école.

– Vous êtes policier ? Et vous venez me parler ?

Flovent acquiesça.

– Vous vous rappelez cet Eyvindur ? demanda-t-il.

– Non, ça ne me dit rien. Cet homme assassiné, il était dans la même école que mon fils ? Est-ce que cette histoire a... quelque chose à voir avec mon Rikki ? Comment c'est possible ?

– Non, rien ne permet de l'affirmer, répondit Flovent.

– Alors, que raconte mon petit Josep ? Ce pauvre gamin en bave sacrément, non ? J'en connais un rayon sur les ravages de l'alcool, il vous entraîne dans le caniveau, et je crois bien que le petit en abuse un peu. Il n'avait pas l'air bien la dernière fois que je l'ai vu. On aurait presque dit un clochard. Il est pourtant tellement gentil, ce brave Josep. Il me dit toujours bonjour, il discute un moment sans jamais me demander la pièce ou quoi que ce soit.

Elle resta pensive et garda le silence un moment, poursuivant sa besogne.

– Eh oui, pauvre petit Rikki.

– Ça n'a pas dû être facile pour vous de le perdre comme ça.

Elle ne lui répondit pas et continua simplement de plumer la poule. L'air avait fraîchi d'un coup dès que le soleil avait disparu. Elle ne semblait pas s'en apercevoir. Flovent boutonna son imperméable.

– Évidemment, les autres élèves se moquaient de ceux qui vivaient dans les Polarnir. Ils se moquaient de leur pauvreté, de l'odeur de moisi qu'ils traînaient sur eux, de leurs vêtements rapiécés et bien sûr de leurs parents incapables. On les traitait comme des moins que rien. Tous les gamins d'ici étaient mis dans des classes de cancres. D'accord, je me rends bien compte que... je ne me souviens même pas lui avoir préparé un casse-croûte pour le midi, ne serait-ce qu'une seule fois. C'est lamentable. Quant aux vêtements, il n'avait sans doute pas grand-chose à se mettre. Dès qu'on avait de l'argent, on le dépensait en alcool. Sa sœur s'est plus occupée de lui que moi. C'était… ce n'était pas la vie de château et Rikki était un petit très sensible. Il ne supportait pas de voir le malheur, mon cher petit Rikki. Vous avez des enfants ?

– Non, répondit Flovent, aucun.

– Son père était un sale incapable. Un pauvre type et un voleur. Il escroquait Dussi et des tas d'autres gens. Il était même entré par effraction dans un chalet d'été pas très loin d'ici. Il faisait de la contrebande et buvait comme un trou, il a même fait de la prison. Enfin, il n'avait que des mauvaises fréquentations.

La femme cessa de plumer le volatile.

– Je ne dis pas que je valais mieux que lui. J'étais… à cette époque, je buvais aussi. Je ne garde quasiment aucun souvenir de ce temps-là. Ce n'est qu'à la mort de Rikki que j'ai arrêté. Je n'ai pas touché à l'alcool depuis, pas une goutte.

– Vous pouvez me dire ce qui s'est passé ? Josep ne se rappelle pas tout. C'est lui qui m'a conseillé de venir vous voir.

– Rikki a brusquement arrêté d'aller en cours. Je ne le savais même pas. Il ne me l'avait pas dit. Il partait de la maison tous les matins à la même heure et prenait le chemin de l'école. Puis un jour… j'étais là dans la cour, un homme envoyé par l'école est venu me demander où était Rikki. Il a ajouté qu'ils ne l'avaient pas vu depuis plusieurs semaines. On a découvert qu'en fait, il passait son temps à traîner en ville, à jouer sur le rivage, à essayer de trouver à manger sans rien dire à personne. Il n'avait jamais aimé l'école, et encore moins cette année-là. Alors, il avait décidé lui-même de plus y aller.

– Vous savez pourquoi ?

– C'était à cause de ce garçon… ce fils de médecin que mon Rikki fréquentait. Josep et ses copains me l'ont dit plus tard et je suis même allée chez lui. Dans la maison des Allemands, c'est comme ça que les gamins l'appelaient. Je voulais parler à ce garçon et lui demander si les autres disaient la vérité, si c'était vrai qu'il avait pris mon fils en grippe et pourquoi il avait fait ce qu'il avait fait. Après bien des difficultés, j'ai enfin réussi à parler à son père. Il a fait semblant de ne rien savoir. Le gamin était alors au Danemark où il passait parfois l'été, m'a-t-il dit, et il n'était pas près de rentrer.

– Avez-vous répété à son père ce que ses camarades vous avaient raconté ?

– Oui, je lui ai tout expliqué. Il était très surpris et, évidemment, il a défendu son fils, mais j'ai bien compris qu'il savait de quoi je parlais. Il savait que son gamin était monstrueux. Je ne lui apprenais rien. De toute manière, il n'y avait plus rien à faire. Rikki était parti.

– Josep m'a dit qu'il est tombé du toit d'une maison en construction, ici, à Eskihlid.

– Oui.

– Il affirme que c'est le fils du médecin qui l'a poussé à se jeter dans le vide.

– Ils m'ont expliqué qu'il avait essayé de voler. Ce garçon était avec lui. Josep et un autre gamin m'ont dit qu'ils l'avaient entendu encourager Rikki à sauter, qu'il l'avait poussé à le faire. Il avait passé toute l'année scolaire à l'emmerder sans aucune raison, sans jamais lui laisser aucun répit. Il l'avait traité de tous les noms jusqu'à ce que mon Rikki n'ose même plus aller à l'école. C'était un vrai monstre. Je ne sais pas pourquoi il en voulait comme ça à mon fils. Rikki était sans doute une proie facile : il venait des Polarnir et ne savait pas se défendre. D'autres gamins le traitaient souvent de cancre. Puis il y avait cette pauvreté, cette odeur de moisi, ces haillons. Peut-être qu'il s'est dit que tout ça ne s'arrêterait jamais. La police a conclu à un accident. À un jeu de gamins qui a mal tourné. On a refusé de m'écouter. Personne n'a levé le petit doigt.

Assise sur le pas de la porte, la femme gardait le silence, comme si elle n'avait plus la force de continuer à plumer la poule morte qui reposait sur ses genoux. Le soleil s'était couché et un vent glacial balayait les Polarnir.

– Mais j'ai vite compris, reprit-elle. Évidemment, je n'avais pas le droit de reprocher quoi que ce soit aux autres. Qui étais-je donc pour accuser les gens ? Je savais que j'étais mal placée pour le faire. Il n'avait même pas pu se tourner vers nous. On n'avait jamais été là pour lui. J'étais soûle quand j'ai appris la nouvelle. J'étais totalement inconsciente. Voilà tout le soutien qu'il a reçu de moi. C'est pitoyable. Tu parles d'un soutien ! Mon pauvre petit garçon.

Au fil de leur conversation, la femme avait de plus en plus de mal à contenir son émotion. Elle se leva, abattue, et le volatile à demi plumé tomba au sol sans qu'elle le ramasse. Elle adressa à Flovent un regard blessé. Il regrettait de l'avoir bouleversée à ce point. Il aurait dû préparer un peu mieux cette entrevue, l'aborder d'une autre manière, faire preuve d'un peu plus de tact.

– En quoi est-ce que mon Rikki te regarde ? lança-t-elle, cessant de le vouvoyer. Tout le monde se fichait de lui quand il était vivant. Pourquoi t'en occuper maintenant ? Pourquoi tu me poses toutes ces questions ? Pourquoi remettre toute cette histoire sur le tapis ?

Flovent voulut lui témoigner sa compassion et mieux lui expliquer le motif de sa visite, mais elle balaya ses paroles d'un revers de main en lui demandant de déguerpir. Elle n'avait rien à lui dire. Il l'abandonna dans le froid glacial, seule avec sa tristesse et tout le malheur qu'elle portait au fond de son regard épuisé.

47

Plus tard dans la soirée, Flovent appela le commissariat de Posthusstraeti pour demander si des comportements suspects avaient été signalés en ville. Ses collègues lui firent part d'un appel pour une histoire de vitre brisée. L'agent chargé d'aller vérifier sur place n'avait rien repéré d'inquiétant. Quelqu'un avait juste jeté un caillou et on ne pouvait pas parler de tentative d'effraction. Ce n'était pas la seule vitre du bâtiment à être cassée. On avait d'ailleurs signalé à la police le même type d'actes de vandalisme au même endroit deux mois plus tôt. C'était sans doute des gamins qui avaient fait ça. C'était presque toujours comme ça quand un bâtiment était abandonné depuis un certain temps. Tôt ou tard, des sales mômes finissaient par s'amuser à lancer des cailloux dans les fenêtres. La police ne se serait sans doute même pas dérangée pour de telles broutilles si celles-ci n'avaient concerné un bâtiment bien précis.

Flovent appela l'hôpital national de Landsspitali. On l'informa que Rudolf était parti et qu'on l'avait raccompagné chez lui en ambulance. Il avait exigé qu'on le ramène à son domicile et, devant sa détermination, les médecins n'avaient pas jugé nécessaire de le retenir plus longtemps. L'infirmière de service que Flovent avait eue au téléphone avait précisé que sa bonne veillerait à ce qu'il ne manque de rien. Flovent supposait qu'il s'agissait de la jeune femme qu'il avait rencontrée par deux fois.

Il appela également la prison de Hegningarhus, rue Skolavördustigur. Brynhildur Holm avait reçu deux visites d'un avocat depuis son dernier interrogatoire. Elle avait donc fini par suivre son conseil.

À cette heure plutôt tardive, Flovent était seul au bureau de la rue Frikirkjuvegur. Alors qu'il réfléchissait à cette histoire de vitre cassée, il entendit tout à coup du bruit dans le couloir. Il se leva pour aller voir ce qui se passait quand un homme apparut dans l'embrasure et le salua. C'était Arnfinnur, son ex-collègue des patrouilles. Ils se serrèrent la main. Flovent s'étonna de cette visite impromptue. C'était la première fois qu'Arnfinnur venait au bureau de la Criminelle. Grand et svelte, il avait le teint hâlé par le soleil estival et sa poignée de main était ferme.

– J'ai vu de la lumière à ta fenêtre, expliqua-t-il, et je me suis dit que je pouvais passer te voir.

Flovent comprit immédiatement qu'il s'agissait là d'un petit arrangement avec le réel, mais ne formula aucune remarque. Honnête dans tout ce qu'il entreprenait, Arnfinnur ne savait pas mentir et Flovent se demandait pourquoi il ne lui disait pas simplement la vérité : le motif de sa visite justifiait qu'il passe le voir ici à cette heure tardive. Flovent soupçonnait que c'était en rapport avec la conversation téléphonique qu'ils avaient eue quelques jours plus tôt à propos de l'éventuelle visite du Premier ministre britannique. Arnfinnur aurait pu se contenter de l'appeler, mais il avait sans doute jugé qu'il valait mieux ne pas aborder le sujet au téléphone.

– Alors, ton enquête progresse ? demanda-t-il en s'asseyant et en balayant le bureau du regard.

– Nous examinons un certain nombre d'éléments. Nous avançons à petits pas.

– On m'a dit que l'homme que vous recherchez, ce Felix Lunden, ferait de l'espionnage. C'est vrai ?

– C'est une hypothèse, confirma Flovent.

– Il aurait communiqué aux Allemands des informations en rapport avec les installations militaires des troupes d'occupation, les travaux en cours dans le Hvalfjördur, les itinéraires des navires islandais et je ne sais quoi encore.

– Ce n'est pas exclu. Nous n'avons découvert aucun appareil de transmission chez lui, mais il n'est pas impossible qu'il ait envoyé des renseignements aux sous-marins allemands qui croisent au large de l'Islande. Nous continuons d'enquêter. Et Churchill ? Est-ce qu'il vient ?

– Comment est-ce possible que vous n'ayez pas encore arrêté ce Felix Lunden ?

– Parce qu'il ne se laisse pas approcher facilement, répondit Flovent, omettant de préciser qu'il l'avait presque coincé dans l'ancien cabinet de Rudolf.

– On m'a dit qu'une femme de son entourage avait été placée en détention.

– En effet. Il s'agit de la gouvernante. On la cuisine mais rien ne dit qu'elle est au courant des activités de Felix. On sait qu'elle l'a aidé après l'assassinat. Elle a tout fait pour le protéger. Je crois qu'il s'agit plutôt d'une affaire de famille. Rudolf, le père, n'était pas au courant du meurtre. En tout cas, c'est ce qu'il prétend.

– Si la visite dont tu m'as parlé a effectivement lieu, fit remarquer Arnfinnur, et pour l'instant nous l'ignorons, Felix Lunden représenterait-il une menace pour notre hôte ?

– Rien ne permet de l'affirmer. Nous n'avons découvert aucun indice dans ce sens au cours de notre enquête. Est-ce que ça inquiète tes services ? Certains de tes hommes ont entendu dire ça ?

– Non, répondit Arnfinnur. Je voulais uniquement avoir ta version. Tu es en contact avec un certain Graham des services de contre-espionnage ? C'est lui qui s'occupera des questions de sécurité si cette visite a lieu.

– Thorson, mon coéquipier, est en contact avec un Graham qui travaille à l'ancienne léproserie.

– Vous devez le prévenir dès que vous aurez ce Felix. Tu y veilleras ?

– Est-ce que ce Graham et ses hommes auraient fait pression sur vous ?

– Il y a toujours des pressions, Flovent. Tu le sais bien.

Arnfinnur se leva.

– Ils tiennent absolument à ce que nous l'ayons et j'ai cru comprendre qu'ils sont prêts à intervenir n'importe quand.

– Ce ne sera pas nécessaire.

– Peut-être. En tout cas, selon eux vous n'êtes pas à la hauteur, reprit Arnfinnur. Ils veulent reprendre l'enquête et envisagent d'employer les grands moyens. Ils veulent absolument trouver cet homme. Ils disent qu'ils vont fouiller maison après maison, arrêter des tas de gens et les interroger. Trouver les émetteurs et les codes de transmission. Ils s'impatientent de plus en plus. Leurs hommes sont prêts, de même que leur plan d'action. Tu dois garder ça à l'esprit. Ils pensent que tout ça nous dépasse et ils nous prennent pour des incapables dès qu'il s'agit de résoudre une enquête criminelle ou une affaire d'espionnage. Ils disent que nous manquons d'expérience dans ce domaine.

– Et moi, je dis qu'on devrait s'en réjouir.

– Peut-être, mais la perspective de cette visite les met sur les dents et ils ne veulent surtout pas que les Allemands l'apprennent. Ils craignent pour la sécurité de l'homme d'État. Tiens-les au courant.

Flovent suivit Arnfinnur du regard tandis qu'il franchissait la porte. Il s'apprêtait à rentrer chez lui quand le téléphone sonna dans son bureau. C'était Thorson qui l'appelait pour lui résumer son entrevue avec Vera, puis avec le lieutenant britannique qu'il avait convoqué pour l'interroger. Il n'avait pas jugé nécessaire de demander leur placement en détention provisoire, n'ayant aucune preuve qu'ils étaient impliqués dans l'assassinat d'Eyvindur. Flovent lui raconta ce qu'il avait découvert au sujet de Felix et d'un garçon prénommé Rikhardur qui était jadis allé à l'école avec lui. Felix était sans doute responsable du destin tragique de cet autre garçon.

Flovent s'apprêtait à raccrocher quand cette histoire de vitre cassée lui revint à l'esprit. Les deux hommes en discutèrent un moment, puis conclurent qu'il était préférable d'aller vérifier sur place et se donnèrent rendez-vous devant le bâtiment.

Quelques minutes plus tard, devant le consulat d'Allemagne, rue Tungata, ils levaient les yeux sur la façade ornée d'un œil-de-bœuf juste au-dessous du toit. Thorson avait conservé la clef depuis leur dernière visite. La vitre brisée était celle d'une petite fenêtre au sous-sol à l'arrière du bâtiment. Les habitants de la maison d'en face avaient signalé un acte de vandalisme. Équipés de leurs lampes de poche, les deux policiers constatèrent immédiatement qu'il y avait eu effraction.

– Cette espèce de crétin n'a rien vérifié du tout, s'agaça Flovent, remarquant que le sol avait été piétiné. Les traces de pas et divers indices attestaient que quelqu'un s'était agenouillé près de la fenêtre pour s'y glisser.

– Tu veux parler du gars qu'ils ont envoyé ici ?

– Pour peu qu'il soit vraiment venu ! s'exclama Flovent en regardant à l'intérieur.

– Tu vois quelque chose ? s'enquit Thorson.

– J'ai l'impression que c'est la chaufferie, mais il y a plein de saletés par terre.

Ils retournèrent à l'avant du bâtiment. Thorson sortit sa clef, ils entrèrent dans le hall et prirent directement l'escalier qui menait à la cave où ils découvrirent des traces de présence humaine dans la chaufferie dont la porte était restée ouverte. Quelqu'un y avait traîné un vieux matelas qu'il avait installé au pied de la grosse chaudière à charbon, il s'était servi d'un drapeau nazi en guise de drap et de rideaux comme couverture. Ils repérèrent des restes de nourriture, du pain rassis et des pommes de terre crues qui jonchaient le sol, mais ne trouvèrent aucun indice sur l'identité de celui qui s'était installé dans la chaufferie de Werner Gerlach.

– Tu crois que c'est un clochard ? demanda Flovent tout en continuant d'inspecter les lieux. Évidemment plus personne ne surveille cette maison.

– C'est possible. Apparemment, il est là depuis un certain temps. Il a l'air de faire comme chez lui.

– Tu ne penses pas qu'on aurait dû le voir quand on est passé l'autre jour ?

– Apparemment, si.

– Et si c'est un clochard, je m'étonne de ne trouver aucune bouteille d'alcool, remarqua Flovent. Ni même de la cardamome ou de l'alcool à 90.

– Tu veux dire que ce n'est pas forcément un clochard ?

Flovent poussa le drapeau nazi du bout du pied.

– Ça ressemble plutôt à une planque qu'à la tanière d'un vagabond. Tu ne crois pas ?

– Une planque ? Tu veux dire que… ?

– Je n'en suis pas sûr, mais j'ai bien l'impression qu'il s'agit de notre homme.

– Tu crois que Felix Lunden s'est installé ici ?

– Cette cachette n'est pas pire qu'une autre, observa Flovent en ramassant le drapeau du Reich. Felix ne peut aller nulle part. Peut-être a-t-il pensé que cet endroit serait le dernier où on viendrait le chercher.

– Tu crois qu'il est dans la maison ?

– Allons vérifier.

Ils fouillèrent le sous-sol, puis le rez-de-chaussée, ouvrirent chaque pièce l'une après l'autre, inspectèrent chaque placard, chaque recoin et chaque cagibi. Ils firent de même au premier étage, puis au grenier, mais il semblait que l'intrus s'était contenté d'occuper la cave. Ils ne trouvèrent aucune trace de sa présence ailleurs dans la maison.

Une demi-heure plus tard, ils se retrouvèrent devant le matelas de la chaufferie. Thorson balaya le sol avec le faisceau de sa lampe et, au bout d'un moment, il vit un objet luire dans un recoin derrière la chaudière. Il s'agenouilla et tendit la main. C'était un tube métallique contenant du dentifrice d'une marque célèbre.

– C'est bien la marque qu'il vendait, non ?

Écrasé en son milieu, le tube portait l'inscription Kolynos Dental Cream. Flovent le déboucha et le renifla.

– Il en avait toujours un sur lui, ou quoi ?

– Pourquoi pas ? répondit Thorson. Tous ceux qui veulent avoir de belles dents bien blanches utilisent chaque jour Kolynos, ajouta-t-il, citant mot pour mot une réclame qu'il avait vue dans le journal.

Flovent lui répondit par un sourire.

– Tu crois que ça pourrait être quelqu'un d'autre ? demanda Thorson. J'ai bien l'impression que c'est Felix qui s'est installé ici.

– C'est une hypothèse à ne pas exclure, répondit Flovent en refermant le tube pour le glisser dans sa poche.

– Tu as raison. Il a sans doute pensé que ce serait le dernier endroit où nous irions le chercher.

– Si c'est le seul endroit où il peut se réfugier, il doit vraiment être aux abois, conclut Flovent.

48

Brynhildur Holm ayant du mal à trouver le sommeil à la prison de Hegningarhus, elle était encore debout quand un gardien ouvrit la porte de sa cellule pour l'emmener à la salle d'interrogatoire où on l'attendait en dépit de l'heure tardive. Assis dans la salle, Flovent et Thorson la prièrent de les excuser du dérangement, mais l'affaire qui les amenait était urgente. Étonnée, elle s'installa face à eux. Ils lui expliquèrent qu'on avait pénétré par effraction dans la résidence du consul d'Allemagne où ils pensaient que Felix s'était réfugié depuis qu'il avait fui le cabinet de son père. La résidence était en ce moment discrètement surveillée par un policier au cas où le fugitif y reviendrait. Flovent et Thorson souhaitaient lui demander si elle avait connaissance d'un autre lieu où il était susceptible de se cacher.

– Je n'en ai aucune idée, répondit-elle.

Flovent sortit le tube de dentifrice de sa poche pour le lui montrer.

– Savez-vous s'il avait ça sur lui quand il était dans le cabinet de son père ?

– C'est possible, je n'ai pas vérifié ce qu'il avait dans les poches.

Brynhildur fit mine de prendre le tube pour le regarder de plus près, mais Flovent retira sa main.

– Quoi ? s'offusqua-t-elle, vexée. Vous croyez peut-être que je vais l'avaler ?

– Nous l'avons trouvé au consulat d'Allemagne, précisa Flovent en le rangeant dans sa poche. Felix s'était installé au sous-sol. Avez-vous une idée d'un endroit où il pourrait s'être réfugié maintenant ? Un lieu susceptible de lui venir à l'esprit ?

– Je ne peux pas vous aider. Je ne vois aucun endroit, sauf…

– Sauf ?

– Eh bien... il y a longtemps, Rudolf a acheté à Vatnsleysuströnd un chalet qu'il prévoyait de transformer en maison d'été. Puis il a eu cet accident et n'est plus jamais allé là-bas, pas plus qu'il n'y a fait de travaux. Je ne sais pas... Peut-être que Felix est parti s'y cacher. Je ne peux pas vous dire.

– Flovent m'a expliqué que vous étiez au courant que Felix travaillait pour les Allemands ici, en Islande, reprit Thorson. Ce serait son oncle Hans Lunden qui l'aurait recruté.

Brynhildur hocha la tête.

– Felix a beaucoup d'admiration pour Hans. À mon avis, l'espionnage s'est invité dans une de leurs conversations et Hans a présenté son neveu à des contacts en Allemagne et au Danemark. Je lui ai posé la question. Il n'a rien reconnu, mais n'a pas démenti non plus. Il a toujours été fasciné par les nazis. Exactement comme Rudolf et Ebeneser.

– Vous m'avez pourtant dit qu'ils avaient abandonné ces idées, glissa Flovent.

– En effet, mais ce n'est pas le cas de Felix. Même s'il ne s'en vante pas, j'ai l'impression qu'il y croit avec une ferveur redoublée depuis que les nazis ont envahi un pays après l'autre.

– Vous pensez que son emploi de représentant n'est qu'une couverture ?

– C'est possible, mais je ne suis pas spécialiste de la question.

– Il ne vous a pas précisé pour quelle raison on voulait le supprimer ?

– Non, mais j'imagine que c'est en rapport avec ses "activités".

– Il n'a cité aucun nom ?

– Il a refusé de m'en dire plus.

– Mais il a aussi avancé d'autres hypothèses. Il n'a pas parlé de la petite amie d'Eyvindur ? Il n'a pas prétendu qu'elle était, comme on dit, dans la situation, et qu'elle avait voulu se débarrasser de son ex-petit ami ?

– Felix n'exclut pas cette hypothèse, confirma Brynhildur. En réalité, je crois qu'il est tout aussi désemparé que vous et qu'il ne sait pas quoi penser.

– Si on considère qu'il était effectivement la cible, qui a bien pu vouloir le tuer ? reprit Thorson. On peut imaginer qu'il a été démasqué. Des gens d'ici le soupçonnent peut-être d'être un agent allemand.

– Il a visiblement une idée sur la question, mais il n'est pas bavard. Il a refusé de me dire qui sont ces gens et pour quelle raison ils sont à ses trousses, mais j'ai l'impression qu'il se sent poursuivi. C'est ça qui lui fait peur. Il craint pour sa vie, j'en suis certaine. Voilà pourquoi il fuit. Ça explique également qu'il ne se rende pas.

– Vous m'avez dit qu'il avait évoqué l'hypothèse d'un "élément extérieur" chargé d'accomplir la besogne, rappela Flovent.

– Oui, mais je n'ai pas réussi à le convaincre de m'en dire plus, regretta Brynhildur. Je ne vois pas du tout ce qu'il voulait dire. Mais il m'a semblé qu'il craignait tout particulièrement un militaire des troupes d'occupation. Sans doute un de ses contacts, un homme qui lui transmettait des informations. Enfin, c'est ce que j'ai cru comprendre. Ses explications étaient plutôt embrouillées. En réalité, il n'a rien voulu me dire d'important, il se dérobait chaque fois que je l'interrogeais, mais à force, en rassemblant des bribes, j'ai compris que ce militaire le terrifiait.

– Et que faites-vous de la lettre de menaces envoyée à Rudolf ?

– Comment ça ?

– Vous ne m'avez pas dit qu'elle était peut-être en rapport avec la mort d'Eyvindur ? Qu'Eyvindur serait allé chez Felix pour obtenir des explications et que leur entrevue se serait terminée de manière tragique ?

– C'est vrai, je reconnais m'être posé la question, concéda Brynhildur en traînant sur les mots.

– Dans ce cas, ce serait Felix qui l'aurait tué ?

– Oui.

– Vous l'en croyez capable ? Serait-il capable d'assassiner un homme d'une balle dans la tête ?

Brynhildur hésita.

– Je n'en sais rien. C'est impossible de répondre à une question pareille !

– Ah bon ? s'étonna Flovent. Impossible ? Vous m'avez pourtant dit qu'il avait hérité sa monstruosité de la famille de son père. De Hans Lunden.

Brynhildur garda le silence.

– Vous rappelez-vous un garçon qui allait à l'école avec lui, avec Eyvindur et Josep, un certain Rikki ? Il devrait être gravé dans votre mémoire. On le voit sur cette photo, ajouta Flovent en sortant la brochure de sa poche pour la poser sur la table.

Brynhildur le regarda sans rien dire, puis baissa les yeux sur le cliché.

– Vous ne voulez pas l'examiner d'un peu plus près ? suggéra Flovent.

– Je l'ai assez vu comme ça.

– Vous vous souvenez de ce garçon ?

Brynhildur ne répondait pas.

– Je suppose que son visage vous est familier, reprit Flovent. C'était un de ces garçons auxquels Felix s'est intéressé. Il s'est lié d'amitié avec lui pendant un certain temps, lui, le fils du médecin. Il est même allé voir Rikki dans les Polarnir, là où vivait la plèbe. Il a observé ses conditions de vie, il a vu sa mère alcoolique, son père qui la battait, sa sœur abusée. Rikki a tout accepté pour plaire à Felix.

Brynhildur se contentait de baisser les yeux sur la table.

– Josep, celui-ci, m'a parlé de Rikki et de sa famille, précisa Flovent, l'index pointé sur la photo. Il m'a aussi confié que Felix exerçait une étrange fascination sur les garçons qu'il fréquentait. Plus doué qu'eux, issu d'une bonne famille, il avait pour père un grand médecin. Mais ça ne s'arrêtait pas là, Felix était lui-même fascinant, jamais ces garçons n'avaient connu ça. Il avait du charisme. Ils étaient prêts à lui dire tout ce qu'il voulait savoir et à faire tout ce qu'il leur ordonnait. Ils ne lui cachaient rien, ce qui lui permettait de connaître leur mode de vie, mais aussi de les connaître eux-mêmes en profondeur et de connaître leurs peurs pour pouvoir les plier à sa volonté. Il était leur chef. Ces garçons lui obéissaient en tout. Josep volait à sa demande dans les boutiques. Eyvindur s'était acharné sur un chaton en le frappant sur une pierre jusqu'à ce que mort s'ensuive parce que Felix lui avait dit de le faire.

Brynhildur baissait la tête. Flovent se pencha au-dessus de la table pour l'obliger à le regarder en face.

– Et Rikki s'est jeté dans le vide parce que Felix lui a donné une des pilules de son père en lui promettant qu'elle lui permettrait de voler.

Brynhildur écoutait ce discours sans rien dire.

– C'est Rudolf qui avait remis cette pilule à son fils ? Est-ce que tout cela faisait partie de ces recherches ?

Brynhildur continuait de garder le silence.

– Est-ce que ça faisait partie de ces recherches, oui ou non ?! tonna Flovent. Est-ce que le but était de mesurer à quel point ils avaient confiance en leur chef ?

– Rudolf n'avait pas imaginé que… il avait pensé que Felix arrêterait ce gamin au dernier moment avant qu'il ne saute.

– Pas imaginé… Il a dû être assez surpris de découvrir que son fils, le petit Felix Lunden, était le seul individu réellement dangereux parmi ces cobayes.

– Felix a rejeté la responsabilité sur Rikhardur… sur Rikki. Il a mis tout ça sur le compte de sa crédulité, de sa bêtise. Rudolf ne s'en est jamais remis. Évidemment, il était responsable. Cela faisait partie de ses recherches. C'est lui qui avait entraîné son fils dans cette voie, c'est lui qui l'avait encouragé. Felix lui racontait ce qu'il apprenait sur ces gamins et Rudolf tirait les ficelles. Il n'a mesuré les conséquences que trop tard. Plus jamais nous n'avons reparlé de tout ça. Il a rejeté la faute sur son fils et l'a envoyé dans sa famille au Danemark. Il l'a évité. Mais jamais il n'a réglé ses comptes avec lui et cette histoire est restée entre eux comme une plaie ouverte. Quand Felix est rentré en Islande, il était déraciné, il ne s'intéressait plus à ses études, puis il a quitté le lycée… Il avait aussi passé du temps chez son oncle Hans en Allemagne, il avait assisté à la montée du nazisme, fasciné par tout ce qu'il avait vu et entendu. Il s'était inscrit au parti nazi islandais, mais trouvait que ses membres n'allaient pas assez loin et ne voyaient pas assez grand. Des vraies couilles molles, voilà ce qu'il disait d'eux.

– Quand il a commencé à transmettre des informations aux Allemands, vous étiez au courant ? Vous l'avez peut-être même aidé ?

– Non, je n'ai pas fait ça !

– Mais vous ne l'avez pas non plus dénoncé.

– Je n'ai rien à voir avec toutes ces… vous…

Elle s'interrompit. Ces questions et ces accusations la mettaient en colère, de même que la manière dont on la traitait. Elle ne pensait pas mériter ça. Épuisée, elle décida d'abattre ses cartes sur la table.

– Vous ne voyez donc pas ce qui crève les yeux ?

– Ce qui crève les yeux ?

– À votre avis, pourquoi Felix n'a-t-il pas été envoyé directement en Angleterre à son retour en Islande ? Alors qu'il est de père allemand. Alors que son oncle, Hans Lunden est un membre éminent du parti nazi. D'après vous, comment se fait-il que Rudolf n'ait pas non plus été déporté immédiatement là-bas ? Alors que c'est un ami proche de Werner Gerlach. Comment se fait-il que Felix et son père n'aient pas été arrêtés et envoyés dans un camp de prisonniers au Royaume-Uni ?

– Je ne vois pas où vous voulez en venir, fit remarquer Thorson.

– Réfléchissez un peu ! répondit Brynhildur.

– Rudolf est gravement malade, rappela Thorson. Le voyage lui aurait été fatal. Et puis, le vieil homme ne représente aucun danger. Vous l'avez dit vous-même, il a renié le nazisme.

– Ne soyez donc pas si puérils. Comme si ça les inquiétait de voir Rudolf casser sa pipe pendant le voyage ! Pour eux, ça n'aurait fait qu'un Allemand de moins !

– Dans ce cas, qu'est-ce qui… ?

– Au lieu d'arrêter Felix et de le déporter, ils ont décidé de se servir de lui, reprit Brynhildur.

– De se servir de lui ?

– Felix est convaincu que les Britanniques l'ont utilisé pour transmettre des renseignements qu'ils veulent communiquer à l'ennemi. Je ne sais pas comment il l'a découvert, mais il pense que quelqu'un l'a dénoncé, que ce quelqu'un est en Allemagne sous une fausse identité et que son importance est capitale pour les Britanniques. C'est pour ça que Felix croit que ses jours sont en danger, pour ça que la balle qu'Eyvindur a reçue dans la tête lui était en réalité destinée, pour ça qu'il est en cavale.

– Il pense avoir les Britanniques à ses trousses ? s'enquit Thorson.

Brynhildur hocha la tête.

– C'est ce qu'il m'a dit. Il ignore combien de personnes sont impliquées.

– Et vous le croyez ? demanda Flovent.

– Je ne sais pas. Je ne sais plus ce que je dois croire. Felix m'a dit tant de choses qui m'échappent. Il est très seul et très perturbé, certains de ses propos semblent délirants parce qu'il ignore lui-même ce qu'il s'est passé. Il ne sait ni ce qu'il doit faire, ni vers qui se tourner, ni comment il s'est retrouvé dans cette impasse. Mais il y a une chose qui ne varie pas et qu'il maintient depuis le tout début, c'est sa version concernant la mort d'Eyvindur.

– Le fait qu'il aurait été tué par erreur ?

– Oui, le fait qu'Eyvindur aurait reçu une balle qui lui était destinée. Il tient absolument à ce qu'on comprenne qu'il ne l'a pas tué. Il veut que son père le sache.

– Vous savez où il est ? répéta une fois encore Thorson.

– Je vous ai déjà dit que je l'ignorais. Vous pourriez aller poser la question à son père. Je ne sais pas si ça servira à grand-chose. Leur… leur relation est très étrange. Felix déteste Rudolf, mais parfois on dirait qu'il ne désire rien d'autre que sa reconnaissance. De la même manière, on peut penser que Rudolf méprise son fils, mais en même temps personne ne s'inquiète autant pour lui. Je n'ai pas d'autre idée à vous proposer. Je ne peux pas vous aider plus que ça. C'est à vous de le trouver.

Les deux policiers ne pouvaient que constater combien Brynhildur était désemparée.

– Je ne sais plus ce qu'il faut croire s'agissant de Felix, répéta-t-elle. Je dois bien vous l'avouer. Il est… d'une part, je le plains, je voudrais essayer de le comprendre et de l'aider. Je pense l'avoir fait par ce jeu de cache-cache. J'ai senti à quel point il était terrifié, j'ai cru qu'il n'était que la victime d'une série d'événements sur lesquels il n'avait aucune prise. Mais il arrive également qu'il soit…

– Monstrueux ?

– Felix s'est toujours opposé à son père, c'est ce qui a empoisonné sa vie. Je ne suis pas capable de dire si cette opposition est pour lui un moyen d'obtenir de la reconnaissance, de la compréhension ou de la tendresse. Je crois qu'il est disposé à aller assez loin pour obtenir cette reconnaissance, y compris si cela suppose qu'il trahisse et trompe les autres. Évidemment, la profession de représentant lui allait comme un gant. Je ne connais personne meilleur que lui pour convaincre les gens de son excellence. Personne n'est aussi doué que Felix Lunden pour se vendre.

Flovent se leva.

– Tout cela est bien joli, conclut-il, mais ces conjectures montrent bien que vous continuez à le protéger. Je crois pour ma part que les choses sont nettement plus simples et que vous le savez très bien. Je pense que tout ce que vous nous dites n'a qu'un seul but : nous faire oublier qu'Eyvindur avait l'intention de dénoncer le père et le fils Lunden et que Felix a décidé de le supprimer pour rendre service à son père.

49

Thorson avait informé ses collègues qu'ils pouvaient le contacter à la prison de Hegningarhus. Quand il sortit avec Flovent de la salle d'interrogatoire, un gardien lui annonça qu'un correspondant l'attendait au téléphone dans le bureau du directeur. Un membre de la police militaire souhaitait lui parler et lui communiquer des informations concernant Billy Wiggins. Libéré après son interrogatoire plus tôt dans la journée, ce denier attendait de repartir dans le Hvalfjördur. Ivre, le lieutenant avait à nouveau fait des siennes devant l'hôtel Borg et la police militaire l'avait placé en détention pour troubles à l'ordre public, puis l'avait relâché quand il s'était calmé, promettant de s'amender. On l'avait alors reconduit à son baraquement de Camp Knox.

– Donc, tout va bien, non ? s'étonna Thorson. Tu m'appelles juste pour me raconter ça ?

– Les collègues m'ont dit qu'il avait parlé de toi quand il était le plus violent.

– De moi ?

– Il a juré de te descendre. Ils n'ont pas vraiment prêté attention à ses propos, il était soûl et racontait n'importe quoi. En tout cas, il t'a traité de tous les noms. Je ne te répéterai pas ce qu'il a dit, mais il a promis de te régler ton compte. Et les collègues se demandent s'ils n'auraient pas mieux fait de le laisser cuver ici, au quartier général. Il était sacrément énervé, puis, dès qu'il s'est calmé, ils l'ont ramené à son baraquement. Ils préfèrent juste que tu sois au courant.

– Merci de m'avoir prévenu, répondit Thorson. Qu'est-ce qui s'est passé devant l'hôtel Borg ? Avec qui il s'est battu ?

– Des soldats américains. Il les a traités de pauvres types, de tapettes et de je ne sais quoi encore, et les gars se sont rués sur lui. Des soldats britanniques qui étaient dans le coin sont arrivés à sa rescousse et nous l'ont amené. Heureusement, ça n'a pas déclenché une bagarre générale. Officiellement, nous sommes tous dans le même camp.

Thorson expliqua la situation à Flovent en lui demandant s'il pensait qu'il y aurait du nouveau concernant Felix avant le lendemain matin. Flovent répondit que c'était peu probable, mais ajouta qu'il passerait en voiture devant le domicile de Rudolf pour s'assurer que tout était calme.

– Ce Wiggins… c'est un sacré casse-pieds, non ?

– Un vrai crétin, répondit Thorson. Alors, que penses-tu de ce que nous a raconté Brynhildur ? Elle essaie d'être honnête, tu ne crois pas ?

– C'est aussi mon avis. Si elle dit vrai, Felix s'est mis dans de beaux draps. Et du coup, on comprend parfaitement qu'il se cache, en tout cas cette explication en vaut une autre. J'ai quand même du mal à démêler le vrai du faux dans ces histoires d'espionnage, de contre-espionnage, d'agents doubles et de haute trahison. On n'a pas du tout l'habitude d'enquêter sur ces choses-là. Les Islandais n'ont aucune expérience.

– Et encore moins quand il s'agit d'y participer activement, fit remarquer Thorson.

– Exactement. Je suppose que cela explique pourquoi Felix s'est mis dans un tel pétrin. C'est un amateur. Il ne sait même pas ce qu'il fait, il ne sait pas dans quoi il s'est fourré et ne connaît pas les dangers qui le guettent.

– Je suppose que non.

– Tout ça, c'est plutôt ta partie, Thorson. Tu devrais aller consulter tes supérieurs.

– Bien sûr. Je m'en occupe.

– Si Brynhildur dit vrai, s'il est considéré comme dangereux par un homme qui travaille dans vos rangs, je suppose que tu ne peux pas en parler à n'importe qui. Tu dois faire attention à ce que tu dis et à qui tu le dis. Ce genre d'information s'ébruite facilement et, ensuite, il est très difficile de maîtriser quoi que ce soit. Si tout ça n'est pas sorti de l'imagination de Felix et si l'homme qui se sert de lui pour communiquer de fausses informations aux Allemands existe réellement, je suppose que c'est une affaire explosive.

– Ça ne fait aucun doute, convint Thorson. Dommage que Felix soit si peu fiable. Apparemment, on ne peut jamais croire ce qu'il raconte.

Les deux hommes se saluèrent et, avant d'aller dormir, Thorson décida de faire un tour à Camp Knox pour s'assurer que le calme régnait dans le baraquement de Billy Wiggins. Les menaces que le lieutenant avait proférées à son encontre ne l'inquiétaient pas vraiment. Pour lui, il fallait mettre ces propos sur le compte de l'alcool et de la fanfaronnade. Thorson n'appréciait pas cet homme, mais il n'en avait pas peur. Il avait demandé qu'on se penche sur son dossier, qu'on vérifie s'il avait eu affaire à la justice anglaise et s'il n'avait pas déjà posé problème au sein de l'armée. Il désirait également savoir s'il était marié et s'il avait des enfants. Thorson pouvait citer l'exemple de plusieurs soldats ayant affirmé être célibataires à leur petite amie islandaise alors que la réalité était tout autre.

Les baraquements militaires en forme de demi-cylindres et percés de petites fenêtres étaient alignés le long de rues portant des noms qui fleuraient bon le pays d'origine des soldats. Thorson connaissait celui de Wiggins. En passant devant, il vit deux hommes discuter à l'extérieur. La grosse ampoule au-dessus de la porte les éclairait tandis qu'ils fumaient leur cigarette. C'était la première fois que Thorson les voyait. Plus spacieux et plus confortable que ceux destinés aux simples soldats, le baraquement se trouvait dans un périmètre réservé aux gradés de l'armée britannique. Il n'y avait aucune trace de Billy Wiggins. Thorson gara sa jeep devant l'entrée, coupa le contact et salua les deux hommes.

– En bien, vous avez été rapide! s'exclama l'un d'eux alors que, tout juste descendu de voiture, il s'avançait vers les soldats.

– Rapide ? s'étonna-t-il.

– À rappliquer !

– À rappliquer ?

– On vient de vous appeler, répondit l'homme en écrasant sa cigarette sous sa semelle. Je ne sais pas où il est passé, mais il était sacrément soûl. Il n'a pas arrêté de boire depuis que vous l'avez ramené. Au lieu de se coucher, il est allé dégoter une autre bouteille dans le baraquement voisin, il a continué à picoler en maudissant ces saloperies d'Américains. Il était délirant en sortant d'ici.

– De qui parlez-vous ? demanda Thorson, s'attendant au pire.

– Enfin, de Billy, rétorqua l'autre, de Billy Wiggins ! Je suis sorti pisser et il a filé !

– Il n'est pas ici ?

– Non, je me tue à vous le dire. Il est parti. On vous a appelés parce que j'ai l'impression qu'il est armé. Je ne retrouve plus son revolver. J'ai vérifié. On m'a dit qu'il avait lancé des tas de menaces. Je sais où il range son arme et elle n'est pas là. J'ai peur qu'il fasse n'importe quoi.

Thorson sursauta à ces nouvelles et se précipita vers sa jeep. Il voulait essayer de retrouver Billy avant qu'il ne se soit trop éloigné du camp.

– Vous savez où il est parti ?

– Non, il disait qu'il voulait retourner en ville pour chercher ces Américains, aller voir une femme ou bien…

Thorson sauta au volant de la jeep et démarra.

– Une femme ?!

– Je ne sais pas…

– Quelle femme ? hurla Thorson. De quelle femme est-ce qu'il parlait ?

– Une fille qu'il a rencontrée, cria le militaire. Une blanchisseuse. Il disait qu'il avait tout sacrifié pour elle et il était furieux d'apprendre ce qu'elle avait fait.

– Comment ça, ce qu'elle avait fait ?

– Je ne sais pas ce qu'il voulait dire, mais il était hors de lui. Ce connard était fou de rage !

Thorson passa la première, le regard fixé vers l'ouest, vers la mer et la blanchisserie. En apercevant la lumière dans le grenier, il fut envahi par une sensation désagréable, mais familière pour l'avoir éprouvée dans ses cauchemars. Il aurait beau se dépêcher le plus possible, il arriverait trop tard.

50

Quand il se gara devant la maison à la façade en sable de mer, Flovent ne vit aucune lumière aux fenêtres. Il supposa que Rudolf était endormi et se demanda s'il n'était pas préférable d'attendre le lendemain plutôt que de le déranger maintenant. En gravissant les marches, il ne nota rien de suspect dans les parages. Les voisins semblaient être couchés, aucune voiture ne troublait le silence de la nuit, le calme régnait dans la rue. La porte d'entrée était fermée à clef. Il se dirigea vers l'arrière et remarqua une porte entrouverte sur le côté de la maison. Apparemment, elle n'avait pas été forcée. Il semblait simplement que quelqu'un ne l'avait pas bien refermée.

Il hésita quelques instants, puis la poussa doucement. Elle s'ouvrit en silence sur un petit couloir menant à la cuisine. Il tendit l'oreille, mais ne décela aucun bruit dans la maison et avança prudemment vers le bureau de Rudolf où il découvrit une silhouette dont il ne distinguait que les contours dessinés par la lumière douce des lampadaires. Il reconnut le fauteuil, à la fenêtre, où l'homme était assis. C'était celui de Rudolf.

– Rudolf? murmura-t-il.

– Qui êtes-vous?

– La porte du jardin est ouverte, j'ai pensé qu'un voleur était entré, répondit Flovent en guise d'excuse. Je m'appelle Flovent, je suis policier.

Le fauteuil craqua. À sa grande surprise, il vit l'homme se lever, s'approcher du bureau et allumer la lampe qui éclaira son visage d'une lumière dorée. Il n'avait aperçu cet homme que très brièvement, mais il le reconnut immédiatement. Leurs chemins s'étaient déjà croisés dans l'ancien cabinet du médecin, rue Hafnarstraeti.

– Felix?!

– J'espère que vous êtes bien remis. Je ne savais pas comment me défendre et j'ai pris cette barre d'acier. Je l'avais trouvée dans le cabinet avant de me cacher dans le placard.

– Vous êtes armé ? demanda Flovent.

– Je n'ai aucune arme sur moi, assura Felix en levant les mains pour le prouver. Je ne vous causerai pas d'ennuis. J'ai prévu de me livrer dès que j'aurai parlé à mon père. Vous n'avez rien à craindre de moi. C'est plutôt moi qui aurais quelque chose à craindre de vous. Comment avez-vous su que j'étais ici ?

– On ne le savait pas, répondit Flovent en s'approchant. Felix se laissa fouiller. Je passais juste voir comment allait Rudolf. Où est-il ?

– Il dort. Je m'apprêtais à aller le réveiller quand vous êtes arrivé. Je veux lui faire mes adieux. Je ne suis pas sûr de le revoir.

– Vous voulez dire, après votre séjour en prison ?

– Quelque chose comme ça.

– Vous craignez pour votre vie ? Brynhildur nous a dit que…

– Je ne vois pas ce qu'elle pourrait vous dire, répondit Felix.

Il semblait très calme et très posé, contrairement à la description faite par Brynhildur d'un homme aux abois, terrifié et persuadé d'être poursuivi. Flovent supposait qu'il avait renoncé à fuir et qu'il s'était fait une raison. La tension était sans doute retombée d'un coup, engendrant apaisement et épuisement. Il s'exprimait d'une voix lasse, le visage hâve, les traits tirés et les yeux éteints. Ses épais cheveux bruns étaient en bataille, négligés depuis un certain temps. Il avait le visage allongé, de petits yeux, légèrement globuleux, des lèvres épaisses, et une barbe brune qui lui couvrait les joues. Il était habillé de couleur sombre et portait un chandail d'été sous sa veste.

– Elle nous a dit pas mal de choses sur vous et votre théorie sur ce qui s'est passé chez vous, précisa Flovent.

– Ce n'est pas moi qui ai tué Eyvindur. Il faut que vous le compreniez. Ce n'est pas moi.

– Dans ce cas, pourquoi ne pas être venu nous voir au lieu de vous livrer à cette partie de cache-cache ?

– Vous croyez que c'est si simple que ça ? Je ne sais même plus à qui me fier ni qui je dois croire. Ils auraient pu produire des preuves contre moi. Je ne sais pas ce que Brynhildur vous a dit. Nous avons beaucoup parlé de tout ça et elle… elle m'a soutenu, mais elle n'a rien fait de répréhensible.

– Qui aurait pu produire des preuves contre vous ? De quoi parlez-vous ?

– Ceux qui veulent me supprimer, répondit Felix. Ceux qui veulent me faire porter le chapeau. Il faut que vous le compreniez !

– De qui s'agit-il ?

– Ils se servent de moi depuis le début.

– Qui sont-ils ?

– Je pensais avoir décroché le gros lot, ironisa Felix. J'aurais dû me méfier un peu plus, mais je n'ai pas compris à l'époque. Je n'ai compris que plus tard, beaucoup trop tard. Je suppose que quelqu'un m'a dénoncé. Quelqu'un qui était au courant de mes activités. Quelqu'un qui travaille chez nous et qui a des contacts avec les Britanniques. Un membre des services secrets allemands.

– Des services… ?

– Que vous a dit Brynhildur ?

– Qui soupçonnez-vous de vous avoir dénoncé ?

– Ce n'était pas…

– Vous êtes venu ici pour poser la question à Rudolf ?

– Non, mon père ignore tout ça.

– Et Eyvindur ? Il vous soupçonnait d'être autre chose qu'un simple représentant. Felix Rudolfsson. Il vous a surpris à utiliser cet autre nom ? C'est pour cette raison que vous l'avez tué ?

– Je n'ai pas tué Eyvindur.

– Vous vouliez vous venger ?

– Je ne lui ai rien fait, répéta Felix. Je ne suis pas responsable de ce qui lui est arrivé. Je suis totalement innocent.

Flovent pensa à cette femme des Polarnir, à la mère de Rikki.

– Ce n'est pas aussi ce que vous avez dit à la mort de Rikki ?

– De Rikki ?

– Vous l'avez oublié ?

– Quel rapport avec cette affaire ?

– Nous sommes au courant des recherches menées par votre père. Nous connaissons les garçons qu'il avait placés sous observation. Nous savons le rôle que vous avez joué. Nous savons qu'Eyvindur, Josep et Rikki étaient vos cobayes. Nous savons comment vous avez torturé Rikki jusqu'à le pousser à se jeter dans le vide. Vous aviez de l'ascendant sur ces garçons, vous avez exploité leur faiblesse et leurs conditions de vie déplorables pour les humilier ou les porter aux nues, en fonction des lubies de votre père.

– Vous avez interrogé Josep ?

– Il ne m'a pas dit grand bien de vous.

– Vous savez qu'il est alcoolique et qu'il a tenté d'extorquer de l'argent à mon père. Ou plutôt, lui et Eyvindur. Vous ne devriez pas croire ce qu'il vous raconte. Rikki n'avait pas besoin de mon aide. Il était assez crétin pour faire ça tout seul.

– Vous lui aviez promis qu'il pourrait voler. Josep ne peut pas dire si vous l'avez réellement poussé, il n'en est pas sûr, mais il n'est pas sûr non plus que vous ne l'ayez pas fait. Il ne sait pas si vous aviez l'intention de commettre le pire, mais vous avez menti à Rikki et vous l'avez fortement incité à sauter. Comme vous incitiez les autres garçons à faire vos quatre volontés. Peut-être qu'en effet Rikki n'avait pas besoin de votre aide, mais vous l'avez sacrément aidé.

Felix demeurait impassible.

– C'est Rudolf qui tirait les ficelles ?

– Vous ne devriez pas…

– Il a tout de suite mis un terme à ces recherches et n'a pas trouvé d'autre solution que de vous envoyer au Danemark.

– C'est Brynhildur qui vous a dit ça ? demanda Felix.

– Puis, quand vous avez croisé Eyvindur à l'occasion de vos tournées, des années plus tard, vous n'avez pas pu tenir votre langue. Peut-être qu'il vous agaçait. Peut-être étiez-vous juste ivre. Vous n'avez pas pu vous empêcher de tout lui raconter. Vous lui avez parlé de ces recherches. De Josep, de lui, de Rikki et d'autres, et vous lui avez dit qu'ils n'avaient été que des cobayes. Vous avez tout raconté à Eyvindur, sans doute pour l'humilier. Rien n'avait changé là-dessus. Eyvindur en a parlé à Josep. Ils se sont rappelé la mort de Rikki. Ils ont envoyé à votre père une lettre de menaces qui l'a tellement choqué qu'il l'a brûlée.

– C'était si facile de…

Felix secoua la tête.

– Bien sûr, ce n'était pas l'intelligence qui les étouffait, reprit-il. Aucun n'était bien malin et j'ai vite compris que je pouvais obtenir d'eux tout ce que je voulais. C'est une sensation assez grisante d'avoir un tel pouvoir sur autrui.

– Que lui avez-vous donné ? Un cachet hallucinogène ?

– Je ne pensais pas qu'il le ferait, éluda Felix.

– Ou bien était-ce… ?

– Je préfère ne pas en parler.

– C'est pour ça qu'Eyvindur est venu chez vous ? Sa visite a-t-elle un rapport avec cette lettre ? Vous aviez rendez-vous ? Eyvindur disait qu'il attendait une rentrée d'argent. Vous aviez l'intention de le payer ? D'en discuter avec votre père ? Ou plus simplement de supprimer le problème ?

– Eyvindur s'est trouvé au mauvais endroit au mauvais moment, répondit Felix. C'est lui tout craché ! Mais il n'était pas la cible. Les Britanniques se sont trompés. Ils ont envoyé chez moi un homme qui ne savait pas à quoi je ressemblais. Ce n'est pas très professionnel. Je m'attendais à mieux de leur part.

– Nous avons eu vent de ces théories, rétorqua Flovent. Des élucubrations et des excuses qui vous dédouanent de toute responsabilité. De la même manière que vous vous êtes défaussé de toute responsabilité concernant Rikki.

– Des élucubrations ? Mais de quoi parlez-vous ?

– Nous avons déjà entendu ces histoires d'espionnage, que votre travail de représentant ne serait qu'une couverture, que vous communiquez régulièrement aux Allemands des informations sur les installations militaires en cours de construction en Islande, la position des navires, celle des forces armées, les fortifications ici et là dans le pays, ou encore les travaux dans le Hvalfjördur. On nous a dit que votre oncle, Hans Lunden, vous a mis en contact avec les autorités nazies et que vous avez accepté de travailler pour elles.

– C'est aussi Brynhildur qui vous a raconté ça ? Donc, elle me croit ? Elle croit ce que je lui ai dit ?

Flovent secoua la tête.

– Il me semble qu'elle veut surtout vous aider, répondit-il. Elle nous a dit que vous aviez découvert qu'en réalité, vous n'étiez rien d'autre qu'un idiot utile. Un pion, un simple commis, comme vous diriez, mais elle sait mieux que personne à quel point vous êtes doué pour manipuler les gens. Elle met en doute tout ce que vous dites et ne sait plus sur quel pied danser. Or, si même Brynhildur doute de vos paroles, quelles raisons la police aurait-elle de vous croire ?

Au même moment, ils entendirent du bruit dans le couloir. Quelqu'un semblait traîner une lourde charge sur le sol en s'accordant régulièrement un instant de répit. Felix resta impassible. Flovent alla voir ce qui se passait et sursauta en découvrant dans la pénombre un homme vêtu d'une épaisse robe de chambre rouge qui se dirigeait vers le bureau en avançant à grand-peine sur deux béquilles. C'était Rudolf Lunden.

51

Rudolf repoussa la main que Flovent tendait pour l'aider. Très surpris de voir le policier chez lui, il lui demanda comme toujours d'un ton brutal ce qu'il venait faire là. Flovent répondit qu'il discutait avec son fils. Rudolf continuait d'avancer sur ses béquilles.

– Qu'est-ce que tu racontes ? grommela-t-il.

– Votre fils, Felix. Il est là, dans votre bureau. Il est venu vous parler.

Le médecin le dévisagea comme s'il ne comprenait pas le sens de ses paroles. Il le rabroua à nouveau, entra dans le bureau et toisa son fils d'un regard qui lançait des éclairs. Il s'approcha du fauteuil, s'y installa, jeta ses béquilles et se tourna vers Felix, resté debout de l'autre côté du bureau depuis que son père était arrivé dans le couloir.

– Qu'est-ce que tu viens faire ici ? bougonna-t-il, furieux. Que diable viens-tu faire ici ?!

– Te voir, répondit Felix d'un ton calme, sans doute habitué aux colères de son père qui ne l'impressionnaient plus. Je voulais te dire…

– Non ! Je refuse de t'écouter ! Je n'ai rien à te dire ! Emmène-le ! ordonna-t-il à Flovent en adressant un signe de tête au policier. Suis-le, assume tes responsabilités et essaie pour une fois de te comporter en homme, poursuivit-il à l'attention de son fils.

– Je voulais te dire que ce n'est pas moi qui ai fait ça à Eyvindur, insista Felix. Ce n'est pas moi. Je tenais à ce que tu le saches, à ce que tu l'entendes de ma bouche.

– De ta bouche ?! On ne peut pas croire un mot de ce qui en sort ! On n'a jamais pu croire un seul mot de tout ce que tu racontes. Allez, va-t'en ! Partez d'ici tous les deux, et immédiatement !

Rudolf fit tourner son fauteuil pour repartir dans le couloir, mais Felix passa devant le bureau et lui barra la route. Flovent se tenait à l'écart, préférant ne pas intervenir. Il s'approcha discrètement du téléphone pour appeler des renforts. L'attention de Felix était occupée par son père. Le fils avait saisi les accoudoirs du fauteuil et le secouait si fort qu'il le soulevait presque du sol.

– Écoute-moi ! hurla-t-il. Pour une fois, écoute-moi ! Ensuite, ce sera fini !

Rudolf regardait son fils, sonné.

– Je n'ai tué personne, martela-t-il. Je tiens vraiment à ce que tu le saches. Ils vont essayer de me faire porter le chapeau. Ils raconteront des tas de mensonges me concernant, mais ce n'est pas moi qui ai tué Eyvindur. Il faut que tu le saches !

Rudolf le fixait, le regard noir de colère.

– Sors d'ici ! ordonna-t-il.

Les mains serrées sur les accoudoirs, Felix dominait son père de toute sa taille.

– Le meurtrier d'Eyvindur a été envoyé par les services du contre-espionnage installés à l'ancienne léproserie. Cet homme fait partie des troupes d'occupation. J'en suis sûr. C'est moi qui étais sa cible. C'est évident. Il est à mes trousses parce que j'ai franchi certaines limites. Je sais que c'est ma faute, j'ai commis une erreur et ce sont leurs représailles.

Felix était parvenu à faire taire son père.

– Je transmets des renseignements aux Allemands depuis mon retour du Danemark. La chose allait de soi. Quand Hans a évoqué l'idée… je n'ai pas eu besoin d'y réfléchir à deux fois. Il a suffi d'une simple recommandation de sa part pour qu'ils m'accordent toute leur confiance. Ils m'ont communiqué un code de transmission et remis un petit émetteur qu'ils avaient laissé en Islande avant la guerre. Je leur envoyais des informations sans grand intérêt concernant les troupes d'occupation et leurs activités. Ils m'ont conseillé de devenir représentant, ce qui me permettrait de parcourir le pays et de rassembler des renseignements sans éveiller aucun soupçon. Un soir, je venais d'achever une de mes transmissions et un message anonyme m'attendait à mon domicile, quelqu'un l'avait juste glissé dans la boîte à lettres. Je devais me présenter à un endroit et à une heure précis. J'ai obéi et, en arrivant là-bas, j'ai trouvé une enveloppe contenant une feuille dactylographiée qui donnait des informations sur la construction d'une base navale dans le Hvalfjördur et la position du dispositif anti-sous-marin dans le fjord. C'était simple comme bonjour et tout était très clair. J'ai donc expédié ces renseignements.

J'étais censé me rendre régulièrement à cet endroit pour vérifier si mon contact y avait déposé quelque chose. Parfois il n'y avait rien du tout, parfois je trouvais une enveloppe. Tout cela a fini par piquer ma curiosité et j'ai commencé à surveiller les lieux pour voir si j'apercevrais quelqu'un. Évidemment, je n'en ai parlé à personne. C'était une initiative personnelle. Puis, un jour, je l'ai vu, je l'ai observé, je l'ai suivi et ça m'a mené jusqu'à l'ancienne léproserie où j'ai découvert que mon contact travaillait en réalité pour le contre-espionnage britannique.

– Il travaillait pour les Anglais ? s'étonna Flovent.

– J'ai pensé que les Allemands l'avaient placé là, ou qu'il avait lui-même trahi son camp en décidant de leur prêter main forte.

Felix avait lâché le fauteuil.

– Je suppose que c'est en le suivant que j'ai déclenché la spirale. Tout de suite après ma découverte, j'ai trouvé Eyvindur gisant dans son sang chez moi. Je savais que j'avais perdu ma clef, mais j'ignorais que c'était lui qui me l'avait volée, sans doute sur le ferry, avant de le retrouver chez moi. J'ignore ce qu'il me voulait. J'imagine que c'était en rapport avec les recherches que tu as faites, dans le temps. Peut-être qu'il m'en voulait d'avoir été aussi monstrueux avec lui. Je l'avais vexé. Je lui avais parlé de tes recherches. Peut-être qu'il pensait trouver chez moi des preuves accablantes de ce que j'avais fait. À moins qu'il n'ait imaginé que j'avais de l'argent et qu'il soit venu me le voler. Je ne sais pas. Tout ce que je sais, c'est qu'il a ouvert ma porte avec cette clef qu'il m'avait dérobée et on l'a tué. Je me suis enfui. J'ai compris que ce n'était pas Eyvindur qui était visé, mais que ces gens voulaient ma peau. J'étais allé trop loin et cette balle m'était destinée.

Felix surplombait son père qui continuait de lui lancer des regards noirs sans dire un mot. Flovent avait décroché le téléphone et composé le numéro du commissariat de Posthusstraeti. Il attendait que ses collègues répondent.

– Ça ressemble tellement à Eyvindur d'aller se fourrer dans cette situation, observa Felix. Enfin, je ne sais pas... On m'a dit que cette femme l'avait quitté pour un soldat britannique. Il a peut-être imaginé qu'elle reviendrait vivre avec lui s'il avait de l'argent. C'est peut-être uniquement pour ça qu'il t'a envoyé cette lettre et qu'il s'est introduit chez moi.

– Cet homme qui te communiquait des informations, c'était qui ? demanda Rudolf.

Le commissariat décrocha. Flovent demanda qu'on lui envoie des hommes au domicile du médecin en précisant que c'était urgent et en priant son collègue de faire au plus vite. Après avoir raccroché, il s'avança vers la porte du bureau, la referma partiellement et se posta devant.

– Ça n'a aucune importance, répondit Felix.

– Et tu ne l'as même pas soupçonné de travailler pour l'autre camp ?

Felix se taisait.

– Felix, qu'est-ce que tu as fait ? demanda Rudolf.

– Rien.

– Qu'est-ce que tu as fait ?

Felix ne lui répondait pas.

– Je te connais. Tu n'as pas pu t'empêcher de lui parler. Que lui as-tu dit ? Qu'est-ce que tu es allé lui dire ? Pour quelle raison s'est-il senti obligé de se débarrasser de toi ?

– À mon avis, tous les services de contre-espionnage font ce genre de choses, grimaça Felix. Le but est sans doute de mettre en garde les autres espions sur le sort qui les attend en cas de trahison.

– Réponds à ma question ! Qu'as-tu dit à cet homme ?

Felix bredouillait, sans savoir manifestement ce qu'il devait répondre, ce qu'il devait dire pour ne pas risquer de démentir ses propos précédents ou de contredire ce qu'il dirait ensuite. Il était hésitant et désemparé face à ce père qui exigeait des réponses, exigeait que son fils assume ses responsabilités, qu'il mette de côté les faux semblants, les mensonges et les demi-vérités, cet homme qui exigeait qu'il cesse de le prendre pour un imbécile.

– Qu'est-ce que tu lui as dit ? tonna Rudolf. Pourquoi a-t-il fallu que tu entres en contact avec cet homme ? Pourquoi as-tu tenu à découvrir son identité ?

– Qu'est-ce qui te met en colère comme ça ? Pourquoi ? Pourquoi tu me détestes à ce point ?

– Felix, qu'as-tu dit à cet homme ?

– C'est toi… c'est toi-même… Tu as peut-être oublié que c'est toi qui m'as demandé d'épier… de surveiller ces garçons à l'école. Tu voulais que j'espionne ce qu'ils faisaient et que je te dresse des comptes rendus, que je devienne ami avec eux, que je te dise tout ce que je savais… C'est toi qui…

– Je ne suis en rien responsable de tes actes.

– Exactement, tu as toujours eu raison en tout, n'est-ce pas ? rétorqua Felix en haussant le ton. Je n'ai jamais réussi à faire quoi que ce soit… quoi que ce soit qui te plaise. J'ai eu beau essayer, j'ai eu beau faire des efforts. J'ai essayé de te… de t'amener à… je t'ai tout dit sur ces garçons et sur Rikki, et toi… tu n'as jamais… tu me détestes… mais c'est quand même toi qui… qui m'as utilisé… tu t'es servi de moi !

– Felix, pourquoi as-tu tenu à entrer en contact avec cet homme ? Tu voulais le faire chanter ? Tu as menacé de le dénoncer s'il ne se pliait pas à tes exigences ? Tu as tenté de lui extorquer de l'argent ou tu voulais juste jouer au plus malin ?

Flovent aperçut les phares d'une voiture dans la rue et supposa que ses collègues arrivaient.

– Tu n'as pas eu besoin de lui dire quoi que ce soit ? reprit Rudolf.

Felix secoua la tête.

– Ne crois pas que…

– Tu ne lui as rien dit, c'est ça ? murmura Rudolf.

Felix se taisait.

– Tu t'es contenté de le contacter, n'est-ce pas ? Il s'est tout de suite senti menacé. Il a compris que tu allais le dénoncer, alors il a envoyé chez toi quelqu'un qui t'a attendu et qui s'est trompé de cible en s'en prenant à Eyvindur.

– Je ne sais pas, répondit Felix. Je… ça ne pouvait pas se passer plus mal que ça…

– Qui est cet homme ? demanda Flovent. Ce contact ?

– Évidemment j'ai été inconscient, reconnut Felix. Le problème, c'est que… que j'ai eu l'impression qu'il n'était pas… qu'il s'était sans doute découvert et qu'ils se servaient de lui. Je veux parler de leur service d'espionnage. Je pensais qu'ils se servaient de lui pour transmettre des informations triées, dont certaines étaient complètement fausses. Par exemple, en ce qui concerne le dispositif anti-sous-marin de Hvitanes, il ne se trouve pas exactement à l'endroit qu'ils ont indiqué. Je suis allé vérifier moi-même. Je pourrais citer d'autres détails importants. En tout cas, j'ai commencé à me poser de sacrées questions sur le rôle de cet homme. J'ai pensé que je n'étais qu'un pion sur l'échiquier et qu'il était la pièce maîtresse. Je me suis dit que, de toute façon, nous étions dans le même camp et j'ai voulu le prévenir. C'est pour ça que je l'ai surveillé, au cas où je pourrais entrer en contact avec lui. Il n'a pas tardé à s'en rendre compte. J'ai cru qu'il allait me tuer. Il s'est mis en colère et m'a dit que la partie était finie parce que je nous mettais tous les deux en danger et que nous devions arrêter immédiatement ce que nous faisions.

Felix s'accorda une pause et regarda longuement son père.

– Sa réaction… Ce n'est qu'à ce moment-là que j'ai compris que je m'étais trompé sur toute la ligne. Compris à quel point j'avais été… Évidemment, ce n'était pas lui dont ils se servaient pour transmettre de fausses informations. C'est moi qu'ils utilisaient. Je… je l'ai brusquement saisi et il s'en est rendu compte. Il a vu que j'avais compris la vérité. Quel crétin j'ai été ! Cela explique pourquoi ils ne t'ont pas inquiété, pourquoi ils m'ont laissé aller et venir à ma guise. Le dernier message que j'ai transmis concernait la visite de Churchill. Il disait qu'il ne s'arrêterait pas en Islande. Ce qui signifie donc qu'il va venir, puisqu'ils ont passé leur temps à me communiquer de fausses informations.

– Felix…

– Ils ont sans doute décidé de me supprimer avant que je puisse effectuer ma prochaine transmission où j'informerais les Allemands que tous mes renseignements étaient faux. Ils ont réagi avec une telle rapidité. Avec une trop grande… précipitation. Je ne vois pas d'autre explication. Je n'ai même pas osé m'approcher de mon émetteur, j'étais sûr qu'ils le surveillaient…

On frappa à la porte d'entrée. Flovent était sur le point d'aller ouvrir à ses collègues. Un autre véhicule s'était garé devant la maison.

– Quelqu'un a dû prévenir les Britanniques et ils ont décidé de se servir de moi. Un agent britannique infiltré dans les services secrets du Reich m'a dénoncé en disant que j'étais un espion nazi en Islande. Et les Britanniques ont eu peur que je dénonce cet agent à mon tour. Je ne connais pas son identité, mais je suis sûr qu'il existe.

– Felix, déclara Rudolf, ne fais pas…

– Je ne les laisserai pas m'attraper.

– Ne fais pas de bêtise, Felix. Tu ne peux pas sortir d'ici. Essaie d'être raisonnable.

– Ils m'enverront en Angleterre et ils me pendront. Je suis fini.

Il regardait son père d'un air suppliant. Flovent mesurait l'étendue de son désespoir.

– Je veux que tu saches que ce n'est pas moi qui ai fait ça à Eyvindur, répéta-t-il, avant de se pencher en avant pour murmurer à l'oreille de son père ou peut-être pour lui dire adieu. Flovent ne voyait pas ce qu'il faisait. Rudolf repoussa son fils, furieux et méprisant. Felix se redressa soudain et lui répondit quelque chose à voix basse sans que le policier puisse distinguer quoi exactement. Flovent avait tourné le dos aux deux hommes pour rejoindre le couloir et faire entrer ses collègues dans la maison. Deux d'entre eux avaient emprunté la porte qui se trouvait sur le côté. Il leur fit signe d'aller ouvrir aux autres quand il entendit tout à coup Rudolf pousser des hurlements désespérés.

– Felix ! Felix ! Qu'est-ce que tu fais ?!

Pensant que le fils s'en était pris au père, Flovent voulut voler à son secours, mais en se retournant il vit Felix porter ses mains à sa gorge, puis s'effondrer au sol.

– De l'eau ! cria Rudolf. Allez chercher de l'eau ! Pour l'amour de Dieu, rincez-lui la bouche avec de l'eau ! Felix ! Felix ! Recrache ça tout de suite ! Donnez-lui de l'eau ! Felix ! Ne fais pas ça ! Felix !

Le vieil homme tenta de se lever de son fauteuil, mais y retomba aussitôt, puis regarda, impuissant, le corps de son fils se convulser à terre.

On entendit un râle, de la mousse apparut à la commissure de ses lèvres et se mit à couler sur ses joues tandis qu'il suffoquait bruyamment. Ses yeux se révulsèrent, sa tête fut saisie de mouvements désordonnés, son torse se cabrait et s'affaissait tour à tour. Puis il s'immobilisa et les halètements se turent. Allongé, immobile aux pieds de son père, Felix levait vers lui son regard éteint.

52

La jeep dérapa sur les graviers devant la blanchisserie de Vera et s'arrêta à un cheveu du mur en faisant voler la poussière. Thorson attrapa son arme et sauta à terre. Il ne s'en était jamais servi, sauf pendant les exercices, et s'était souvent demandé dans quelles conditions il pourrait être amené à l'utiliser.

Il courut vers l'entrée de la maison, tenant le revolver baissé le long de sa jambe. En arrivant à l'angle, il vit le linge blanc étendu sur les fils, qui flottait à la brise légère. La porte de la blanchisserie était ouverte et la lumière provenant de l'intérieur éclairait faiblement les étendoirs. Le linge étendu n'était pas propre.

– Vera, cria-t-il, debout à côté des poteaux. Vera, vous êtes là ?!

Thorson n'obtint aucune réponse.

– Billy ! Billy Wiggins !

Il serra son arme et se prépara à entrer précautionneusement dans la maison, angoissé par ce qu'il risquait d'y trouver. Il jeta à nouveau un regard sur la lessive et fixa un instant les draps blancs sur les fils.

Il n'y avait aucun doute. Ces draps étaient sales. Soit le passage en machine n'avait pas suffi à les décrasser, soit quelque chose les avait tachés depuis qu'on les avait mis à sécher.

Thorson approcha, hésitant, en saisit un et constata qu'il était tout entier maculé de taches sombres. Il s'avança entre les draps et remarqua que quelque chose s'était frotté contre eux. Il s'attendait déjà au pire quand il découvrit Vera à terre.

Il écarta le linge qui lui bouchait la vue et comprit qu'elle était tombée en entraînant un drap dans sa chute. Elle gisait là, enveloppée dans ce drap immaculé. Du sang s'écoulait de sa tête, elle portait une autre blessure au bras et une à la poitrine. Elle avait tenté de fuir son assaillant et s'était piégée dans ce drap avant de tomber à terre, morte.

Thorson entendit du bruit derrière lui. Il fit volte-face et vit Billy Wiggins sortir de la blanchisserie, chancelant. Le lieutenant le fixait, son arme à la main, prenant le policier au dépourvu. Les deux hommes se regardèrent dans les yeux. L'espace d'un instant, Wiggins sembla vouloir mettre Thorson en joue, mais il se ravisa et jeta le revolver à ses pieds.

– Je ne voulais pas… dit-il, les yeux baissés sur le carré d'herbe où Vera avait perdu la vie. C'était… elle… je n'ai pas voulu…

53

L'entrevue fut brève. Il n'y avait que Thorson et le colonel Franklin Webster, son supérieur dans la police militaire. Thorson avait promis l'entière discrétion. Ils commencèrent par aborder l'affaire Billy Wiggins.

– Très regrettable, déclara Webster.

Thorson aurait pu recourir à bien d'autres qualificatifs pour décrire le destin de Vera, mais il préféra se taire.

– On m'a dit que c'était une histoire de jalousie, reprit le colonel. Un crime passionnel.

– Apparemment elle avait une relation parallèle avec un aviateur américain.

– Très regrettable, répéta Webster.

Thorson l'informa que Wiggins avait été arrêté et qu'il attendait son transfert vers la Grande-Bretagne.

– Oui, je vois, évidemment, reprit Webster, considérant qu'il n'y avait aucune raison de s'appesantir sur cette affaire. J'ai rencontré notre ami de la léproserie, poursuivit-il, et même s'ils ont consenti à nous aider, il n'en est pas sorti grand-chose. Nous devons comprendre qu'ils sont obligés de faire preuve de discrétion quant à leurs opérations. Ils n'ont pas eu le choix, il fallait qu'ils suppriment cet homme. Ils avaient leurs raisons et, même s'ils se sont trompés sur toute la ligne, ce n'est pas la peine de le crier sur les toits. L'homme à qui ils ont confié cette mission était sous l'autorité de Graham et des Américains. Il a quitté l'Islande. On peut imputer sa précipitation à Graham et de Ballantine. Espérons que ça leur servira de leçon.

– Oui, convint Thorson. On m'a dit qu'ils étaient tout prêts à reprendre notre enquête s'ils le jugeaient nécessaire.

– L'enjeu était de taille, Thorson. Même s'ils m'ont confié tout ça à mots couverts, ils m'ont laissé entendre qu'il s'en est fallu de très peu pour qu'une opération de grande envergure menée sur le continent par le contre-espionnage soit menacée. Ils veulent absolument préserver leur activité de renseignement. Et Felix a mis tout ça en péril alors qu'il n'était, à ce qu'on m'a dit, qu'un néophyte. Un simple amateur.

– Sa formation n'était pas très solide, mais il a quand même compris qu'on se servait de lui pour transmettre de fausses informations. Et il avait bien l'intention de prévenir l'ennemi.

– C'est vrai, il faut le reconnaître.

– On m'a dit qu'on lui avait communiqué des renseignements erronés sur les déplacements de Churchill.

– Tout ça est bien sûr confidentiel et ces choses-là ne nous concernent pas directement, reprit Webster. Nous devons croire ce que disent ces hommes, ils ont jugé que leurs activités étaient en péril et avaient très peu de temps pour réagir. Certes, ils auraient tout de même pu préparer un peu mieux leur intervention.

– C'est le moins qu'on puisse dire.

– Comparé au contexte général, ce genre de dégât collatéral est une broutille. Les autorités locales ont donné leur accord pour que l'affaire passe sous le sceau du secret militaire. En réalité, cette histoire ne les concerne pas. Les Islandais sont neutres dans ce conflit.

Thorson préféra ne pas protester.

Après cette réunion, il alla voir Flovent à son bureau, rue Frikirkjuvegur. Bien qu'ayant promis l'entière discrétion au colonel Webster, il rapporta à Flovent la teneur de leur conversation. On avait relâché Brynhildur. La cause réelle de la mort de Felix n'était consignée nulle part. Son suicide était l'épilogue d'une tragédie familiale. Flovent avait trouvé l'émetteur dont il se servait dans le vieux chalet de Rudolf Lunden, à Vatnsleysuströnd.

– Et Eyvindur, alors ? s'enquit Flovent quand ils eurent fini de faire le point comme ils l'avaient fait bien souvent au cours des derniers jours, ce qui les avait invariablement conduits à cette question.

– C'est la guerre, répondit Thorson.

– Est-ce que ça excuse quoi que ce soit ? interrogea Flovent, mécontent du dénouement de toute cette affaire.

– Peut-être pas. Officiellement, le meurtre n'a pas été élucidé, mais ça ne présage pas de ce qui se passera à l'avenir. Il n'y aura plus aucune raison de cacher la vérité quand ce conflit aura pris fin.

– Et la croix gammée sur son front ? demanda Flovent.

Thorson haussa les épaules.

– La manière de fonctionner de ces gens m'échappe complètement.

– Victime collatérale ? grimaça Flovent.

Thorson ne répondit rien à cette observation.

– Je me demande si cette visite ne les aurait pas un peu affolés, à l'ancienne léproserie, reprit Flovent.

– Cette visite ?

– Il est en route vers l'Islande.

– Qui donc ?

54

La foule s'est amassée le long de la rue Laugavegur. Des pères de famille, chapeau sur la tête, des mères en robe d'été sous leur manteau ou leur gilet et des enfants qui courent autour, posant parfois un pied sur la chaussée. Les policiers les repoussent avec bienveillance en leur demandant de rester sur le trottoir et de bien se tenir. Certains ont apporté un drapeau britannique, d'autres arborent les couleurs islandaises, comme si c'était aujourd'hui le premier jour de l'été, ce jour où les habitants de Reykjavik fêtent le départ de l'hiver et où le printemps approche timidement. Les soldats britanniques piétinent, nerveux, dans la foule. La nouvelle s'est répandue qu'il emprunterait cette rue pour traverser la ville en direction du Parlement et la population attend, à la fois patiente et impatiente de le voir en chair et en os.

Une jeune femme d'environ vingt ans qui remonte du quartier de Skuggahverfi en pressant le pas apparaît à l'angle de la rue Klapparstigur. Vêtue de son beau manteau et coiffée d'un élégant chapeau, elle tient une fillette de deux ans dans ses bras et remet son couvre-chef en place. Le murmure qui parcourt la foule un peu plus haut dans la rue lui indique qu'il se passe quelque chose.

Le murmure enfle. Elle s'avance vers le bord du trottoir. Les gens autour d'elle se mettent à agiter leurs drapeaux et poussent des cris de joie à l'approche du cortège de voitures qui, enfin, défile sous leurs yeux. La jeune femme s'enhardit et pose un pied sur la chaussée, tenant l'enfant qu'elle a dans les bras de manière à ce qu'il ne perde pas non plus une miette du spectacle et, lorsque le cortège passe devant eux, elle aperçoit dans l'une des voitures un homme imposant au visage lunaire qui, sa casquette sur la tête, se penche en avant sur son siège. Elle fait un grand sourire et le salue d'un signe de la main, il agite la sienne en retour et, l'espace d'un instant, leurs regards se croisent. Puis le cortège s'éloigne et continue de descendre la rue Laugavegur avant de disparaître.

TOME 2

À paraître en octobre 2017

LA FEMME DE L'OMBRE

Il rentra chez lui par des chemins détournés. Lorsqu'il arriva place Kongens Nytorv, il avait toujours cette impression tenace que quelqu'un le suivait. Il scruta les alentours sans rien remarquer d'anormal, tout le monde rentrait simplement du travail. Il avait aperçu des soldats allemands dans la rue Strøget et s'était arrangé pour les éviter. Il traversa rapidement la place où un tramway s'arrêtait et laissait descendre ses passagers avant de repartir en cliquetant sur ses rails. Sa peur avait grandi au fil de la journée. Il avait appris que les Allemands avaient arrêté Christian. Il n'en avait pas eu la confirmation mais c'était ce que plusieurs étudiants avaient murmuré à la bibliothèque universitaire. Il avait alors fait de son mieux pour se comporter comme si de rien n'était. Comme si tout cela ne le concernait pas. Deux étudiants en médecine avaient affirmé que la Gestapo était venue chercher Christian chez lui à l'aube pour l'emmener.

Il se posta à côté du théâtre, alluma une cigarette et observa la place d'un œil inquiet, sachant que si les Allemands avaient arrêté Christian, il y avait de fortes chances qu'ils soient aussi à ses trousses. Toute la journée, il avait redouté d'entendre le bruit de leurs bottes dans la bibliothèque où il s'était forcé à rester en essayant d'agir comme si tout était normal. Incapable de se concentrer pour étudier, il redoutait de retourner dans cette chambre qu'il louait dans le quartier de Christianshavn.

Il écrasa sa cigarette, se remit en route, passa le pont de Knippelsbro et évita les artères principales, préférant les rues adjacentes et les ruelles peu fréquentées. En fin de compte personne ne le suivait, c'était un soulagement. Il voyait Christian aux mains des nazis. Il imaginait facilement ce que ce dernier éprouvait si ce qu'on disait était vrai. Tous deux avaient conscience du risque qu'ils prenaient et, même s'ils connaissaient les histoires qu'on racontait sur les arrestations et les interrogatoires, ils faisaient de leur mieux pour ne pas y penser et espéraient ne jamais être repérés. Or c'était justement ce qui venait d'arriver. Pendant qu'il était à la bibliothèque, il s'était demandé comment c'était possible sans trouver la réponse. Il n'avait pas l'âme d'un héros, il voulait juste aider et avait immédiatement accepté quand Christian lui avait demandé son assistance.

Il louait une chambre chez un couple âgé. Parvenu près de son immeuble, il se posta au coin de la rue pour surveiller les allées et venues. Sa chambre se trouvait au deuxième étage et donnait sur la rue. Il n'avait pas d'autre lieu où se réfugier. Ignorant les informations dont disposaient les nazis, il n'osait pas se rendre à l'endroit où il retrouvait ses camarades en secret. Il ne voulait pas aller chez ses amis de peur de les mettre en danger. Avec Christian, ils n'avaient pas discuté de la stratégie à adopter au cas où leurs activités seraient découvertes. Ils n'avaient mis au point aucun plan de fuite. Tout cela était pour eux encore tellement neuf et inconnu. Quelques mois plus tôt, les nazis avaient envahi le Danemark et mis la Résistance en déroute. Christian, leur chef, ayant désormais disparu, il avait l'impression d'être seul au monde. Il leva les yeux vers la fenêtre de sa chambre et pensa à sa famille en Islande en se disant que tout cela le dépassait.

La vie suivait son cours dans sa rue comme ailleurs, les gens rentraient chez eux, les magasins fermaient. Il connaissait maintenant le bouquiniste qui le saluait, et le jeune étudiant qui se rendait à l'université tous les matins. Le boucher lui avait dit qu'il avait une tante en Islande, et il avait rarement mangé des gâteaux aussi délicieux que ceux du pâtissier d'en face. Le matin, l'odeur de la brioche chaude flottait parfois dans la rue et montait jusqu'à sa chambre, annonçant une belle journée gorgée de soleil et de parfums. Il avait aimé Copenhague dès le premier jour. Mais aujourd'hui, à présent que le soir tombait et que le couvre-feu imposé par les nazis s'abattait comme une chape de plomb, la guerre devenait presque palpable. Brusquement, la ville semblait se changer en une immense prison avec ses bâtiments inquiétants et ses ruelles encaissées et sombres.

Il alluma une autre cigarette en pensant à sa fiancée, jamais elle ne lui avait autant manqué. S'il parvenait à se joindre à ce groupe d'Islandais, il serait sans doute sauvé. Il s'était inscrit sur la liste des passagers, comme il l'avait promis à sa bien-aimée, et savait que ses compatriotes quitteraient Copenhague le lendemain au départ de la rue Havnegade. Par instants, l'idée terrifiante que Christian ne supporte pas les interrogatoires avant qu'ils aient tous quitté la ville lui venait à l'esprit. Il avait bien conscience que ce n'était pas à son honneur et il en avait honte, mais désormais chacun devait juste sauver sa peau.

Il resta encore un instant à l'angle, puis s'avança et il entendit des bruits de pas derrière lui.

2

Les autocars arrivaient les uns derrière les autres et descendaient jusqu'au port, qui se trouvait légèrement à l'écart de la ville. La plupart des passagers avaient fait un long voyage. Partis du Danemark, ils avaient rejoint la Suède en bateau puis l'avaient traversée pour atteindre la frontière finlandaise. Sur la dernière portion du trajet jusqu'à Petsamo, les véhicules avaient emprunté des routes défoncées, traversant les territoires où les Russes et les Finlandais s'étaient affrontés. Partout on ne voyait que destruction, maisons éventrées et cratères d'obus dans les champs. Les voyageurs avaient pris des ferries et des trains dont les voitures étaient à peine plus confortables que des wagons à bestiaux et, sur la dernière partie du voyage, on les avait installés dans ces cars pour les conduire de Rovaniemi à Petsamo, jusqu'à l'océan Arctique où attendait le paquebot *Esja* qui les ramènerait en Islande. Les quelque deux cent soixante passagers descendirent sous la neige quand les autocars atteignirent enfin le port. Ils s'étirèrent avant de récupérer leurs valises, leurs sacs et leurs baluchons pour les monter à bord. Soulagés à la vue de l'*Esja*, ils avaient l'impression d'être rentrés en Islande dès qu'ils posaient le pied sur le pont du navire.

Debout à côté de la passerelle d'embarquement, elle scrutait les gens qui descendaient des véhicules, impatiente de revoir son fiancé. Depuis de longs mois il n'y avait eu entre eux que des lettres et une conversation téléphonique où elle avait à peine entendu sa voix. Elle était arrivée à Petsamo la veille avec d'autres Islandais qui avaient travaillé en Suède quelque temps mais qui voulaient regagner l'Islande avec l'*Esja*. Elle s'était réjouie en apprenant que les autorités allemandes en Norvège et au Danemark avaient autorisé ce voyage. Les ressortissants islandais qui le souhaitaient pouvaient rentrer chez eux, et un navire serait spécialement affrété à cet effet. Elle supposait que ce lieu loin de tout avait été choisi parce qu'il se trouvait en dehors des zones de combat et qu'une grande partie de la route pour y accéder traversait un pays neutre. Elle n'avait pas eu besoin d'y réfléchir à deux fois. En ces temps troublés, elle voulait être en Islande et nulle part ailleurs. Elle avait encouragé son fiancé à réserver lui aussi une place à bord. Dans sa dernière lettre, il lui avait promis de s'inscrire sur la liste. Quel soulagement ! Elle se réjouissait à l'idée de le retrouver sur le navire qui les ramènerait en Islande. Elle avait besoin de passer un peu de temps seule avec lui.

Comme elle ne voyait pas son fiancé, elle se mêla doucement à la foule qui envahissait la jetée et scruta les alentours, à sa recherche, l'air inquiet. Elle monta dans chacun des autobus sans le trouver, mais aperçut tout à coup un de ses camarades, également étudiant en médecine. Son cœur tressaillit, les deux jeunes hommes devaient voyager ensemble. Elle courut à sa rencontre et le salua alors qu'il se penchait pour attraper sa valise. Il la reconnut de suite et lui donna l'accolade, comme à une vieille amie, peut-être parce qu'ils étaient en terre étrangère et qu'ils s'apprêtaient à rentrer au pays. Elle comprit immédiatement à son expression qu'il y avait un problème.

– Il n'est pas avec toi ? demanda-t-elle.

Le jeune homme fuyait son regard, l'air embarrassé.

– C'était prévu, mais…

– Mais quoi… ?

– Je ne sais pas. Je l'ai attendu, mais il n'est pas venu. Malheureusement. Il ne t'a pas donné de nouvelles ?

– Non, répondit-elle, il comptait me rejoindre ici pour rentrer avec moi en Islande.

Le jeune homme l'entraina à l'écart.

– Je ne sais pas si c'est vrai, mais… tu es au courant de ses activités à Copenhague ? murmura-t-il.

– Ses activités ? Enfin, il fait la même chose que toi !

– Oui, bien sûr, je sais, mais j'ignore s'il faut croire ce que j'ai entendu. Il aurait été arrêté.

– Arrêté ?!
– Oui, les nazis l’auraient emmené.

À suivre…

RENDEZ-VOUS EN OCTOBRE 2017

DU MÊME AUTEUR

CHEZ LE MÊME ÉDITEUR

Série Erlendur Sveinsson

(dans l'ordre chronologique)

Le Duel

Les Nuits de Reykjavik

Le Lagon noir

La Cité des Jarres

La Femme en vert

La Voix

L'Homme du lac

Hiver arctique

Hypothermie

La Rivière noire

La Muraille de lave

Étranges rivages

Les autres romans d'Arnaldur Indridason

Betty

Le Livre du roi

Opération Napoléon

Bibliothèque nordique

Gudbergur Bergsson
Deuil

Steinar Bragi
Installation
Excursion

Jens-Martin Eriksen
Anatomie du bourreau

Arnaldur Indridason
La Cité des jarres
La Femme en vert
La Voix
L'Homme du lac
Hiver arctique
Hypothermie
La Rivière noire
Betty
La Muraille de lave
Étranges rivages
Le Livre du roi
Le Duel
Les Nuits de Reykjavik
Opération Napoléon
Le Lagon noir
Dans l'ombre

Vagn Predbjørn Jensen
Le Phare de l'Atlantide

Eiríkur Örn NORÐDAHL
Illska, Le Mal
Heimska, La Stupidité

Arni THORARINSSON
Le Temps de la sorcière
Le Dresseur d'insectes
Le Septième Fils
L'Ange du matin
L'Ombre des chats
Le Crime

Suivez aussi les enquêtes de la police des rennes dans le Grand Nord, avec Olivier Truc :

Le Dernier Lapon

Le Détroit du Loup

La Montagne rouge

Cet ouvrage a été imprimé par CPI France
en février 2017

Cet ouvrage a été composé par
Atlant'Communication
au Bernard (Vendée)

N° d'édition : 2829003 – N° d'impression : 140488
Dépôt légal : février 2017

Imprimé en France